MARS ET VÉNUS
RÉUSSISSENT ENSEMBLE

BARBARA ANNIS
ET JOHN GRAY

MARS ET VÉNUS RÉUSSISSENT ENSEMBLE

TRADUIT DE L'ANGLAIS (ÉTATS-UNIS)
PAR CORINNE DEWANDRE

De John Gray, chez le même éditeur

Les hommes viennent de Mars, les femmes viennent de Vénus
Mars et Vénus sous la couette
Mars et Vénus au travail
Mars et Vénus se rencontrent
Mars et Vénus refont leur vie
Les enfants viennent du paradis
Mars et Vénus : petits miracles au quotidien
Mars et Vénus : 365 jours d'amour
Mars et Vénus au régime
Vénus en feu, Mars de glace

Titre original
Work with Me
The 8 Blind Spot between Men and Women in Business

© Barbara Annis et John Gray, 2013
Tous droits réservés.
Première publication en langue originale par Palgrave Macmillan,
une filiale de St. Martin's Press, mai 2013.
Publié en accord avec St. Martin's Press, LLC.
© Éditions Michel Lafon, 2013, pour la traduction française
7-13, boulevard Paul-Émile-Victor – Île de la Jatte
92521 Neuilly-sur-Seine Cedex
www.michel-lafon.com

À mon mari, Paul Reed Curie, dont j'ai toujours admiré et chéri l'incroyable soutien, l'amour et l'intégrité.
Et à mes merveilleux enfants, Lauren, Sasha, Stéphane, et Christian ; à mes enfants bonus, Zachary, Kelly et Jeremy ; à mes petits-enfants, Colin, Cameron, Alaia, Brydan, Jake, Riley et Grayson.

– Barbara

Avec amour et affection à ma femme, Bonnie Gray, et à nos filles, Lauren, Juliet et Shannon. Leur amour m'a poussé à devenir le meilleur que je puisse être et à partager avec tous ce que nous avons appris ensemble en tant que famille.

– John

SOMMAIRE

INTRODUCTION

Vous reconnaissez-vous dans ces remarques, ou les avez-vous déjà entendues de la bouche de vos amis ou collègues ?

– J'en ai assez d'être mise à l'écart et que mes idées soient dénigrées.

– La compétence n'est pas du tout prise en compte dans cette entreprise.

– Je dois toujours faire attention à ce que je dis.

– Je ne peux et ne veux agir comme quelqu'un que je ne suis pas.

Ou les scénarios suivants évoqueront-ils des situations familières pour vous ou quelqu'un de votre entourage ?

Suzanne a obtenu son diplôme en gestion en se classant parmi les premiers de sa promotion et s'est vu offrir un premier poste assez bien rémunéré dans une entreprise importante. Elle aime collaborer avec ses collègues et se montre particulièrement brillante dans l'art de tisser des liens avec autrui et de nouer des alliances. Cette compétence lui permet de développer sa base de clients, qui apprécient de conclure des affaires avec elle. Pour autant, Suzanne essaie, sans y parvenir, de s'intégrer à l'équipe masculine de son bureau. Elle n'imaginait pas à quel point l'ambiance serait compétitive. Ce n'était pas le cas dans son université. Elle a le sentiment qu'elle ne pourra jamais prétendre à aucune promotion, quelle que soit la valeur de son travail. Déçue de se voir dévalorisée et mise à l'écart, Suzanne recherche à présent une entreprise qui pourra l'accueillir plus chaleureusement et lui accorder l'espace nécessaire pour évoluer.

Guillaume adore la compétition. Pour lui, le bureau s'apparente à un stade de sport, où le déjeuner marque la mi-temps. Il se distingue par ses capacités à établir des stratégies et parvient toujours à accomplir les tâches qu'on lui soumet. Il se montre particulièrement efficace lorsqu'il travaille et résout des problèmes seul. Ses réussites professionnelles sont prises en compte et les efforts de Guillaume sont appréciés à leur juste valeur par ses supérieurs. En revanche, Guillaume éprouve des difficultés dans le travail d'équipe et pour la prise de décisions délicates. Là où il n'est plus possible de travailler dans son coin, il est souvent perçu comme trop rapide et manquant à la prudence la plus élémentaire. Lors de la dernière réunion de son équipe, il a eu l'impression d'avoir vexé une de ses collègues cadres, sans être sûr de ce qu'il a dit exactement. Il pense que ses paroles ont été mal comprises. Guillaume n'en n'est pas certain. C'est une impression générale récurrente, et il ne voit pas comment éviter que cela se reproduise à l'avenir.

Ces remarques, très courantes, ressortent régulièrement lorsque nous animons des séminaires et des ateliers. Nous connaissons Suzanne et Guillaume, ce sont des personnes réelles, et elles ne sont pas les seules dans leur cas. Il en existe des millions d'autres qui se sentent coincées, en situation d'échec, ou qui démissionnent de leur poste, non par manque de compétences professionnelles mais faute d'avoir compris comment s'intégrer dans leur équipe de travail, et notamment la manière d'interagir avec leurs collègues du sexe opposé.

Chacun souhaite améliorer la qualité de ses relations professionnelles, sans toujours savoir comment s'y prendre. Il semble parfois difficile de comprendre pourquoi nos collègues hommes et femmes communiquent, résolvent les problèmes, prennent des décisions et gèrent le stress de la façon dont ils le font. Les hommes et les femmes peuvent voir la même chose, mais la plupart du temps à travers des lentilles complètement différentes, ce qui conduit souvent à des dialogues de sourds.

Il est communément admis que les hommes et les femmes sont semblables en tout point, qu'ils nourrissent les mêmes aspirations, et on attend d'eux qu'ils se montrent capables d'atteindre les mêmes objectifs selon un fonctionnement identique. Ces croyances constituent le fondement des tumultes professionnels que traverse notre culture du travail, bien plus qu'un machisme encore trop présent.

En persistant à croire à la similitude des fonctionnements des deux sexes, nous nous sommes retrouvés dans une impasse. La volonté de contraindre les femmes à agir tels des hommes et de critiquer les hommes pour leur comportement masculin a entraîné la mise en place d'un cercle vicieux d'incompréhension et de mauvaise communication. L'authenticité envers autrui, mais surtout envers soi-même, en a pâti.

Se rapprocher

Il arrive que des découvertes soient capables de nous mener sur le chemin d'autres révélations qui, avec le temps, aboutissent à des synergies étonnantes. En tant qu'auteurs travaillant dans des domaines similaires, nous nous tenions mutuellement informés des avancées de nos travaux respectifs. Le message du livre révolutionnaire de John Gray, *Les hommes viennent de Mars et les femmes viennent de Vénus*, a été reçu à l'échelle planétaire. En recourant à des témoignages et à des exemples dans lesquels chacun pouvait se reconnaître, il a révélé en quoi et comment les hommes et les femmes s'exprimaient, pensaient, éprouvaient des émotions de façon dissemblable, ce qui a amélioré la relation amoureuse de milliers de couples et sauvé autant de mariages. De même, Barbara Annis, dans ses recherches sur les spécificités de chaque sexe et sur le leadership inclusif, a été l'un des pionniers d'une nouvelle conception des différences entre les sexes dans notre culture et des répercussions que cette nouvelle conception peut avoir sur la réussite personnelle. Son livre *On parle la même langue mais on ne se comprend pas* (Les Éditions Transcontinental, 2003) a aidé de nombreux hommes et de nombreuses femmes carriéristes à faire tomber les obstacles à leur accomplissement et à leur bonheur personnels, et à accéder à un autre niveau de communication et de collaboration avec leurs collègues. Ensemble, nous nous sommes rendu compte que nous tenions le même discours, adressé aux mêmes personnes, mais dans deux domaines différents : notre objectif consistait à aider les hommes et les femmes à mieux dialoguer en tant que collègues, liés par un désir commun de réussite, en leur apprenant à mieux se comprendre et à travailler ensemble, et aussi à aider les hommes et les femmes en tant que couples, liés par un désir commun d'amour, à mieux se comprendre et à se faire confiance dans leur vie privée.

Ce constat nous a rapprochés, puis incités à écrire à quatre mains ; c'est la tendance récente de ces deux mondes − sphère personnelle et sphère professionnelle − à ne plus être aussi cloisonnés que lorsque nous avons chacun commencé à nous passionner pour ce domaine.

Établir un parallèle entre le désir tant masculin que féminin de mieux se comprendre et celui de se sentir compris dans la vie professionnelle et dans la vie privée permet d'aboutir à une meilleure harmonie entre vie privée et vie professionnelle. Le but ultime à atteindre consiste à mener de front profession et relations, pour assumer ses responsabilités de sorte que chacun se sente apprécié et comblé. Mais il nous arrive encore souvent d'être aveugles aux besoins et aux attentes des autres, et incapables aussi d'exprimer et de satisfaire nos propres besoins.

Identifier nos angles morts

Lorsqu'on conduit une voiture, les rétroviseurs latéraux et centraux comportent la plupart du temps un ou plusieurs angles morts, qui empêchent de voir une partie du trafic. Nous connaissons l'existence de ces angles morts et sommes habitués à tourner la tête de peur de manquer quelque chose. Les reconnaître ne pose de problème à personne ; nous acceptons leur présence et tentons de pallier cette difficulté par tous les moyens afin d'améliorer notre angle de vision. Ce faisant, nous essayons de nous montrer moins dangereux pour les autres conducteurs et de protéger nos proches ainsi que nous-mêmes.

On peut établir un parallèle entre ces angles morts et ceux qui empêchent hommes et femmes de voir l'autre sexe sous le meilleur éclairage – ce que nous appelons les angles morts de la relation hommes-femmes : soit des croyances erronées, entretenues tant par les hommes que par les femmes, des idées stéréotypées qui contribuent à gêner la compréhension et à perturber la communication.

Les hommes autant que les femmes, malgré un désir sincère de se percevoir en toute clarté, ne sont pas toujours à même de lire les signaux de l'autre sexe avec suffisamment d'exactitude. Ils ne parviennent pas à communiquer de façon efficace. Ils ne savent pas comment écouter et n'identifient pas l'objet même de leur écoute. Ils s'efforcent de faire de leur mieux pour travailler côté à côte de façon plus sereine et pour trouver plus de bonheur dans leur relation de couple, mais ils échouent sur plusieurs plans.

Le but de ce livre est de mettre en évidence les angles morts de la relation homme-femme afin de pouvoir les dépasser. Il est temps d'opérer un changement culturel dans nos croyances. Ce dont nous avons besoin à l'heure actuelle – plus que jamais auparavant –, c'est d'atteindre un nouveau seuil de connaissance et de compréhension des besoins de chacun, une plus grande ouverture à ce que nous appelons l'« intelligence des genres ».

Améliorer son intelligence des genres

Qu'entendons-nous par « intelligence des genres » ? Il s'agit d'une conscience de la nature intrinsèquement différente sur Mars et sur Vénus, au-delà des aspects physiques et culturels, d'une compréhension et d'une appréciation de nos dissemblances. Cela ne conduit pas à imaginer qu'on se ressemble et à tolérer les petites différences lorsqu'elles se manifestent. Il ne s'agit pas non plus de modifier notre comportement ou d'apprendre de nouvelles façons d'interagir qui ne correspondraient pas à notre identité profonde.

L'intelligence des genres constate que chaque sexe dispose de spécificités à la fois innées et acquises – d'abord innées, puis façonnées par la société et la culture. C'est seulement en comprenant préalablement la nature de nos différences que nous pourrons déterminer par la suite comment les apprécier, les mettre en valeur et les rendre complémentaires des spécificités de l'autre sexe, au lieu de les nier, ce qui conduirait à tourner le dos à ce qui fait de nous quelqu'un d'unique.

La principale source de déception des Vénusiennes dans leur milieu professionnel est le manque de reconnaissance. Les hommes, interprétant de manière erronée les intentions des femmes, passent souvent à côté de leur bonne volonté ou de leurs qualités particulières. Les Martiens sont pourtant enclins à vouloir comprendre les femmes, mais ils ne disposent pas des clés nécessaires pour y parvenir. La réciproque est d'ailleurs tout aussi vraie. Les femmes imaginent souvent à tort une motivation négative chez les hommes, à défaut de percevoir ce qui les motive ou les conduit à agir comme ils le font.

Nous hésitons sur la conduite à tenir à l'égard des hommes et des femmes du bureau d'à côté, lors des réunions, dans le cadre de projets d'équipe ou à la cantine. Nous percevons bien les efforts à y consacrer, mais il nous arrive d'ignorer quels mots utiliser, quelle attitude adopter. Le plus compliqué aujourd'hui dans le secteur professionnel, ce n'est plus de se montrer compétent dans l'accomplissement de missions, mais d'être capable d'interagir avec les personnes du sexe opposé.

L'intelligence des genres permet aux hommes et aux femmes de mieux comprendre les façons de réfléchir et d'agir du sexe opposé. Elle permet aussi de mettre en évidence et d'éliminer les angles morts, afin d'atteindre un niveau supérieur de communication. Elle nous encourage en outre à ne pas mettre les collègues de l'autre planète à l'écart, et à travailler à leurs côtés avec plus de confiance et de bonne volonté, sans attendre des autres qu'ils réagissent comme nous, mais plutôt en s'attachant à trouver des terrains d'entente, visant à identifier et à apprécier la complémentarité de nos différences.

Mars et Vénus réussissent ensemble propose pour la première fois de découvrir les résultats quantitatifs et qualitatifs d'une enquête réalisée auprès de plus de 100 000 hommes et femmes, leurs déclarations ayant été recueillies sur leur lieu de travail. L'étude a analysé les réponses ouvertes des hommes et des femmes, permettant d'identifier non seulement le comment mais aussi le pourquoi des valeurs les plus retenues par chacun des sexes, puis de les classer par ordre de priorité. Il en ressort une base de données sur la différence entre les sexes sans précédent, car, à notre connaissance, c'est la première fois qu'une telle enquête est réalisée, et sur un public aussi large.

Dans la première partie de ce livre, vous découvrirez les huit angles morts de la relation homme-femme, directement issus du résultat de l'enquête. Ils concernent toutes les fausses suppositions et les partis pris que les hommes et les femmes retiennent non seulement les uns envers les autres mais aussi envers eux-mêmes. Dans ces huit chapitres, nous proposerons une définition de chacun de ces angles morts, en nous fondant sur nos propres recherches et sur les découvertes les plus récentes dans le domaine de la relation homme-femme, publiées par la recherche universitaire ou privée. Nous pourrons les éclairer par les témoignages recueillis lors de nos ateliers et consultations de coaching privés, tels que ceux de Guillaume et Suzanne, qui permettent de mieux comprendre les données recensées dans l'étude.

Tout au long du livre, nous aborderons le débat controversé sur les origines innées ou acquises des différences entre les sexes. La recherche menée par la neuroscience, la biologie et la psychologie a confirmé – sans doute possible – que nombre de ces différences trouvent leur source dans les structures distinctes des cerveaux féminin et masculin, entraînant des divergences dans la façon de traiter les informations, de percevoir les situations, de communiquer, de prendre des décisions, de gérer le stress ou d'aborder les autres.

L'exploration des huit angles morts des relations hommes-femmes permettra d'apporter des réponses aux questions clés que nous poserons en tête de chaque chapitre, questions en rapport avec chacun des angles morts et chacune des disparités hommes-femmes. Les hommes doivent-ils changer ? Les hommes écoutent-ils et apprécient-ils les femmes ? Sont-ils vraiment insensibles ? Les femmes sont-elles mises à l'écart ? Font-elles preuve d'une trop grande émotivité ? Posent-elles trop de questions ?

Le degré de satisfaction féminin envers le monde professionnel d'aujourd'hui n'est pas aussi élevé que celui des hommes. Lors des réunions d'équipe ou autour de la machine à café, les femmes se sentent évaluées différemment des hommes. Elles ont l'impression que leurs idées ne sont pas prises en considération et qu'elles-mêmes sont exclues des promotions ou des événements de leur entreprise. La plupart de leurs homologues masculins se sentent satisfaits de la culture d'entreprise actuelle. L'angle mort masculin réside dans l'incapacité des hommes à percevoir en quoi leur conduite, dans une conjoncture à dominance masculine, peut avoir un effet négatif sur les femmes. L'angle mort féminin consiste plutôt à déduire que les choix masculins qui les dérangent sont délibérés.

La façon dont chacun souhaiterait être estimé apparaît souvent dans sa manière d'exprimer son appréciation. On a tendance à donner ce que l'on aimerait recevoir. Voilà pourquoi il est important de comprendre comment les hommes aiment être considérés et d'identifier pourquoi ils ne manifestent pas efficacement leur estime aux femmes. L'angle mort des hommes consiste à supposer que les femmes recherchent les mêmes signes d'appréciation qu'eux – une supposition source de bien des malentendus, comme nous le verrons.

Au cours des ateliers, il arrive souvent que des participants soient surpris, par exemple les hommes qui découvrent les difficultés que doivent affronter les femmes dans leur quotidien professionnel, difficultés constituant de vrais obstacles à leur réussite et à leur épanouissement. Les femmes sont en général à même d'établir une liste des défis rencontrés, et le sentiment d'exclusion figure la plupart du temps en bonne place sur cette liste. Les hommes, en revanche, expriment l'appréhension et l'insécurité qu'ils éprouvent au contact des femmes, ayant l'impression de devoir marcher sur des œufs avec leurs collègues féminines. Vous trouverez un chapitre consacré à tous les exemples, issus des témoignages, de situations au cours desquelles les hommes se sont sentis mal à l'aise, soucieux de ne pas blesser ou inquiets de provoquer un retour de bâton, ainsi qu'à l'étonnement des femmes qui prennent conscience de cet aspect du problème.

Il semble que, de façon caricaturale, la femme soit encore perçue comme « posant trop de questions »… alors qu'actuellement les hommes inverseraient plutôt la tendance.

Il est en tout cas frappant de constater à quel point les femmes rencontrent des problèmes très semblables d'une entreprise à l'autre dans leurs relations avec leurs collègues hommes, et ce dans divers pays du monde. Leur préoccupation principale est le manque d'écoute des hommes envers elles. Ce reproche surprend en général les hommes présents, qui se défendent : « Bien sûr qu'on écoute ! » Cet ouvrage propose une grille des différentes formes d'écoute et indique comment mieux communiquer pour que les interlocuteurs aient le sentiment d'être entendus.

Et, oui, les femmes sont la plupart du temps plus émotives, ayant tendance à exprimer davantage et plus souvent leurs joies, leurs passions et leurs frustrations que les hommes. Cela signifie-t-il qu'elles sont trop émotives ? Nous étudierons l'insensibilité présumée des hommes en comparant les niveaux de perception différents des hommes et des femmes, leurs réactions face à leur environnement, leur attitude par rapport aux détails, puis nous déterminerons si le problème est lié à une mémoire défaillante ou à l'indifférence.

La seconde partie de notre ouvrage, « Améliorer la compréhension des différences hommes-femmes », présente des témoignages d'hommes et de femmes mettant en pratique les découvertes qu'ils ont faites sur des façons plus efficaces de travailler ensemble, et à quel point ils se sentent à présent plus épanouis dans leur carrière et apaisés dans leur vie privée.

Tout au long de cet ouvrage, les Martiens pourront appréhender de nouvelles pistes pour développer la confiance avec les Vénusiennes, et ces dernières pourront identifier les façons d'augmenter leur crédibilité aux yeux des Martiens. Chaque sexe pourra établir un lien entre ses valeurs et celles du sexe opposé, pour en percevoir la complémentarité et permettre à chacun de rester authentique. Les hommes autant que les femmes puiseront dans ces découvertes l'inspiration nécessaire pour apporter plus d'harmonie entre leur vie privée et leur vie professionnelle, et réduire leur niveau de stress professionnel et personnel.

Mais cet ouvrage ne donne pas de recettes. Il ne peut dire exactement quoi faire dans chaque situation, ce qui donnerait aux lectrices et lecteurs l'illusion de posséder complètement l'intelligence des genres. Le but à atteindre est d'améliorer la compréhension et la prise de conscience de chacun et chacune, afin que le processus d'apprentissage semble plus authentique. Il s'agit donc d'accroître pour chacun et chacune sa connaissance, en devenant particulièrement attentif à la façon dont hommes et femmes agissent et pensent comme ils le font.

Mars et Vénus réussissent ensemble vous permettra d'entrer dans l'esprit de la personne du sexe opposé et d'éviter les mauvaises interprétations du comportement de l'autre, tout en vous assurant d'être mieux compris par lui. Vous apprendrez à vous mettre à la place des personnes de l'autre sexe, à vraiment écouter, et à transmettre vos propres messages de façon plus efficace.

Une meilleure compréhension mènera, tout naturellement, à une plus grande appréciation mutuelle et à la complémentarité étonnante de nos différences. Cet ouvrage vous permettra d'arrêter le jeu des critiques, de voir réellement l'autre sans angle mort, de lui accorder la valeur qu'il mérite ; il vous donnera envie de travailler ensemble, et d'atteindre plus de réussite et de plaisir aussi bien dans votre travail que dans votre vie privée.

Les hommes et les femmes ayant assisté à nos ateliers et séminaires demandent souvent à quel point les angles morts qui émergent dans leur perception de leurs collègues de l'autre sexe affectent de même leur vie privée. Ils souhaitent améliorer non seulement la qualité de leurs relations au travail mais aussi en dehors. Nous proposerons ici quelques idées pour illustrer à quel point les croyances erronées à propos des relations hommes-femmes peuvent aussi avoir des incidences sur la vie de couple, les rapports avec les enfants, ou les nouvelles rencontres que font les célibataires. Vous découvrirez ainsi qu'une fois sur ce chemin vous tenterez de faire de l'intelligence des genres l'objectif de toute une vie. Vous vous poserez souvent la question : « Est-ce que je fais preuve d'une intelligence des genres ? » Vous chercherez constamment à regarder en votre moi profond et à trouver des façons de partager votre moi authentique avec les personnes de la planète opposée.

Empruntons dès à présent ensemble ce chemin.

CHAPITRE 1

SOMMES-NOUS RÉELLEMENT SEMBLABLES ?

Laurent travaille dans la finance depuis plus de vingt ans et dirige une succursale florissante à Dallas. Il dispose d'une équipe d'employés dévoués, qui apprécient de travailler ensemble. Judith, une des deux femmes de l'équipe, se sent toujours un peu mal à l'aise quand, à l'occasion, Laurent lance une blague sexiste d'un goût douteux au cours d'une réunion d'équipe ou lorsqu'il la complimente sur sa tenue. En dehors de ces quelques réserves, Judith voit en Laurent un N + 1 (supérieur direct) avec lequel il est agréable de travailler. Elle ne sait comment aborder le problème, craignant de se tromper dans le choix des mots et appréhendant sa réaction. *Cela pourrait ruiner ma carrière*, pense-t-elle.

Judith adresse un e-mail au responsable des Ressources humaines, à Houston, requérant son aide ; ce dernier assume son rôle en rédigeant un rapport sur Laurent et en contactant le service légal. Le responsable légal propose une rencontre avec Judith, en présence du responsable des Ressources humaines ; et, dans leur effort pour régler la situation selon le protocole prévu, ils décident de muter Judith dans un autre département, solution qu'elle n'avait pas du tout prévue, et que Laurent n'aurait certainement pas souhaitée non plus, car il considère Judith comme l'une de ses meilleures collaboratrices.

Alors que son ancien bureau était situé à quinze kilomètres de chez elle, Judith doit dorénavant passer deux heures chaque matin et chaque soir dans les transports. Cela lui laisse le temps de réfléchir à sa situation, qui s'est dégradée si rapidement. Éprouvant le besoin de se confier, elle raconte son histoire à un ami avocat. Il lui suggère de ne pas se laisser faire et de traduire l'entreprise, ainsi que Laurent, en justice. Elle suit ce conseil, gagne son procès, perçoit des dommages et intérêts conséquents, et prend sa retraite.

Laurent est complètement abasourdi par cette histoire : « Je n'avais aucunement l'intention de blesser quiconque et j'ignorais que j'étais en tort. » L'entreprise prend la seule décision possible et licencie Laurent pour faute. Ses chances de retrouver un nouvel emploi sont très faibles, vu sa condamnation pour harcèlement sexuel. Sa carrière est finie. Il consulte son avocat, afin d'essayer de se sortir de cette impasse. Il en arrive à intenter un procès contre l'entreprise pour défaut de formation sur le harcèlement sexuel. Laurent gagne son procès et prend sa retraite.

Laurent n'imaginait pas que ses blagues pourraient produire un tel effet sur Judith. Il n'avait nullement l'intention de l'insulter ou de la « traiter en objet sexuel », comme ce fut invoqué lors du procès : « Je pensais que mes propos étaient flatteurs, que mes compliments lui feraient plaisir. »

Judith savait que le dessein de Laurent n'était nullement de la harceler. Elle souhaitait préserver leurs bonnes relations et conserver son emploi qui lui plaisait. Elle n'avait pas envie de blesser Laurent : seules quelques remarques la mettaient mal à l'aise, et elle ne voyait pas comment aborder le sujet sans mettre en péril sa relation avec lui. Sa demande auprès du service des Ressources humaines a mis en route une énorme machine judiciaire, qui a débouché sur des trajets invraisemblables pour Judith, un licenciement pour Laurent et des procès coûteux.

Pourquoi devrions-nous
nous en préoccuper ?

Au vu des répercussions financières, nombreuses sont les entreprises qui craignent, avec raison, les procès pour harcèlement sexuel. De nos jours, les demandeurs gagnent en moyenne 250 000 dollars en dommages et intérêts lorsque leur demande aboutit. À cela, il faut ajouter les frais judiciaires et les honoraires d'avocat. Lorsque les entreprises choisissent de transiger, il arrive qu'elles perdent des dizaines de milliers de dollars, mais certains procès leur en coûtent plusieurs millions !

La Commission américaine pour l'égalité des chances dans l'emploi reçoit en moyenne 12 000 plaintes pour harcèlement sexuel chaque année depuis dix ans. Compte tenu du développement des formations sur le respect des différences depuis le début des années 1990, on aurait pu penser que le nombre de plaintes diminuerait. Chaque année, environ la moitié des demandes sont déboutées pour défaut de fondement ; celles qui aboutissent coûtent aux employeurs une cinquantaine de millions de dollars par an[1].

Il faut aussi prendre en compte les coûts personnels. Les entreprises adoptent des règlements dans le but d'éviter les mauvaises conduites des hommes, comme interdire qu'un supérieur tienne des réunions avec une collaboratrice dans un bureau aux portes fermées. Les hommes sont réticents à l'idée de voyager ou même de déjeuner avec leurs collègues femmes, car ils ne souhaitent pas voir leurs intentions mal interprétées. Cette nouvelle tendance a pour effet de limiter pour les femmes les possibilités de se rapprocher de leurs supérieurs, ce qui réduit leurs chances de promotion.

Pourquoi l'égalité hommes-femmes n'est pas reconnue dans l'entreprise

L'histoire de Laurent et de Judith est vraie, même si les prénoms et les lieux ont été modifiés, par respect pour leur vie privée. Elle met en évidence à quel point les hommes et les femmes sont aveugles les uns envers les autres, concernant les intentions et les attentes des collègues du sexe opposé dans le monde actuel de l'entreprise. Les comportements déplacés existent incontestablement. Mais à côté des vrais abus, de trop nombreux problèmes ne sont liés qu'à une erreur d'interprétation des intentions réelles d'hommes et de femmes n'ayant qu'une idée très vague de la façon dont l'autre sexe pense et agit.

Au cours de nos ateliers sur l'intelligence des genres, et à travers l'étude réalisée sur plus de 100 000 hommes et femmes portant sur les questions des relations hommes-femmes dans l'entreprise durant ces vingt-cinq dernières années, nous avons pu dégager quelques données. Il ressort notamment que le problème ne vient pas du fait que les hommes ne veulent pas comprendre les femmes : en fait, ils ne parviennent pas à décrypter les pensées et les comportements féminins. Les femmes, de leur côté, tombent dans le même travers. À défaut de bien identifier les motivations masculines, elles ne peuvent déchiffrer le fondement des actes et des paroles de leurs collègues hommes.

Données sur les spécificités hommes-femmes[2]

• 9 % des hommes affirment qu'ils « comprennent les femmes ».

• 68 % des femmes affirment qu'elles « comprennent les hommes ».

En réalité, tant les hommes que les femmes hésitent la plupart du temps sur la façon d'interagir avec l'autre sexe. Les hommes admettent plus facilement ne pas comprendre les femmes. Les comportements masculins sont plus prévisibles, mais le manque de compréhension ou de bonne volonté peut amener à ce que chaque sexe évite l'autre et à ce qu'aucun des deux ne parvienne plus à bien travailler avec l'autre. Tant les hommes que les femmes hésitent à s'exprimer d'une façon qui leur paraît authentique.

Au cours de nos ateliers, les femmes ont tendance à dire *:*

– les hommes prennent des décisions rapidement. Je préférerais qu'on discute davantage avant de se décider ;

– il ne lève pas les yeux de son ordinateur quand je lui adresse la parole ;

– j'aime poser des questions, cela ne signifie pas que je manque de compétence ou de motivation.

Les hommes, eux, ont tendance à dire :

– j'ai l'impression de mieux travailler et d'être plus efficace quand je suis seul ;

– les femmes de mon équipe passent plus de temps à poser des questions qu'à avancer dans leur travail ;

– j'ai tendance à me retenir de critiquer les femmes.

Un problème majeur réside dans le fait que chacun essaie de faire preuve d'impartialité envers l'autre ; et au fil du temps, cela conduit à ce que les deux genres se considèrent comme semblables. Depuis l'avènement du mouvement féministe dans les années 1970, il existe une croyance populaire affirmant qu'hommes et femmes sont identiques, qu'ils agissent et pensent de la même façon. Pourtant, après plus de quarante ans, il semble évident que c'est faux. Nous ne nous sentons pas appréciés et pris en compte selon notre véritable personnalité ; nous éprouvons des difficultés à exprimer notre opinion. Bien que pétris de bonnes intentions, nous nous sentons souvent incompris.

Nous dénaturons notre véritable identité, au lieu d'agir en accord avec nous-mêmes. Nous occultons notre nature profonde et tentons d'agir selon des diktats extérieurs. La compétition est de mise plutôt que la recherche de la complémentarité, ce qui engendre un stress inutile et mène à l'insatisfaction dans notre vie professionnelle et personnelle.

Il faut admettre la réalité : hommes et femmes sont différents. Tous nos actes, tous nos gestes le prouvent. La façon dont les hommes et les femmes communiquent, résolvent les problèmes, gèrent les conflits, vivent leurs émotions ou font face au stress diffère.

Un moment particulièrement marquant, au cours de nos ateliers, est celui où l'on sépare les hommes et les femmes en groupes distincts, enjoignant à chacun de ceux-ci d'établir une liste des difficultés les plus importantes rencontrées dans les interactions avec les collègues du sexe opposé. Quand hommes et femmes sont ensemble, peu de réponses à cette question émergent. Mais dès que les groupes sont séparés, la liste prend forme très rapidement. Détail particulièrement intéressant : les listes sont pratiquement identiques d'un pays à l'autre. Les hommes et les femmes rencontrent les mêmes problématiques de par le monde, identifient les mêmes comportements et attitudes, sans distinction de culture, de niveau d'études ou de genre d'éducation.

Le modèle de similitude entre les sexes ne fonctionne nulle part dans le monde – pas même dans les pays d'Europe du Nord, où la cause féminine est la plus avancée. La Norvège, par exemple, a été l'un des premiers pays à instaurer le quota légal dans les conseils d'administration. Depuis les années 1980, ces pays sont les pionniers dans l'avancée des droits des femmes, dont le droit à la flexibilité des horaires de bureau. Pour autant, les pays nordiques obtiennent un score en dessous de la moyenne dans le pourcentage des femmes occupant des postes de cadres dirigeants[3].

Il est facile de proclamer « Nous sommes tous égaux » et de traiter chacun de façon identique ; mais, l'engouement retombé, on constate que les hommes comme les femmes continuent à ne pas se comprendre. Nous n'accordons pas suffisamment de valeur les uns aux autres et nous nous éloignons de l'idée de trouver la complémentarité chez l'autre.

Nous ne sommes pas identiques

Depuis les années 1990, les chercheurs en neuroscience ont fait de belles avancées dans la recherche sur les différences physiologiques des cerveaux masculin et féminin, aux niveaux tant anatomique que chimique ou fonctionnel. Les études sur le cerveau, effectuées sur plus d'un million de participants dans plus de trente pays différents, ont établi sans doute possible l'existence de différences physiologiques entre les cerveaux des deux sexes, différences ayant des implications sur le langage, la mémoire, la vue, les émotions, l'ouïe et l'orientation spatiale.

Bien que la différence soit avérée, cela ne signifie pas qu'un sexe soit supérieur à l'autre. Pourtant, en dépit de la preuve scientifique d'une différence biologique, de nombreuses personnes continuent à penser qu'en dehors des dissemblances physiques, et celles liées à la fonction reproductive, hommes et femmes sont semblables. Elles restent persuadées que toutes les divergences trouvent leur source dans la culture à dominance masculine et dans l'éducation reléguant les femmes à la seule fonction de prendre soin d'autrui. Cela revient à penser que les différences biologiques impliquent nécessairement une dévaluation de la femme par rapport à l'homme. La science serait dès lors récupérée pour justifier une domination de l'homme sur la femme.

Nous reconnaissons que la domination masculine a été, et reste, une réalité de par le monde, et ce, qu'elle soit subtile ou brutale. Il est effroyable de constater que le nombre de filles tuées ces cinquante dernières années – particulièrement en Chine, en Inde ou au Pakistan – juste parce qu'elles étaient des filles dépasse le nombre d'hommes tués au cours des guerres du XXe siècle[4]. Nous pensons qu'une large part de cette oppression des femmes est liée à une méconnaissance de l'« intelligence des genres ».

L'intelligence des genres est une conscience active visant à envisager les différences entre les hommes et les femmes comme des atouts plutôt que comme des faiblesses. Cela revient à admettre que l'inné comme l'acquis occupent une place prépondérante dans la vie d'une personne. La part d'influence que prennent la biologie, l'éducation, la culture ou l'environnement familial n'est pas facile à déterminer, car il n'existe pas de recette générale s'appliquant à chaque individu, et ce, dans toutes les situations.

Persévérer dans la croyance que les différences entre les sexes sont essentiellement issues de l'éducation revient à nier notre vraie nature. Nous avons été conditionnés pour croire que les hommes et les femmes étaient semblables. Nous avons tendance à nous attendre, à tort, à ce que les représentants de l'autre sexe agissent comme nous, et les dissemblances sont le plus souvent sous-estimées lorsqu'elles se manifestent.

Nous nous attendons à des similitudes

Des huit angles morts sur les différences hommes-femmes exposés dans cet ouvrage, la croyance de « similarité » est celle qui gêne le plus la perception développée par les uns des autres. De cette supposition fondamentale découlent les attentes erronées des hommes et des femmes les uns envers les autres, ainsi que la plupart des incompréhensions.

Bien que les femmes occupent aujourd'hui la moitié des postes de cadres moyens dans la majorité des entreprises, le monde du travail dans lequel elles évoluent a été conçu – la plupart du temps – par des hommes pour des hommes. Ces derniers témoignent d'une grande satisfaction envers cet environnement et ne cherchent en général pas à le modifier. Il est, en revanche, moins confortable pour les femmes, qui n'ont souvent d'autre choix que de s'adapter à la culture d'entreprise masculine.

Les hommes n'ont pas prévu d'adopter une telle culture dans l'idée de tenir les femmes à l'écart. Ce modèle de fonctionnement a été établi il y a plusieurs générations, alors que seuls les hommes, à de rares exceptions près, occupaient un emploi dans l'entreprise. Par conséquent, les hommes ont conçu les règles de base de l'engagement dans l'entreprise, les rendant avec le temps plus efficaces et mieux appliquées. Elles sont d'usage lors des réunions, visibles dans la façon de les organiser, dans la prise de décisions, dans l'ordre des priorités adopté. Les contacts sociaux en dehors du temps de travail sont eux aussi régis par les règles masculines : le choix des lieux où les salariés vont se retrouver, terrains de golf ou bars pour hommes...

Au cours de nos ateliers, nous demandons aux hommes d'exprimer les règles tacites, les codes de conduite qui leur semblent couler de source, et auxquels ils ne penseraient pas sans une demande expresse. Voici un extrait de la liste des règles tacites masculines élaborée à cette occasion. Il est intéressant de souligner que ces règles se retrouvent lors de la plupart des ateliers, qu'ils soient animés à Denver, au Danemark ou à Dubaï.

• Proposer de l'aide à un homme implique qu'on l'estime incapable de parvenir seul à résoudre son problème. Le laisser réussir seul lui donne confiance en lui. S'il a besoin d'aide, il en demandera.

• Lorsqu'un homme reste silencieux en réunion, il n'est pas bienvenu de le mettre sur la sellette en lui demandant :

« Qu'en penses-tu ? » S'il a des remarques à formuler, il s'en chargera lui-même.

• Dévoiler ses émotions est un aveu de faiblesse. Il convient de rester calme et confiant.

• Travailler ensemble, c'est bien… mais seulement si cela contribue à améliorer le résultat final.

• Les affaires sont les affaires, il ne faut donc pas adopter personnellement les comportements des autres.

Améliorer ces règles est compliqué pour les hommes. Pourquoi le souhaiteraient-ils ? L'environnement professionnel dans lequel ils évoluent leur permet de faire preuve d'authenticité et préserve leur motivation. De plus, un autre dicton très masculin stipule : « Si tout marche bien, il n'y a rien à réparer. »

Les femmes, en intégrant le monde professionnel, éprouvent des difficultés à s'y adapter. Elles préféreraient modifier les règles de fonctionnement de cet environnement pour pouvoir s'y sentir plus à l'aise et y trouver plus de motivation.

• Le voyage compte autant que la destination. Améliorer les performances permet d'atteindre un objectif.

• Offrir son soutien à une femme lui permet de se sentir prise en compte et d'offrir à son tour son aide.

• Les femmes apprécient qu'on leur demande leur opinion : cela leur permet de partager leurs idées.

• Dévoiler ses émotions n'est pas un signe de faiblesse, car les émotions sont source de force et de passion.

• Les femmes ont tendance à prendre les remarques personnellement, ce qui les conduit à des remises en question : « Qu'aurais-je pu faire autrement ? »

Les hommes connaissent les règles établies, qu'ils suivent au quotidien, et imaginent, sans y penser, que les femmes vont s'y soumettre elles aussi. Ils n'ont nullement l'intention de rejeter les femmes ou de se montrer froids et distants : ils se contentent de suivre les règles qui régissent les rapports entre hommes, ignorant qu'il peut en aller autrement entre femmes.

La croyance « Nous sommes tous semblables » a bien trop longtemps contraint les femmes à s'adapter au système hiérarchisé masculin et à tenter de s'y faire leur place. La plupart des séminaires d'entreprise, des ateliers, des ouvrages traitant de ce sujet ont pour objectif d'inciter les femmes à penser et à agir comme des hommes, afin d'atteindre elles aussi la réussite. Des exemples de ces formations fondées sur les fonctionnements masculins seront présentés dans les prochains chapitres. Une de ces formations avait pour objectif d'augmenter l'assertivité des femmes dans la Silicon Valley au début des années 2000. L'étude du contenu de la formation montre qu'il s'agit plus de faire ressortir l'agressivité des femmes dirigeantes que de les aider à s'affirmer, ce qui est l'essence de l'assertivité.

« Je ne vois qu'un modèle de leadership par ici ! »

Une femme candidate à la direction générale d'une entreprise cotée parmi les cent meilleures dans le magazine *Fortune* assistait à un séminaire de quatre jours, d'un coût élevé, offert par une université prestigieuse du nord-est des États-Unis. La formation était proposée depuis une trentaine d'années à des hommes d'affaires ainsi qu'à des politiciens. Peu de mises à jour avaient été effectuées entre-temps, si ce n'était l'ajout de nouveaux cas d'étude plus récents, ainsi que la présentation de quelques nouveaux aspects du leadership.

Juste avant que la formation commence, le premier jour, la candidate directrice générale et le formateur ont l'occasion d'échanger quelques mots. « J'ai remarqué, dit la candidate, que les hommes et les femmes de mon équipe ont des pratiques différentes du leadership. Aurons-nous l'occasion d'aborder les différences entre les leaderships masculin et féminin au cours des quatre prochains jours ? Presque la moitié des participants sont des participantes. Je ne vois qu'un seul modèle de leadership ici. Et les exercices sont davantage proposés de façon individuelle qu'en groupe. »

Le formateur lui répond : « Notre objectif principal est de mettre en évidence les principes fondamentaux du leadership, comme la vision, le sens moral, la prise de responsabilités, le fait d'inspirer confiance et la détermination d'objectifs. Ces principes s'appliquent tant aux hommes qu'aux femmes. »

La candidate réfléchit : *Je fais preuve de sens moral et j'inspire confiance de différentes façons. Et je ne me focalise pas uniquement sur les objectifs à atteindre. Je pratique un leadership de partage. Ces quatre jours n'ont pas été conçus pour tout ça.*

Et elle a raison. McKinsey a récemment réalisé une étude portant sur 9 000 chefs d'entreprise de par le monde, mesurant à quelle fréquence ils recouraient aux neuf comportements de leadership qui améliorent la performance de l'entreprise. Cette étude a permis d'établir que les hommes et les femmes disposent de modèles différents bien que complémentaires[5].

Les atouts de chacun des sexes	Les neuf traits de leadership
Les femmes y recourent plus que les hommes	Développement humain
	Attentes et félicitations
	Apprentissage par l'exemple
Les femmes y recourent un peu plus que les hommes	Inspiration
	Processus décisionnel participatif
Les hommes et les femmes y recourent autant	Stimulation intellectuelle
	Communication efficace
Les hommes y recourent plus que les femmes	Prise de décision individuelle
	Contrôle et correction

Les cinq comportements que les femmes adoptent beaucoup ou un peu plus que les hommes – le développement des personnes, les attentes et les félicitations, l'apprentissage par l'exemple, l'inspiration et la participation à la prise de décisions – occupent dorénavant une place cruciale dans la recherche et la conservation des nouveaux talents, ainsi que dans la mise en place d'un leadership adapté à un marché diversifié et global.

Dans l'enquête de McKinsey, 70 % des dirigeants interrogés ont reconnu que leurs cadres les plus âgés ne possédaient pas suffisamment ces traits de caractère. On peut mieux comprendre cette donnée quand on sait qu'un cinquième seulement de ce groupe de dirigeants était constitué de femmes.

Nous sous-estimons les différences

Lorsque nous présentons les résultats de la recherche en neuroscience au cours de nos ateliers, et que nous les illustrons par des exemples sur la façon dont le cerveau fonctionne, notamment sur la façon de relier les pensées aux gestes, cela procure un soulagement tant aux hommes qu'aux femmes. Ils sont rassurés de voir que tout fonctionne « normalement » chez eux.

Ces moments de découvertes pour chacun des sexes font plaisir : en effet, pour la première fois, ils ne voient plus leurs différences comme des faiblesses mais comme des atouts régulièrement méconnus, incompris, dénigrés et souvent critiqués. Une bonne partie du stress de la vie actuelle est liée aux mauvaises conditions de travail, émanant notamment de la méconnaissance de ces différences.

La majorité des personnes sont insatisfaites de leur travail, ainsi que le montre une étude internationale réalisée par Gallup sur le moral en berne des salariés. L'étude a porté sur 1,7 million de salariés de 101 entreprises dans 63 pays différents. On a demandé aux salariés s'ils considéraient qu'ils pouvaient se surpasser dans leur vie professionnelle. Seulement

20 % d'entre-eux ont l'impression de consacrer leurs talents et leurs atouts personnels à leur travail[6].

« J'ai passé quinze ans à grimper les échelons. »

Sophie, la nouvelle responsable du secteur de la diversité globale d'une des plus grandes entreprises d'informatique, et Patricia, sa N − 1, ont consacré un mois à rédiger la présentation au conseil d'administration de leur projet sur la diversité et les relations hommes-femmes. Elles sont fières des idées innovantes de leur équipe de Ressources humaines et de leur projet, susceptible de placer l'entreprise parmi les leaders de l'informatique en ce qui concerne la gestion hommes-femmes pour les dix ans à venir. Elles sont impatientes de pouvoir débattre des détails de leur projet avec le conseil d'administration. Elles prennent un vol reliant la côte Ouest des États-Unis et l'Europe afin de rencontrer pour la première fois William, le supérieur de Sophie, et de présenter leur projet au conseil d'administration. Le matin de la présentation, William les informe qu'il va se charger personnellement de la présentation. Il passe rapidement sur les nuances et les points majeurs que les deux femmes ont minutieusement développés dans leur programme. Assises au deuxième rang, près du mur et non à la table de conférence, les deux femmes écoutent l'audience exclusivement composée d'hommes démonter leur présentation, pour sauter directement au coût et au timing du programme.

Pendant le vol du retour, les deux femmes partagent leurs impressions et cherchent ce qu'elles auraient pu faire différemment pour parvenir à un résultat plus satisfaisant. Sophie se rend compte que tout a dérapé au moment où William lui a annoncé qu'il allait se charger de la présentation : « Il ne me faisait pas confiance. Il ne m'estimait pas capable de m'adresser à un public exclusivement masculin. »

Si Sophie avait pu mieux gérer la discussion avec William et refuser sa demande en argumentant – « Nous avons passé un mois à mettre au point cette présentation, nous y avons même consacré nos week-ends, et si vous nous laissez nous en charger, nous serons brillantes ! » –, elle aurait peut-être eu un retour différent de William.

La plupart des hommes considèrent que « Non » signifie « Pas encore », alors que pour les femmes un « non » est définitif. William a peut-être conclu que si les deux femmes avaient vraiment eu confiance en elles, elles auraient insisté pour assurer la présentation de leur travail. Il s'agit là d'un aspect d'une des règles masculines mentionnées ci-dessus. En renonçant à s'affirmer et à se défendre, les deux femmes ont donné à William l'impression qu'elles manquaient de préparation et d'assurance pour s'exprimer devant le conseil d'administration.

Les hommes ignorent comment leurs attitudes seront perçues par les femmes, et les femmes se méprennent sur la façon dont leur réaction sera perçue par les hommes. Aux yeux d'un homme, l'effet qu'il produira sur une femme est identique à celui qu'il produirait sur un autre homme.

Si les deux auteurs de ce programme avaient été deux hommes, William n'aurait sans doute pas insisté pour se charger lui-même de la présentation. Mais s'il l'avait proposé à des fins de contrôle, les deux hommes, se sachant capables de bien s'en sortir, auraient marqué leur volonté de prendre en charge cette mission : ils n'auraient pas perçu l'intervention de William comme une atteinte personnelle, mais tout au plus comme le signe d'une compétition normale et saine.

L'angle mort de William a eu des effets sur les deux jeunes femmes. Pendant le voyage du retour, Sophie a annoncé à Patricia qu'elle démissionnait de sa nouvelle fonction et quittait l'entreprise : « J'ai passé quinze ans à grimper les échelons et à consentir des sacrifices personnels. On a travaillé pendant un mois et passé quinze heures aller et quinze heures retour dans le ciel, tout cela pour ne même pas être autorisées à nous asseoir à la table de conférence. Je ne me sens pas prise en considération dans cette entreprise. »

À défaut de bien maîtriser l'intelligence des genres, les Martiens et les Vénusiennes ne comprendront jamais, et n'apprécieront pas non plus, leurs natures authentiques et complémentaires. Les hommes ont autant besoin de mieux comprendre les femmes que l'inverse. Et c'est seulement en identifiant les angles morts et en les éliminant que les hommes et les femmes pourront travailler côte à côte en confiance. Les modèles du passé – l'égalité des sexes à travers les chiffres et les comportements identiques – n'ont pas démontré leur efficacité. Seules l'égalité des chances entre les sexes ainsi que la compréhension et la valorisation de nos différences peuvent vraiment faire de nous des égaux.

Par les chiffres

Depuis les années 1960, des efforts ont été faits pour encourager les jeunes femmes à entreprendre des études supérieures. Selon certaines personnes, si les universités et les grandes écoles diplômaient des quotas de femmes plus importants, la société bénéficierait de plus d'égalité. Les femmes ont donc acquis leurs diplômes, repoussé leur mariage, et sont entrées sur le marché professionnel où elles ont dû affirmer leur leadership contre celui des hommes.

Où en sommes-nous aujourd'hui ?

Depuis 1982, la majorité des diplômés des universités des États-Unis sont des femmes. L'année 2009 a vu pour la première fois plus de femmes que d'hommes passer leur doctorat – une révolution par rapport à la situation des années 1960[7]. Et la tendance s'observe aussi en Amérique du Sud, en Europe et en Asie, où les femmes poursuivent des études plus longues que les hommes, et où dans nombre d'universités et de grandes écoles le pourcentage de femmes dépasse celui des hommes.

Depuis les années 1980, les femmes occupent plus de la moitié des postes de cadres moyens dans les 500 entreprises les plus performantes selon le magazine *Fortune*. Cependant, au cours de cette même période de trente ans, le pourcentage de femmes promues aux postes de cadres supérieurs et dirigeants est resté bas et a très peu évolué.

« À ce rythme-là, je serai proche de la retraite ! »

Louise a occupé le poste de chef de produits dans son entreprise high-tech pendant quinze ans avant d'être promue responsable du développement de produits. Elle s'est chargée du recrutement de jeunes diplômés et les a vus atteindre des postes plus élevés que le sien dans les trois ans qui ont suivi leur embauche.

Elle s'épanche auprès d'une amie, lors d'un pot après le travail…

– Je consacre plus de temps et j'assume davantage de responsabilités que la plupart des personnes de mon département. Je mets ma vie privée de côté et prends en charge une énorme quantité de travail pour mon équipe. Je pense que je serai proche de la retraite quand j'obtiendrai le poste de directrice.

– Malheureusement, la seule manière de monter dans la hiérarchie est sans doute de quitter la boîte, suggère son amie.

– J'aime bien travailler avec nos ingénieurs. Ils me font confiance pour proposer les solutions qu'ils ont trouvées et pour assumer la recherche des fonds accordés à notre département. Ils préfèrent résoudre les problèmes techniques que demander un budget plus important, et je peux le comprendre. Ce serait dommage pour eux si je partais.

Aujourd'hui, aux États-Unis, moins de 20 % des postes de cadres dirigeants sont occupés par des femmes, ce qui ne diffère pas beaucoup des 14 % de 1996. Moins de 3 % des directeurs généraux sont des femmes, et ce chiffre n'a pas évolué depuis 1996. Globalement, seulement 20 % des positions les plus élevées sont confiées à des femmes[8].

Pendant plus de trente ans, on a tenté d'équilibrer la tendance par le biais des quotas, en imposant aux entreprises d'embaucher un nombre minimum de femmes. Mais ces efforts sont rarement durables. Ces quotas génèrent du ressentiment chez les salariés masculins, qui considèrent l'embauche des femmes comme non méritée et injuste ; cela induit de la frustration chez les femmes, qui finissent par quitter l'entreprise ou se désinvestir de leur travail, avec le sentiment d'être dénigrées, non appréciées à leur juste valeur, dans une ambiance trop largement masculine.

De nombreuses femmes sont insatisfaites de leurs conditions de travail, et ces rancœurs affectent leur vie privée, tout en induisant un déséquilibre en termes de gestion de temps. Le niveau de stress élevé s'ajoute aux multiples tâches à accomplir et au temps trop court pour les mener à bien.

Les hommes aussi souffrent d'un manque de temps, mais ils ont la faculté d'oublier leurs tracas plus aisément que les femmes, ayant tendance à se focaliser sur un seul dossier à la fois. Pour les hommes, la principale source de stress découle du sacrifice de leur vie familiale, du fait qu'ils travaillent de longues heures et doivent atteindre des objectifs.

« La souris est ma chaîne. »

Lors d'un atelier récent, Pierre, jeune père de son premier enfant, décrit sa joie d'être papa, mais finit par expliquer à quel point il est difficile de trouver du temps pour sa fille – déjà !

« J'en arrive toujours à rapporter du travail à la maison. Il y a beaucoup de compétition à mon boulot, et j'ai besoin des quelques heures après le repas pour achever ce qui n'a pas été fait au cours de la journée. Ma grande peur, c'est de ne jamais trouver le temps de passer des moments de qualité avec ma femme et ma fille, mais je dois mettre cette peur de côté et rester concentré sur mon objectif. Je ne comprends pas ce qui m'arrive. Mon père quittait son bureau tous les soirs et revenait à la maison pour passer du temps en famille. Il jouait au golf le week-end. Je ne dispose pas de six heures sur un seul week-end pour passer du temps avec ma famille. Bien sûr, mon père n'avait pas de smartphone ni d'ordinateur portable connecté au wi-fi. Mon ordinateur est mon boulet, et la souris ma chaîne. Je dois être performant pour gagner de l'argent pour ma famille. Mais cela ne me dérange pas, c'est ce qu'on attend de moi. »

En 1980, en Amérique du Nord, seulement 25 % des foyers disposaient d'un double revenu. Le chiffre actuel dépasse 80 %, et il en va ainsi un peu partout dans le monde. Deux facteurs se conjuguent pour expliquer la tendance toujours plus marquée et irréversible des femmes à entrer sur le marché du travail : la nécessité économique et l'ambition féminine[9].

Une vision des possibilités

Rendre le changement obligatoire ou imposer des plans d'embauche visant à « doubler le pourcentage de femmes cadres dirigeants dans les cinq ans » n'apportera pas de meilleurs résultats si cette obligation n'est pas accompagnée d'une meilleure intelligence des genres. Les entreprises les plus pointues dans le domaine des relations hommes-femmes – qui ont formé les hommes à prendre en considération les valeurs spécifiques que les femmes apportent à l'entreprise, et formé les femmes à mieux percevoir les motivations des hommes – parviennent davantage à intégrer hommes et femmes aux postes à responsabilité. Elles garantissent un meilleur équilibre entre les sexes à tous les niveaux de l'entreprise.

Les entreprises qui ne perçoivent pas l'importance de ces démarches en pâtissent. Les jeunes femmes d'aujourd'hui n'acceptent pas ces barrières du passé. Elles veulent exploiter pleinement leur potentiel et préserver leurs intérêts quels que soient les obstacles rencontrés. Elles ne supporteront pas d'être mises à l'écart ou dénigrées ; elles rechercheront les entreprises susceptibles de faire montre à leur égard de respect et d'engagement, et prêtes à leur proposer des défis, à mettre en œuvre ce qui est nécessaire pour révéler leurs capacités et développer leurs talents.

« Mon nom n'a même pas été retenu dans la liste. »

Avant même de s'asseoir pour la session de coaching qu'elle est venue suivre, Anne m'explique avec force et conviction que tenter de la faire revenir sur sa décision de démissionner serait une perte de temps. Elle vient chercher les façons de rebondir après sa démission. Anne occupait la fonction de sous-directrice de la technologie sur l'information dans l'une des dix plus grandes entreprises au monde de développement de programmes informatiques. En raison de son ancienneté et de ses états de service, tout le monde s'attendait à ce qu'elle succède à son patron, qui devait prendre sa retraite à la fin de l'année du poste de directeur de l'information.

« J'étais major de ma promotion au bac et j'ai obtenu le diplôme d'ingénieur en informatique à Cal Tech, se souvient-elle. Nous n'étions à la fin des années 1980 qu'une poignée de femmes, entourées de très nombreux jeunes hommes ambitieux, très focalisés sur leur réussite et aux connaissances très pointues. Ils venaient d'un peu partout dans le monde, notamment d'Inde et de Chine. L'ambiance "matheux boutonneux" et leur jargon informatique me convenaient bien. Je trouvais ces étudiants authentiques. Les cours de programmation m'attiraient moins que le design et les débouchés. Ce que j'appréciais par-dessus tout, c'était l'aspect relationnel.

À cette époque, il y avait bien plus de solidarité entre les étudiants qu'il y en a aujourd'hui dans mon équipe. Chacun partageait ses idées et ses efforts, et on trouvait ensemble la meilleure des solutions. Je me sentais intégrée dans le groupe, on se soutenait les uns les autres.

J'ai des scrupules aujourd'hui à démissionner de mon poste, mais je ne vois pas de carrière pour moi ici. Mon nom n'a même pas été retenu dans la courte liste des candidats pour la succession au poste de directeur de l'information. Il y a dix fois plus d'hommes que de femmes… Alors, si j'avais eu le poste, j'aurais eu l'impression de ne l'occuper qu'à cause de mon sexe et non de mes compétences. Et je peux vous garantir que les hommes de ma division auraient pensé exactement la même chose. Il est clair que cela aurait contribué à créer une ambiance de délire à mon boulot !

Un groupe d'amis et de collègues m'a contacté récemment. Ils créent une petite entreprise et ont obtenu les financements nécessaires à la commercialisation d'une nouvelle application qu'ils ont conçue. Ils me proposent de devenir directrice générale de leur boîte. L'application qu'ils ont inventée intéresse déjà plusieurs grosses entreprises. Bien sûr, j'y perdrais en termes de salaire, mais j'y gagnerais sur le long terme si l'application est vendue – et on va y parvenir ! »

Nous pouvons voir l'impatience grandissante chez de nombreuses femmes partout dans le monde. Aujourd'hui, des jeunes femmes indiennes ayant reçu une solide formation font preuve de beaucoup d'ambition et de peu de loyauté envers les premières entreprises qui les ont embauchées. Les entreprises indiennes rencontrent des difficultés à retenir leurs employées compétentes. Les jeunes femmes passent d'une entreprise à une autre, à la recherche d'organisations qui accordent de la valeur à leurs compétences, et leur proposent des salaires intéressants et des possibilités de carrière.

Une meilleure mesure de l'égalité hommes-femmes

Quarante ans de similarité imposée aux deux sexes n'ont curieusement pas apporté plus d'égalité entre hommes et femmes. La plupart des femmes assistant à nos ateliers, et qui doivent s'endurcir dans leur milieu professionnel, ont tendance à ne pas mesurer l'égalité hommes-femmes de la même manière.

Si l'égalité salariale et celle des promotions restent prises en compte pour mesurer l'égalité hommes-femmes (et à juste titre puisque ces objectifs ne sont toujours pas atteints dans la plupart des pays du monde), les femmes expriment qu'à leurs yeux l'égalité entre les sexes relève plutôt de la possibilité pour chacun de travailler selon sa vraie nature et que ses idées, ses décisions, ses qualités de meneur soient reconnues même si elles diffèrent de celles de l'autre sexe.

L'aveuglement entre les sexes a réussi à créer les angles morts hommes-femmes – des partis pris complètement infondés que partagent tant les hommes que les femmes. Ces angles morts sont, nous avons eu l'occasion de le mentionner, les causes principales des malentendus, des incompréhensions, du manque de confiance, de la frustration et du ressentiment qui persistent entre hommes et femmes.

La seule solution consiste à opérer un changement culturel radical dans l'attitude des uns et des autres, en rétablissant l'équilibre entre les sexes et en améliorant la perception de ce qui se passe effectivement dans les cerveaux masculins et féminins quand ils travaillent. L'essence de cette démarche – la clé de l'intelligence des genres – prend racine dans le constat qu'hommes et femmes ne sont pas identiques. Notre plus grand atout réside dans nos différences, et le seul chemin vers le bonheur et l'accomplissement personnel est celui qui emprunte la voie de la compréhension, de l'appréciation, de la valorisation et de l'acceptation de ces différences.

Il est fascinant de se pencher sur les nombreuses études récentes traitant de la réussite au sein d'équipes mixtes. Certaines, portant sur le comportement, ont établi que les groupes mixtes, dans lesquels chacun se sent à l'aise et a le sentiment que son avis compte, sont ceux qui favorisent le mieux l'émergence de solutions innovantes et susceptibles de mener au succès[10].

Ce n'est pas tant du fait de l'ampleur de la différence entre les hommes et les femmes, ni de celui d'une hypothétique prévalence féminine en termes d'intelligence ou d'empathie. En revanche, hommes et femmes apportent des points de vue et des expériences respectifs qui enrichissent le tableau général et favorisent l'accès à un meilleur processus décisionnel.

Au cours des prochains chapitres, nous explorerons les angles morts de chacun des sexes, qui constituent des freins à la capacité de travailler ensemble de façon harmonieuse. Nous évoquerons la recherche scientifique qui apporte des explications aux différences dans les fonctionnements masculin et féminin. Nous partagerons aussi des témoignages de personnes désireuses de mieux interagir avec leurs collègues, leurs amis, leur conjoint, leurs enfants. Ces témoignages nous rapprocheront les uns des autres, en relativisant l'impression de solitude quant à notre façon de penser, de ressentir, d'agir et de travailler, et nous aideront à déterminer de quelle façon nous souhaitons mener notre vie.

LES HUIT ANGLES MORTS
DE LA RELATION
HOMME-FEMME

CHAPITRE 2

LES FEMMES SOUHAITENT-ELLES VOIR LES HOMMES CHANGER ?

Dicton féminin : « Il y a toujours moyen de s'améliorer. »
Dicton masculin : « Si tout marche bien, il n'y a rien à réparer. »

Le degré de satisfaction féminin envers le monde professionnel d'aujourd'hui n'est pas aussi important que celui des hommes. Lors des réunions d'équipe ou autour de la machine à café, les femmes se sentent évaluées différemment des hommes. Elles ont l'impression que leurs idées ne sont pas prises en considération, qu'elles sont exclues des promotions ou des événements de leur entreprise. La plupart de leurs homologues masculins se sentent satisfaits de la culture d'entreprise actuelle. Ils n'imaginent pas en quoi leur conduite, dans une conjoncture de dominance masculine, peut avoir un effet négatif sur les femmes, et ils ne pensent pas agir différemment à leur égard. Ils s'attendent simplement à ce que les femmes se conduisent dans leur travail selon le même mode que les hommes, qu'elles agissent de façon identique dans la prise de décisions, l'établissement des priorités, la résolution des problèmes, la participation au travail d'équipe et le leadership.

De façon délibérée ou non, les hommes et les femmes interprètent de façon erronée leurs attitudes respectives, ce qui entrave leur capacité à travailler ensemble de façon authentique et productive. La plupart du temps, les femmes ne perçoivent pas les bonnes intentions masculines, et, de leur côté, les hommes ne prêtent pas attention à l'importance de la réflexion féminine.

« Notre date butoir est au mois d'août ! »

Benoît commence sa réunion avec un rappel plutôt abrupt :

– Notre date butoir est au mois d'août. Nous disposons de quatre mois pour nous organiser et pour nous assurer que les lancements du hardware et des logiciels fonctionnent bien ensemble. Michel, où en sont les ingénieurs du hardware ? Ils sont dans les délais pour le test Beta en juillet ?

Michel répond immédiatement :

– Nous avons une réunion développement deux fois par semaine. Cela rend les ingénieurs fous, mais je veux être sûr que tout sera prêt pour le test à la date prévue.

– Excellent, approuve Benoît. Élisabeth, qu'en est-il des logiciels ?

– Les ingénieurs travaillent d'arrache-pied pour être prêts pour la date du test Beta, répond-elle, avant d'ajouter : je pense qu'il serait temps de s'intéresser au service après-vente à ce stade. Ils anticipent beaucoup de questions de la part des groupes d'utilisateurs, et si on peut déjà se charger des réponses maintenant, cela éliminera pas mal de problèmes sur le long terme.

La voix de Benoît s'élève :

– Je ne vais pas perdre du temps sur notre timing pour apporter des solutions à des problèmes qui n'émergeront peut-être pas. Nous devons nous focaliser sur la date butoir, faute de quoi nous n'aurons pas d'utilisateurs du tout.

Après la réunion, Benoît marche dans le couloir vers son bureau en compagnie de Michel.

– Je ne pense pas qu'Élisabeth sera prête dans les temps. Je crois qu'elle ne perçoit pas bien l'importance de boucler le projet à temps, sinon on est tous cuits. Je veux que tu participes aux réunions du secteur logiciels avec elle.

Lors des discussions en atelier, on a compris l'importance de respecter les délais prévus, car un concurrent va lancer sur le marché un produit similaire à la fin de l'année. Le point de vue d'Élisabeth s'est révélé fondé lui aussi, car si le logiciel a été suffisamment performant lors du test Beta, une fois lancé sur le marché il a donné lieu à tant de plaintes d'utilisateurs qu'il a fallu en élaborer une nouvelle version trois mois après sa sortie.

Chacun veut faire de son mieux dans son travail quotidien. Cependant, les idées reçues erronées et les mauvaises interprétations des avis et des actes des autres constituent un frein à toute réelle compréhension. On peut même retrouver la trace de ces partis pris dans les données issues de la recherche. Il existe un véritable décalage dans la façon dont Martiens et Vénusiennes perçoivent les opportunités de promotion, et dans leur degré de satisfaction dans le travail.

Données sur les spécificités hommes-femmes[1]

• 58 % des hommes pensent que les femmes disposent des mêmes opportunités de promotion que les hommes, et 24 % des femmes seulement partagent cette opinion.

• 83 % des hommes pensent qu'hommes et femmes éprouvent le même degré de satisfaction quant à leur travail.

• 93 % des femmes pensent que les hommes sont satisfaits de leur travail. Seulement 62 % des femmes éprouvent cette même satisfaction.

Pourquoi les femmes souhaitent-elles voir les hommes changer ?

L'observation des tendances des dernières décennies révèle non seulement pourquoi les femmes souhaitent que les hommes changent, mais aussi pourquoi elles ont réellement besoin de ce changement, afin de pouvoir travailler dans un environnement moins stressant où la complémentarité serait davantage reconnue.

Il y a deux générations de cela, les femmes travaillaient par choix ; aujourd'hui, c'est devenu pour elles une nécessité économique. Pourtant, l'environnement professionnel dans lequel elles doivent s'intégrer n'est pas très accueillant, et ne leur laisse guère l'occasion de communiquer, collaborer et travailler selon leur mode. Lorsqu'elles expriment leur souhait de voir les hommes changer, elles veulent surtout qu'ils cessent de mettre des obstacles à leur réussite et qu'ils commencent à apprécier leurs contributions. Comme ce n'est le cas à peu près nulle part, les femmes aimeraient observer un changement du côté des hommes, afin de ne plus se sentir mises à l'écart et décriées.

Lors des ateliers sur l'intelligence des genres, les raisons les plus souvent citées qui conduiraient les femmes à espérer un changement chez les hommes sont :

• les idées et les préoccupations des femmes ne sont pas prises en considération ;

• les femmes se sentent exclues, autant des possibilités de promotion que des occasions de se rapprocher de leurs collègues ;

• les femmes ont l'impression de devoir travailler bien davantage pour obtenir le même niveau de reconnaissance que les hommes.

Prenons le temps d'examiner ces domaines de façon détaillée pour bien percevoir les raisons qui expliquent le ressenti des femmes et pourquoi les hommes ne remarquent pas le mécontentement féminin.

Les femmes se sentent rejetées

Les femmes ont souvent l'impression que leurs idées ou leurs méthodes ne pèsent pas le même poids ni ne revêtent la même valeur que celles de leurs collègues hommes. Dans nos ateliers, les femmes témoignent : lorsqu'elles soulèvent une question importante en réunion, il arrive souvent que les hommes présents la balaient d'un geste de la main… pour l'évoquer à nouveau quelques minutes plus tard, sous l'écoute et l'attention générales.

Il semble que les femmes posent plus de questions que les hommes, non seulement pour clarifier le sujet, mais aussi dans le but d'instaurer un climat de partage et de consensus. Les hommes, au contraire, ont plutôt tendance à ne retenir que les points importants pour parvenir plus rapidement à une prise de décision.

« Nous n'avons qu'une heure ! »

La réunion clientèle dure bien plus longtemps que ce qu'avait prévu Pierre. Depuis une demi-heure, il ne cesse de jeter un œil inquiet à sa montre : « On risque de rater notre avion. » Son associée, Marie, ne semble pas partager ses préoccupations. *Pourquoi continue-t-elle à poser des questions ?* se demande-t-il. Et il l'interrompt au milieu d'une phrase, alors qu'elle avait pris la parole : « Marie, ce n'est pas un point dont il faut se préoccuper à cette étape-ci. »

Gênée, mais soucieuse que cela se perçoive, Marie jette un regard à Pierre qui semble absent depuis une bonne demi-heure. *Pourquoi s'inquiète-t-il autant ? Il ne voit pas que le client commence à remarquer son manque d'intérêt ?*

Pierre fonce vers l'aéroport, n'écoutant pas Marie et essayant de planifier l'heure à venir : *Vingt-cinq minutes jusqu'au parking de voitures de location, dix minutes pour prendre le bus, vingt minutes pour passer la sécurité. On ne va pas y arriver à temps !*

— J'aurais préféré que tu n'interrompes pas mes dernières questions au client, Pierre, remarque Marie. Nous avions besoin de ces informations et je voulais guetter sa réaction *de visu.*

– Je ne t'ai pas interrompue, répond Pierre en slalomant entre les voitures alors que la circulation ralentit. Je pense que cette réunion s'est bien passée. Le seul problème, c'était sa longueur.

Les hommes ne pensent pas faire preuve de dénigrement à l'égard des femmes. Ils se comportent selon ce qui leur semble logique et n'imaginent pas qu'il puisse en aller différemment pour les femmes. Un homme à qui une femme se plaint de se sentir rejetée ou dénigrée par la gent masculine va plonger dans ses souvenirs et en conclure qu'il n'a jamais traité ainsi aucune collègue féminine. À défaut de voir en quoi il aurait pu agir ainsi ou de se souvenir avoir eu ce sentiment, il estime ne pas faire partie du lot des machos.

Les hommes souhaitent se comporter bien envers les femmes et travailler harmonieusement à leurs côtés, autant que la réciproque est vraie. Hommes et femmes font montre d'une bonne volonté en arrivant le matin à leur bureau. Mais leurs fonctionnements différents les empêchent d'agir de façon identique et de comprendre les réactions de leurs collègues du sexe opposé.

Voici quelques exemples susceptibles d'illustrer la vision différente sur Mars et sur Vénus concernant les interventions qui paraissent normales entre hommes mais dénigrantes entre femmes.

Paroles d'hommes	Paroles de femmes
Il s'agit de problèmes distincts. Nous devons nous concentrer à ce stade sur ce qui est le plus urgent et ce sur quoi nous avons une plus grande marge de manœuvre.	Ces questions sont liées et peuvent avoir un effet sur notre décision. Nous devons prendre en compte toutes les données utiles.

Paroles d'hommes	Paroles de femmes
Il n'y a que deux personnes qui s'en sont plaintes, donc je ne pense pas qu'on devrait s'y arrêter.	Il y a peut-être deux cents autres personnes qui partagent ce point de vue négatif. Il faut s'occuper de ce problème et le résoudre.
Prenons la décision et poursuivons, sinon nous allons y passer la journée entière.	Je voudrais qu'on fasse le tour de la salle et que chacun exprime son avis une dernière fois avant qu'on passe au vote de la décision.
Le dossier est risqué, mais devancer la concurrence mérite qu'on prenne ce risque.	Pour limiter le risque, prenons en considération toutes les options possibles. Nous ne serons peut-être pas les mieux positionnés sur le marché, mais nous aurons un produit de qualité.

On arrive à une impasse quand les femmes refusent d'admettre que la conduite dénigrante des hommes à leur égard n'était pas délibérée. Les hommes ne se rendent pas compte de l'aspect dénigrant de leurs propos parce que, dans un environnement masculin, ces mêmes propos ne sont en rien méprisants. Les hommes ignorent seulement les atouts particuliers que les femmes présentent dans les discussions, et ces dernières ne savent pas comment formuler leurs idées pour qu'elles soient mieux perçues par leurs collègues hommes.

Les femmes se sentent exclues

Les femmes qui estiment être victimes d'exclusion expriment leur frustration d'être tenues à l'écart des promotions et des discussions entre hommes avant et après les réunions, ou de ne pas être invitées aux pots après le travail – la fameuse réunion qui suit la réunion –, qui revêt pourtant une grande importante puisque des accords sont parfois conclus à cette occasion.

Les hommes pensent qu'ils n'excluent pas les femmes intentionnellement. Quand on leur donne des exemples de comportements ayant pu être décodés comme tels, ils expriment leur surprise et tentent souvent de se souvenir d'occasions où ils se sont efforcés d'inclure les femmes : « Une fois, je l'ai invitée, mais elle a décliné l'invitation. J'en ai déduit qu'elle n'avait pas envie de prendre un verre avec des collègues hommes après le boulot. »

« On fait aussi partie de cette équipe ! »

Maryline, expert-comptable dans une grande entreprise d'audit, pense qu'elle ne parviendra jamais à gravir les échelons dans son entreprise, en dépit du travail exemplaire qu'elle accomplit. Elle est l'une des deux seules femmes de son équipe de dix personnes, et voici comment elle exprime sa frustration :

« Bien sûr, les réunions du bureau sont importantes, mais la plupart des vraies décisions sont prises autour d'un whisky et d'un cigare. Je ne suis pour ainsi dire jamais invitée à ces rendez-vous informels. Les rares fois où Christine et moi avons été invitées, les collègues masculins étaient tous assis en train de s'amuser, se taquinant, s'envoyant des piques et échangeant des plaisanteries graveleuses. Je pense que les hommes ont besoin comme les femmes de renforcer les liens, mais nous ne nous sentons pas à notre place dans cette ambiance de vestiaires. Pour autant, nous n'avons pas envie non plus de nous sentir exclues. »

Les hommes pensent que les femmes ne souhaiteraient pas travailler dans une ambiance masculine, qu'elles ne sacrifieraient pas leur temps compté pour accepter une promotion qui impliquerait des trajets excessifs, qu'elles n'auraient pas envie de participer à une partie de golf avec des clients, ni de participer à une conversation sur les derniers résultats sportifs ou d'écouter des blagues masculines avant le début d'une réunion, ni d'aller boire un pot après. Certains hommes ne voient pas pourquoi ils devraient renoncer à tous ces moments de détente entre hommes. Les femmes apprécient aussi de renforcer les liens entre elles.

Voici quelques exemples de la façon dont les hommes réagissent, soit qu'ils excluent les femmes sans en avoir conscience, en omettant de se montrer plus accueillants, soit qu'ils pensent connaître les intentions des femmes.

Paroles d'hommes	Paroles de femmes
C'est lui qui a eu le poste, parce qu'ils ont pensé qu'elle ne voudrait pas déménager en Allemagne.	Elle aurait apprécié qu'on la laisse prendre la décision elle-même.
Notre sortie de golf annuelle a toujours été une occasion à ne pas manquer pour établir des contacts avec nos clients les plus importants.	Comme beaucoup de cadres chez nos clients sont des femmes, il faudrait proposer d'autres activités que des sorties de golf. Organisons une enquête auprès de nos clients.
On a décidé d'aller boire une bière entre hommes après le boulot. Nous ne pensions pas que vous vous joindriez à nous.	Et si nous trouvions une façon de resserrer les liens qui implique toute l'équipe et pas seulement les hommes ? Cette équipe est à présent composée pour moitié de femmes.

Paroles d'hommes	Paroles de femmes
On parle simplement de trucs entre mecs.	Ce n'est pas très agréable de voir les hommes se taire quand j'entre dans une pièce.

Les hommes pourront riposter qu'ils ont parfois aussi le sentiment d'être exclus des occasions de promotion, des décisions ou des rencontres informelles. Pourtant, la différence tient au fait que les femmes éprouvent ce sentiment uniquement eu égard à leur sexe. Et sur Vénus, ce sentiment est récurrent. La plupart des hommes n'imaginent même pas ce qu'ils éprouveraient si, tous les jours de leur vie professionnelle, ils se sentaient mis à l'écart, malgré leurs compétences ou leur convivialité.

Les femmes ont l'impression de devoir travailler davantage

De nombreuses femmes témoignent aussi de leur impression d'être constamment testées par leurs collègues ou supérieurs hommes, qui doutent de leurs capacités. Elles estiment devoir travailler davantage que leurs homologues masculins pour atteindre le même niveau de reconnaissance.

Les hommes sont plutôt jugés sur leur potentiel, alors que les femmes le seraient davantage sur leurs résultats. Un jeune homme fraîchement embauché est perçu comme un diamant brut qui doit montrer ce dont il est capable, alors qu'une femme récemment recrutée sera la novice n'ayant pas encore acquis les qualités requises pour le poste.

« Deux fois plus, mais avec deux fois moins d'efficacité. »

Au cours d'une session en demi-groupes de l'un de nos ateliers, une femme a témoigné : « Parfois, j'ai l'impression de devoir travailler deux fois plus qu'un homme pour qu'on me considère comme moitié moins bonne. Chaque jour, je suis la première arrivée et la dernière partie. Mon unité obtient plus de résultats, elle suscite moins de contrôles positifs d'erreurs que les autres, et nos profits sont plus élevés. Le plus grand marqueur de notre réussite réside pourtant dans notre faible rotation de personnel. Notre entreprise doit faire face à de très nombreuses contraintes de temps. Tous les dirigeants hommes des autres unités se focalisent essentiellement sur les délais à respecter. Ils ne se rendent pas compte qu'ils usent leurs employés avant l'heure. Notre équipe est restée inchangée depuis deux ans… Cela limite les coûts de personnel et engendre moins d'erreurs dans la production. C'est aussi l'une des raisons pour lesquelles nos marges sont meilleures. On ne me proposera probablement jamais la direction générale. Cela signifierait que mes méthodes seraient appliquées dans les autres unités, et je ne crois pas que les hommes soient prêts à un tel changement. »

Lors des rendez-vous de coaching individuel, les hommes reconnaissent volontiers qu'ils travaillent plus facilement aux côtés d'hommes que de femmes, surtout s'il s'agit de collègues qu'ils connaissent déjà. Ils comprennent mieux les autres hommes, se sentent plus en connexion avec eux et leur accordent plus facilement leur confiance. C'est particulièrement évident dans les secteurs traditionnellement réservés aux hommes, dans lesquels il est rare de trouver des femmes, comme par exemple les domaines scientifiques, technologiques, les secteurs de contentieux, de la vente d'automobiles, les forces de l'ordre ou l'armée.

Alors que le dénigrement des hommes envers les femmes leur vient de façon plutôt innée, la tendance à les tester et à douter de leurs capacités semble issue d'un apprentissage culturel.

Paroles d'hommes	Paroles de femmes
Je pense qu'il a une bonne vision de l'avenir. C'est un leader visionnaire avec beaucoup de potentiel.	Nous devrions offrir des promotions aux personnes sur la base de leurs résultats autant que de leur potentiel.
C'est un domaine traditionnellement réservé aux hommes. Je ne suis pas sûr que vous vous y sentiriez bien à long terme.	De plus en plus de femmes s'investissent dans ce domaine. Une façon de penser un peu différente apportera un plus.
Peut-être devrait-il se charger de la présentation au conseil d'administration … Ils se sentiront sans doute plus à l'aise s'il assume cette tâche.	La personne qui présente le rapport devrait toujours être celle qui l'a rédigé.
Je pense que nous travaillons tous beaucoup ici. Je ne vois pas en quoi les femmes seraient davantage testées que le reste de l'équipe.	Parfois, j'ai le sentiment de devoir travailler deux fois plus que les hommes de mon équipe pour bénéficier de la même reconnaissance.

Pendant nos ateliers, les femmes affirment souvent se sentir testées et devoir travailler plus longtemps ou se surpasser pour que leurs collègues hommes leur accordent enfin une reconnaissance. Les hommes interprètent à tort ce phénomène, déduisant que les femmes travaillent plus dur et plus longtemps parce qu'elles manquent de confiance en leurs compétences et doivent contrebalancer cette carence. « Elles ne parviennent pas à établir leurs limites et s'épuisent au cours de la journée », observent certains hommes.

Il est intéressant de noter que les programmes de promotion de l'égalité des sexes, ayant pour objectif de recruter davantage de femmes dans certains secteurs, contribuent souvent au problème cité ci-dessus, laissant entendre que les conditions d'embauche sont davantage liées aux quotas à atteindre qu'aux compétences des femmes recrutées. Si cette opinion est surtout masculine, certaines femmes en arrivent à l'adopter, minimisant leurs propres capacités et talents.

Pourquoi nous ne parvenons pas à nous entendre…

Nombre d'ouvrages traitant d'égalité entre les sexes et de féminisme apportent des exemples illustrant à quel point les femmes sont incomprises et sous-évaluées dans le monde du travail. Il y est affirmé que les hommes ne se préoccupent pas des inégalités rencontrées par les femmes et qu'ils les imposent intentionnellement pour limiter l'accès des femmes à la réussite. Ces ouvrages n'exposent que rarement le point de vue réel des hommes, à savoir qu'il n'y a aucune mauvaise intention de leur part, contrairement à ce qu'on pourrait penser. Les hommes doivent mieux comprendre les femmes – et réciproquement.

Les femmes supposent qu'un changement de la part des hommes apportera, par lien de cause à effet, une amélioration de leurs conditions dans le milieu professionnel. Il apparaît que ce lien de cause à effet n'est pas forcément établi. Nous avons déduit, de notre recherche et de notre pratique, que deux raisons fondamentales motivent les hommes à adopter leur comportement actuel au travail. Ces deux raisons, liées entre elles, empêchent les hommes de concevoir un changement de modèle professionnel et le bien-fondé d'un tel changement :

• le modèle de fonctionnement professionnel, établi par des hommes ;

• l'environnement initial qui a influencé ce modèle.

Le modèle professionnel traditionnel dans lequel nous évoluons aujourd'hui est si répandu et universel que ni les hommes ni les femmes ne prennent le temps de le remettre en question – bien qu'il soit basé sur des codes de conduite masculins. Aux yeux d'un homme, cette forme d'organisation du travail paraît logique puisqu'elle a été instituée il y a plusieurs générations... alors que la quasi-totalité des travailleurs étaient des hommes.

La structure et le fonctionnement d'une entreprise sont calqués sur le modèle militaire, fondé sur le contrôle et l'autorité. Il en résulte un environnement fortement marqué par la compétition, accordant de la valeur aux prises de décision rapides, aux performances individuelles et à la poursuite de résultats. Ce mode de fonctionnement, qui correspond bien aux hommes, ne les incite pas à imaginer qu'on puisse organiser différemment les relations au travail.

Les hommes, plus à l'aise dans ce climat, jalonné de règles, de procédures et de normes, ne voient pas l'intérêt de modifier ce qui leur semble fonctionner parfaitement. « Si tout va bien, inutile de le réparer. »

Les femmes, au contraire, n'apprécient pas cette forme d'organisation du travail, qui ne correspond pas à leur mode de fonctionnement naturel. À leurs yeux, le contrôle et l'autorité sont des contraintes à endurer qui les empêchent de se rendre sereinement au bureau chaque matin. C'est la principale raison qui conduit nombre de participantes à nos ateliers à envisager de démissionner de leur entreprise.

La dure réalité apparaît souvent aux femmes lorsqu'elles sortent de l'université. Ayant pu apprécier une atmosphère d'entraide, d'équipe et de collaboration, elles se retrouvent du jour au lendemain dans un esprit compétitif auquel les hommes s'adaptent sans difficulté, mais qui leur donne l'impression d'entrer dans un monde irréel, qu'elles auraient conçu différemment si elles l'avaient pu.

Il existe deux modèles de travail en équipe, reflétant les fonctionnements différents des hommes et des femmes dans la vie professionnelle. Voici quelques extraits de témoignages d'hommes et de femmes sur le sujet.

Paroles d'hommes	Paroles de femmes
Je suis plus à l'aise quand on accorde la priorité à certains dossiers et qu'on les traite les uns après les autres, sans quoi rien n'avance et tout reste « en cours ».	Il est important de tenir compte de plus d'un aspect. La plupart du temps, la réalité comporte des facettes multiples qui auront des répercussions sur le résultat final, et ce serait dommage de ne pas en tenir compte.
Je préfère travailler seul et assister à moins de réunions. Je trouve que s'asseoir et discuter est plutôt frustrant, parce que pendant ce temps-là le travail n'avance pas.	Mes meilleures idées me viennent lorsque j'ai la possibilité de poser des questions et d'échanger avec d'autres personnes.
Je suis plus efficace quand je sais ce qu'on attend de moi et que j'ai la latitude d'avancer dans mon travail à mon propre rythme.	L'efficacité du travail accompli en vue d'obtenir un résultat et les relations humaines créées à cette occasion comptent autant que le résultat final.

Les deux approches sont des modèles efficaces qui fonctionnent bien. Mais le marché du travail et l'environnement professionnel ont énormément changé au cours des trente dernières années. Aujourd'hui, il y a autant de femmes que d'hommes parmi les travailleurs. Et le marché n'est plus seulement régional ou national, mais global et en évolution constante. Si la gestion par une autorité centrale était efficace par le passé, au temps de l'ère industrielle, il n'est plus le modèle le mieux adapté aux nécessités plus complexes du marché actuel. Le modèle hiérarchisé, de mise pendant des générations, laisse à présent place à une nouvelle forme d'organisation, davantage basée sur la collaboration, ce qui correspond mieux à l'ère de l'information globale que nous vivons actuellement. Ce style d'organisation est plus en accord avec le fonctionnement naturel féminin.

En y regardant de plus près, on constate que le modèle d'organisation masculin reproduit la physiologie du cerveau de l'homme. Le travail avec prise de décisions individuelle, la focalisation sur un point particulier, les actions immédiates, tout cela reproduit le fonctionnement naturel masculin. Et il est difficile pour les hommes d'aller contre le fonctionnement que la nature leur a fourni.

Bien que la culture d'entreprise d'origine masculine soit en cours d'évolution, allant vers une nouvelle forme d'organisation, le fonctionnement des hommes n'évoluera pas aussi facilement. Pour autant, une meilleure compréhension de la nature profonde des hommes et des femmes peut instaurer de nouvelles idées d'organisation de travail qui relèveront davantage de la complémentarité que de la compétition entre les instincts de chacun des sexes.

À défaut d'être respectés, appréciés et valorisés dans leur vie professionnelle, tant les hommes que les femmes chercheront à en imputer la faute à leur supérieur hiérarchique ou à leurs collègues. Les femmes, qui doivent intégrer un environnement conçu et dominé par les hommes, auront tendance à se sentir reléguées à une place subalterne et dirigées par des valeurs qu'elles n'ont ni choisies ni adoptées. Des deux sexes, les femmes sont celles qui se sentent le plus mises à l'écart et dévalorisées, testées, et dont la compétence est mise en doute. Par conséquent, elles ont tendance à rejeter la faute sur les hommes.

Quand la situation reste inchangée, les femmes prennent conscience qu'elles donnent plus que ce qu'elles reçoivent. Elles ne portent plus leur attention sur les aspects de leur travail qu'elles apprécient, ne voyant plus alors que les règles, les obligations et autres comportements qui les insupportent.

Avec le temps, ce qu'elles préféraient dans leur travail et dans leur entreprise – ce qui, à l'origine, leur apportait un sentiment d'accomplissement personnel et une forme de bonheur – devient de plus en plus insignifiant, voire passe inaperçu. Les femmes réalisent qu'elles n'apprécient plus leur travail : certaines quitteront leur entreprise, et nombre d'autres y resteront, mais sans conviction.

Le point de vue scientifique

Les femmes disposent d'un système limbique plus large que celui des hommes : le centre du cerveau comprenant l'hypothalamus, l'hippocampe et l'amygdale, et dont la fonction est de régir les émotions et la motivation. L'hippocampe est le lieu de stockage de la mémoire et, moins actif chez l'homme, il est deux fois plus large et bien plus actif chez la femme[2].

Les femmes disposent aussi d'un plus grand nombre de connexions entre les deux parties de leur cerveau ; elles sont plus efficaces pour gérer et encoder les expériences émotionnelles dans la mémoire de longue durée, et capables de les rapprocher d'expériences passées. Par conséquent, elles disposent d'une palette de souvenirs des événements émotionnels plus riche et plus intense que celle des hommes, et peuvent rattacher l'événement en cours aux événements du passé, ce qui, aux yeux des hommes, peut sembler conduire à des généralisations infondées.

Les femmes ont tendance à intérioriser et à personnaliser leurs émotions. Sous l'effet du stress, le cerveau d'une femme peut être assailli par des souvenirs de disputes et de conflits du passé[3]. Un comportement masculin particulier peut rappeler à une femme le comportement similaire d'un autre homme et l'amener à en conclure que « tous les hommes se conduisent de la sorte ».

Dans le cerveau masculin, l'amygdale est beaucoup plus large que celui de la femme. Les connexions neurologiques de l'amygdale avec les autres parties du cerveau permettent aux hommes de répondre rapidement à une sollicitation sensorielle, de se focaliser sur les facteurs externes et d'aboutir plus vite à une prise de décision[4].

Donc, contrairement aux femmes, qui ont tendance à intérioriser les données, les hommes ne rapprochent pas une situation d'événements passés et se concentrent plutôt sur le présent. Ils répondent plus rapidement au stimulus de l'environnement, du fait que leurs réflexions ne sont pas mêlées de tant d'émotions en relation avec des événements plus anciens. Par conséquent, les hommes éprouvent davantage de difficultés que les femmes à se souvenir d'événements antérieurs ou à établir des connexions entre des situations similaires. Cela fonde d'ailleurs cette réflexion : « Peut-être d'autres hommes se conduisent-ils de cette façon, mais je reçois des critiques pour des actes que je ne me souviens pas avoir commis. »

La différence entre les systèmes limbiques masculin et féminin a conduit chacun des sexes à se protéger de façon instinctive et à se défendre depuis des milliers d'années. Les femmes se protègent par le biais de la réflexion, de la connexion et de la culture. Les hommes se défendent en prenant des décisions rapides, en se focalisant sur un seul dossier et en agissant immédiatement : ils ne s'encombrent pas de pensées ni d'émotions secondaires[5].

« Essayez de la convaincre de ne pas démissionner ! »

Deux choses m'ont frappé lorsque je suis entré dans le bureau d'Élise à Londres : le rythme infernal apparemment adopté dans tous les bureaux voisins et le visage stressé de la femme ingénieur qui me recevait dans l'une des entreprises d'informatique les plus importantes au monde. Élise était perçue par ses employeurs comme une femme ingénieur brillante et irremplaçable, et son supérieur hiérarchique, Antoine, sous-directeur de la technologie, m'avait prié de la rencontrer pour la convaincre de ne pas démissionner.

Afin d'obtenir un tableau plus clair de la situation, j'ai commencé par discuter avec Antoine et son équipe, mixte, afin de comprendre ce qui amenait Élise à vouloir les quitter : était-ce la charge de travail trop importante ou les relations qui la dérangeaient ? J'ai perçu Antoine comme très focalisé sur ses objectifs, un dirigeant particulièrement marqué par l'esprit de compétition. Il se considérait comme « équilibré » dans son approche tant vis-à-vis des hommes que vis-à-vis des femmes de son équipe. À plusieurs reprises, il m'a dit qu'il était « conscient des spécificités hommes-femmes », même si la plupart des femmes de son équipe avaient une opinion divergente : elles se sentaient toutes surchargées de travail et trop peu valorisées. À noter : aucune des neuf femmes de l'équipe n'avait été promue à un poste supérieur à celui de manager.

Quand je me suis assis en face d'Élise, elle est allée droit au but : « C'est trop tard, ma décision est prise ! J'aime beaucoup l'entreprise et mon équipe, et je peux endurer la charge de travail, mais je me sens utilisée, et je sais que, quoi qu'il arrive, je ne monterai plus dans la hiérarchie… Le mois dernier, j'ai atteint ma limite. J'avais pris mon week-end pour m'occuper de mon jeune fils qui devait se faire ôter les amygdales. Antoine savait bien que ce week-end-là mon fils était à l'hôpital, pourtant il m'a demandé de revenir pour une prétendue urgence qui, finalement, n'en n'était pas une. Mon fils souffrait et avait besoin de moi. Antoine voulait juste s'assurer qu'il était le mieux placé pour le nouveau poste de directeur de l'information pour l'Asie, amené à se libérer un peu plus tard dans l'année. Il tenait à tout prix à ce que sa présentation soit prête avant celles des autres candidats en concurrence. Si Antoine obtient cette promotion, je sais avec certitude que je n'aurai pas sa place, même si je suis la mieux placée en termes d'ancienneté et que mon évaluation est meilleure que celle de n'importe lequel des cadres de l'équipe. »

Quand j'ai rapporté à Antoine ma conversation avec Élise, il s'est montré complètement surpris et déconcerté. Il n'imaginait pas du tout qu'elle éprouvait ce genre d'émotions et m'a assuré qu'il avait complètement oublié l'opération du fils d'Élise. J'ai remarqué son embarras et sa façon de se mettre sur la défensive. Il m'a décrit en détail tous les engagements qu'il avait pris envers les femmes de son équipe, et il était bien en peine de se souvenir d'occasions où il se serait montré « désagréable ou dévalorisant à l'égard des femmes ». Avant que je parte, il m'a montré le courrier qu'il avait adressé aux Ressources humaines, dans lequel il annonçait qu'Élise prendrait sa succession s'il était promu.

Le business n'est plus ce qu'il était

Les rôles masculins et féminins ont complètement changé depuis les années 1960, introduisant plus de confusion dans nos attentes les uns envers les autres de décennie en décennie. Le business n'est plus ce qu'il était depuis bientôt cinquante ans. Pourtant, les hommes comme les femmes n'ont pas appris grand-chose les uns sur les autres au cours de toutes ces années et ont encore une idée très vague de ce qui motive l'autre sexe.

Nous n'avons pas remarqué que nos fonctionnements étaient fondamentalement différents, et à vouloir nous considérer

comme identiques nous faisions preuve d'une grande igno-
rance. Arrêtons de vouloir forcer les femmes à agir comme
des hommes, et arrêtons de critiquer les hommes qui se comportent selon leur nature. Une meilleure appréhension de nos
différences permet d'affiner notre communication et de modifier nos attentes pour aller vers plus de réalisme. Notre intelligence des genres s'accroît, et ainsi nous nous efforçons de faire
preuve d'une plus grande écoute, d'une plus large acceptation,
d'accorder plus de valeur les uns aux autres, et nous instau-
rons, en connaissance de cause, un environnement dans lequel
hommes et femmes peuvent réussir ensemble.

À chaque fois que nous questionnons, en séminaire, les
femmes sur les raisons qui incitent les hommes à se conduire
comme ils le font, la frustration émerge. Bien que la légiti-
mité de ce sentiment soit avérée, la généralisation « Tous les
hommes se conduisent de cette façon et doivent changer »
n'a comme résultat que de les critiquer. Quand les hommes
entendent qu'ils doivent changer, ils en concluent qu'ils sont
en quelque sorte défectueux, et cela les conduit à adopter une
attitude défensive.

Que la critique qu'on leur adresse soit fondée ou non, elle
produit toujours l'un ou l'autre des effets suivants : soit l'homme
se ferme complètement, soit il commence à argumenter pour
se défendre. Nous l'avons mentionné, les hommes s'estimant
agressés vont tenter de prouver par tous les moyens que la
généralisation dont ils s'estiment victimes est erronée, ce qui
irrite encore davantage les femmes... « Qu'est-ce que signifie
"Je ne m'en souviens pas" ? »

Il existe une approche plus efficace, accessible aux femmes
qui souhaitent exprimer leurs besoins aux hommes. Une communication plus respectueuse de la nature des hommes, qui leur
permet de comprendre les demandes féminines et d'y répondre :

• Les femmes ayant de bonnes notions des spécificités
hommes-femmes savent comment exprimer leur demande

de façon intelligible pour les hommes : elles parlent le martien. Elles connaissent la propension masculine à établir des priorités et à travailler de façon séquentielle. Elles identifient la tendance masculine à se focaliser sur les performances et le résultat final, plutôt que sur les efforts pour y parvenir. Elles ont aussi conscience que les hommes ont tendance à mieux apprendre si on leur propose des façons plus efficaces d'atteindre leurs objectifs.

• Les hommes ayant une bonne notion des caractéristiques propres aux hommes et aux femmes comprennent comment leur comportement est perçu par leurs collègues féminines : ils entendent le vénusien. Ils savent que les femmes ne sont pas aussi focalisées sur le résultat final, qu'elles attachent autant d'importance au voyage qu'à la destination. La tendance naturelle d'une femme est de collaborer ; ses meilleures idées émergent quand elle a l'occasion d'échanger et de partager.

Une meilleure intégration de ces différences tant par les hommes que par les femmes, sans se soucier de savoir si elles s'enracinent dans des causes innées ou acquises, permet de mieux comprendre les mécanismes qui animent les collègues du sexe opposé. Les femmes comprendront que les mises à l'écart qu'elles subissent de la part des hommes sont rarement intentionnelles ; les hommes apprécieront la manière féminine de s'intégrer dans le monde, qui diffère de la leur.

Un meilleur niveau de compréhension entraîne une meilleure appréciation de nos dissemblances. Et cette meilleure appréciation a des répercussions sur notre plaisir à travailler côte à côte de façon complémentaire plutôt que les uns contre les autres.

Le point de vue personnel : la demande informulée

Sur Vénus, les femmes ont tendance à croire que si quelque chose fonctionne bien, on peut encore l'améliorer. Le perfectionnement est un trait de caractère naturellement féminin. Et ce n'est pas toujours bien accepté par les hommes. Sur Mars, un homme soumis aux velléités de changement d'une femme en conclut qu'il est considéré comme en tort. Il ne se sent pas apprécié à sa juste valeur. Il se protège et résistera aux tentatives visant à le corriger ou à lui dicter sa conduite. Donner des conseils à un homme qui n'en a pas expressément demandé revient à insinuer qu'il est incapable de réfléchir lui-même à la solution à apporter et d'y parvenir.

Même animée des meilleures intentions, une femme désireuse d'améliorer une situation qui ne la concerne pas directement sera perçue comme autoritaire, voulant contrôler autrui et ne reconnaissant pas les qualités des autres.

Souvent, les femmes tentent de faire évoluer les hommes en soulignant leurs travers, et en exprimant leur insatisfaction de façon directe et sous la forme d'un reproche :

• Quand tu te gares sur le côté droit, je ne parviens pas à sortir de la voiture. Il y a quelques jours, cela m'a mise en retard.

• Il faut conduire Suzanne à son piano mardi après l'école. Tu seras à la maison avant moi, et si tu ne la déposes pas, je vais devoir demander aux voisins de l'emmener.

• Il faut aider les enfants pour leurs devoirs après le dîner. Si je m'en occupe, je n'aurai pas le temps de débarrasser la table et de ranger la cuisine.

Quand une femme identifie la cause du problème chez un homme, cela limite les capacités de ce dernier à externaliser la solution. Il ne parvient plus à prendre les besoins féminins en considération et à trouver la meilleure option pour résoudre le problème. En revanche, si une femme présente le problème comme étant étranger à l'homme, il peut plus aisément se détacher de la situation et s'atteler à trouver une solution acceptable pour tous les deux.

Derrière chaque reproche se cache une demande non formulée. La meilleure approche pour expliquer à un homme pourquoi il devrait faire quelque chose, c'est d'en faire la demande. Plutôt que de discuter du problème, une femme doit apprendre à présenter la solution qui lui conviendrait…

• Tu veux bien garer ta voiture sur le côté gauche ? Cela me permettrait de sortir plus facilement de ma voiture.

• Tu voudras bien emmener Suzanne mardi à son piano ? Cela m'aiderait beaucoup.

• Tu veux bien aider les enfants à faire leurs devoirs après le repas ? Comme ça, on pourra passer plus de temps ensemble.

Il ne s'agit pas tant de vouloir changer les hommes que d'apporter des modifications dans la façon de leur communiquer les besoins qu'on souhaite les voir combler. Les hommes aiment se montrer attentionnés et se mettre au service des femmes, car cela leur permet de se sentir utiles et appréciés. Ils veulent donner le meilleur d'eux-mêmes, et être la solution, non le problème.

Une femme doit découvrir comment, à travers ses propres actes et réactions, faire émerger le meilleur d'un homme, en énonçant ses demandes d'une façon qui lui convienne à lui autant qu'à elle. Cela lui permettra de se sentir plus compétent et de consacrer plus d'efforts à la relation, parce qu'il se retrouvera dans une situation positive où il est apprécié et encouragé à agir selon les besoins de la femme, plutôt que critiqué et sommé de changer.

CHAPITRE 3

LES HOMMES
APPRÉCIENT-ILS LES FEMMES ?

Réponse de femme : « On en est loin. »
Réponse d'homme : « Bien sûr que oui. »

À la fin des années 1940, les entreprises ont commencé à sonder leurs employés, afin de mieux percevoir leur motivation à accomplir un travail de qualité et ce qu'ils attendaient de leur environnement professionnel. Un schéma récurrent s'est dégagé, qui a donné lieu à un précepte sur la motivation, décrit depuis dans la plupart des ouvrages de management et enseigné dans les cours sur ce thème :

• donner aux employés un travail stimulant, qui correspond à leurs talents et intérêts particuliers ;

• leur accorder le temps et les ressources nécessaires à l'accomplissement de leur travail ;

• leur accorder l'autonomie nécessaire pour réaliser le travail ;

• souligner leurs résultats et les en féliciter.

À l'époque, et pendant plusieurs dizaines d'années par la suite, les milieux professionnels étaient dans leur vaste majorité constitués d'hommes : ces principes de gestion correspondaient tout à fait à la façon dont les hommes fonctionnent, réfléchissent, aiment travailler, et notamment à leur goût pour les félicitations devant les succès qu'ils remportent. L'évaluation des performances, devenue la jauge du travail d'un employé, est toujours considérée comme la technique la plus courante pour mesurer les résultats atteints par un employé. Le concept de l'évaluation de 360 degrés a été ajouté pour élargir l'évaluation, et aussi pour obtenir les points de vue des subordonnés, des collègues, des clients, des supérieurs ; mais la finalité de cette évaluation reste identique : reconnaître le travail accompli et féliciter l'employé.

Si on franchit ensuite le temps pendant lequel on a conclu à la similitude entre les sexes, on comprend d'où vient la croyance que les femmes, tout comme les hommes, sont motivées par l'appréciation de leurs performances. Pourtant, nos données indiquent le contraire : la reconnaissance isolée des résultats obtenus fonctionne très bien pour les hommes, mais beaucoup moins pour l'autre moitié des salariés – les femmes.

Données sur les spécificités hommes-femmes[1]

• 79 % des hommes se sentent valorisés sur leur lieu de travail, alors que seulement 48 % des femmes partagent ce sentiment.
• 82 % des femmes préfèrent que soient soulignés les efforts qu'elles consacrent à la poursuite de leurs résultats.
• 89 % des hommes préfèrent que soient soulignés leurs résultats.

Depuis que les femmes occupent la moitié des postes dans les entreprises, on est moins surpris de lire les résultats de l'étude de Towers Perrin, conduite en 2007 et 2008, juste avant la récession mondiale. Selon cette étude, 80 % des femmes se considéraient comme sous-valorisées, et leur travail était vu comme un dû[2]. Quand on perd le sens de l'engagement, on en arrive à se séparer. Les femmes, se sentant souvent dévalorisées et peu appréciées, quittent les entreprises deux fois plus que les hommes ; et pourtant, cet angle mort sur les différences hommes-femmes continue à cacher la raison sous-jacente de cette tendance, qui n'a pas pour cause les conflits entre vie privée et vie professionnelle comme on pourrait le penser.

Nous avons récemment procédé à une enquête auprès de 2 400 femmes qui avaient quitté des postes à responsabilité dans de grandes entreprises d'Europe, des États-Unis ou d'Asie. Cette enquête a révélé que, parmi les cinq raisons principales amenant une femme à démissionner, les motifs personnels étaient la dernière[3].

Pourquoi les femmes démissionnent-elles réellement ?	
Manque de valorisation dans l'entreprise	**68 %**
Sentiment d'exclusion des équipes ou des décisions	**65 %**
Environnement masculin trop dominant	**64 %**
Manque d'opportunités de promotion	**55 %**
Conflits vie privée/vie professionnelle	**30 %**

Les femmes qui démissionnent invoquent souvent des raisons personnelles afin de ne pas couper définitivement les ponts. Les hommes pensent que ces raisons invoquées sont les véritables raisons, ce qui contribue à entretenir le mythe selon lequel les femmes sont plus concernées par leur vie privée que par leur engagement ou leur ambition professionnels.

Contrairement à ce que l'on pense trop souvent, quand une femme démissionne, ce n'est pas pour renoncer à sa carrière par la même occasion. Elle migre en général vers une autre entreprise qui propose un environnement plus en accord avec son potentiel et ses valeurs, ou bien elle crée sa propre entreprise. Les créations d'entreprise par des femmes atteignent des chiffres record[4].

Voici quelques exemples issus de notre enquête qui illustrent les raisons incitant les femmes à quitter leur poste à responsabilité.

« Ce n'est ni une question financière ni une question de pouvoir. »

Nancy a souhaité quitter son poste de responsable d'une marque dans une grande société de fabrication de boissons. Ses amis hommes n'ont pas compris sa décision. « Pourquoi partir ? Tu gagnes des fortunes et tu as plein d'occasions de voyager. Toutes les portes s'ouvrent pour toi parce que tu travailles pour cette entreprise. Que veux-tu de plus ? »

Bien que la marque dont se chargeait Nancy fût la première du groupe à être conçue exclusivement pour le marché féminin, elle n'avait aucune marge de manœuvre quant aux décisions concernant la mise sur le marché et la tactique promotionnelle, qui revêtent des aspects plutôt créatifs. Le directeur du marketing et ses deux collaborateurs les plus proches contrôlaient tout ce qui concernait cette marque. L'entreprise n'avait pas voulu prendre le risque d'un échec dans la mise sur le marché de ce produit. Donc, ce qui semblait au début une belle opportunité de carrière pour Nancy se révélait finalement un poste frustrant au quotidien répétitif et peu stimulant. Tous ses efforts pour s'investir dans le marketing de la branche dont elle était responsable étaient restés lettre morte.

« Ils font confiance à mon traité de pédiatrie, mais pas à moi. »

Madhu, considérée comme l'une des meilleures pédiatres en Inde, travaillait au sein du service pédiatrique le plus réputé de son pays. Sur vingt pédiatres, Madhu était l'une des deux seules femmes, fait peu étonnant eu égard aux décennies de restrictions imposées aux femmes dans le secteur médical de ce pays.

En Inde, bien que le tiers des étudiants en médecine soient aujourd'hui des femmes, les hôpitaux sont encore dirigés par des médecins hommes, dont la plupart sont attachés aux traditions du passé. Cela a conduit Madhu à quitter son poste dans l'hôpital de son pays pour ouvrir un cabinet en Angleterre. « Je suis au sommet dans mon domaine, explique-t-elle, j'ai même publié un traité de pédiatrie utilisé à l'heure actuelle dans la majorité des hôpitaux indiens, mais le personnel masculin continue de me tenir à l'écart. C'est insensé. Je n'ai aucun mot à dire sur la pratique pédiatrique dans cet hôpital. Ils se réfèrent à mon traité, mais pas à moi ! »

« Nous avons besoin de résultats, pas de valeurs. »

La plupart des employés considéraient Sandra comme une candidate potentielle à la succession de la direction générale bientôt vacante. Elle avait acquis non seulement l'ancienneté et les compétences requises mais aussi l'admiration de son équipe et le respect de centaines d'employés qui travaillaient directement sous ses ordres. Sandra s'était chargée de la rédaction de la charte des valeurs que l'entreprise avait adoptée trois ans auparavant – valeurs qui définissaient la vision de l'entreprise, son respect envers ses employés, la politesse et le respect également entre les employés, et le sens du service que l'entreprise avait adopté envers sa clientèle, ses fournisseurs et ses distributeurs.

« Ne pas être nommée candidate pour le poste de directeur général a été blessant, mais ce n'est pas ce qui m'a incitée à quitter l'entreprise, expliqua Sandra dans sa note de départ. Ce qui a vraiment compté dans ma décision, c'est l'annonce du directeur général pendant la réunion des dirigeants. Il a dit que, vu l'état actuel de l'économie et la situation de chute des ventes, les valeurs n'avaient plus aucune signification et que le seul objectif était les résultats. Les résultats seulement. S'il avait l'intention de partir, je resterais, mais il compte rester président du conseil d'administration, et je ne suis pas d'accord avec sa philosophie. La majorité des femmes travaillant ici ne le seront pas non plus.

Nous pensons que ce sont ces valeurs de respect des autres qui sont garantes des résultats. »

Comme nous l'avons dit précédemment, la façon dont chacun souhaiterait être estimé transparaît souvent dans sa manière d'exprimer son appréciation. On a tendance à donner ce que l'on aimerait recevoir. Voilà pourquoi il est important de comprendre comment les hommes aiment être considérés et d'identifier pourquoi ils ne manifestent pas efficacement leur estime envers les femmes.

Les façons dont les hommes se sentent appréciés

Sur Mars, les hommes aiment que leurs résultats soient remarqués. À leurs yeux, le voyage ou les efforts entrepris comptent bien moins que la destination finale ou le résultat atteint. Pour nombre d'entre eux, leur chèque de fin de mois est tout ce dont ils ont besoin comme signe d'appréciation. « Laissez-moi faire mon boulot et je l'assumerai. »

Les hommes apprécient la liberté d'action, et de ne pas être constamment dirigés dans la poursuite de leurs objectifs. Ils doivent pouvoir apprendre de leurs erreurs. Des conseils prodigués alors qu'il n'a rien demandé dérangent un homme et perturbent son besoin d'indépendance. Il éprouve alors un manque de confiance en sa capacité à atteindre le résultat escompté. Cette attitude – « Je peux m'en charger tout seul » – incite les hommes à se laisser tranquilles entre eux. Comme ils préfèrent résoudre leurs problèmes seuls, ils imaginent que les autres – y compris les femmes – préfèrent aussi ne pas être dérangés.

« Je ne pense pas qu'elle aime me voir travailler seul. »

Jacques est un homme d'habitudes. Il se gare au même emplacement tous les matins, bien avant 9 heures, prend son café à la cafétéria, puis file s'asseoir à son poste dans l'*open space* où il traite les questions d'actifs et de passifs, et des opérations de capital de la journée. Ses supérieurs le considèrent comme un as en comptabilité, et son travail quotidien est souvent interrompu par des appels des dirigeants de l'entreprise qui lui soumettent leurs problèmes de factures ou de budget. Il les écoute et propose des solutions de comptabilité ou de stratégie financière.

Marjorie, experte comptable récemment embauchée par l'entreprise, est devenue la supérieure directe de Jacques. Celui-ci appréciait de travailler pour Stéphane, qui a récemment obtenu une promotion à un poste plus élevé. Ce qui convenait particulièrement à Jacques, c'était de ne voir Stéphane qu'en de très rares occasions, lors des réunions d'évaluation, toujours dithyrambiques. « Stéphane avait confiance en mon travail. Il ne s'interposait pas continuellement, souligne Jacques. Tout a changé, maintenant. Je ne pense pas que Marjorie aime me voir travailler seul. Je dois la voir en réunion tous les matins, et elle parle d'engager un assistant pour m'aider. Je n'ai pas besoin d'aide. Soit elle ne me fait pas confiance, soit elle pense que je ne respecte pas les principes de comptabilité. Je ne sais pas ce qui pose problème. Peut-être cherche-t-elle à me remplacer ? »

Les hommes pensent sincèrement apporter une preuve de leur reconnaissance en laissant les autres travailler à leur manière – à condition qu'ils accomplissent la tâche qui leur a été assignée. Les collègues et supérieurs hommes n'envisageraient jamais de proposer leur aide à l'un de leurs collaborateurs, à moins que celui-ci en ait spécifiquement exprimé le besoin.

Nous voilà au cœur du problème des hommes : ils apprécient le travail de leurs collègues femmes, mais ils ne parviennent pas à transmettre ces sentiments positifs à leur égard, car elles ne le perçoivent pas. Elles attendent d'autres formes de soutien et de reconnaissance, que les hommes n'imagineraient pas pour eux-mêmes, et qu'ils ne pensent donc pas à leur manifester.

La façon dont les femmes se sentent appréciées

Alors que, sur Mars, les hommes sont avant tout motivés par la reconnaissance de leurs réussites, sur Vénus, les femmes se sentent davantage prises en compte quand on prête attention aux difficultés qu'elles ont dû surmonter pour atteindre ces résultats. Nous l'avons déjà dit, mais cela mérite d'être souligné : pour les femmes, le voyage compte autant que la destination finale.

Les femmes sont par ailleurs fort attachées à la qualité des relations nouées avec autrui. Elles montrent plus d'intérêt pour les autres et le prouvent en leur posant des questions. Partager est une des façons féminines les plus agréables de montrer l'estime portée aux autres. Voilà pourquoi les femmes ont tendance à préférer les projets de groupe menés dans une ambiance conviviale de collaboration, alors que les hommes travaillent plus efficacement seuls et de façon indépendante.

Le changement est énorme ! Un homme à qui on offre des conseils pour mieux collaborer le prend comme le signe d'un manque de confiance, alors que ce sera tout le contraire pour une femme, qui verra dans le partage d'idées une marque de confiance et le souhait de se rapprocher d'elle. Aux yeux des hommes, les femmes devraient se sentir suffisamment appréciées du fait des responsabilités qui leur sont confiées, du salaire perçu, des possibilités de gagner davantage et d'évoluer au sein de l'entreprise. Ils ne voient pas qu'une ambiance conviviale, le soutien de leurs collègues, la possibilité de partager et de nouer des liens comptent tout autant pour les femmes que leur statut, leur salaire et leur pouvoir.

Pour les femmes, il paraît normal de réfléchir avant de prendre une décision. La communication occupe donc une place prépondérante dans le fonctionnement féminin. S'assurer que toute l'équipe a pu s'exprimer et se sentir entendue lors d'une réunion est une étape importante avant de pouvoir apporter la solution à un problème.

Il y a des différences notables dans la façon dont hommes et femmes préfèrent travailler et dont ils souhaitent voir leurs efforts appréciés et reconnus.

Les hommes se sentent appréciés	Les femmes se sentent appréciées
Quand on les laisse accomplir une tâche seuls.	Quand on les choisit pour faire partie d'une équipe chargée d'accomplir une tâche.
Quand on leur accorde de l'autonomie ; c'est un signe de confiance et l'occasion de montrer ce dont ils sont capables.	Quand elles reçoivent du soutien et des conseils sans l'avoir demandé, car c'est pour elle un signe de confiance et l'occasion d'établir une relation de partage et d'entraide.
Quand on évite de les questionner tant qu'ils n'ont pas atteint le résultat visé, ce qui leur laisse plus de latitude pour se concentrer sur la solution.	Quand on leur pose des questions pendant qu'elles recherchent la solution, car cela les aide à avancer.

Les hommes se sentent appréciés	Les femmes se sentent appréciées
Quand ils peuvent se montrer meilleurs que les autres lors des réunions et les surpasser ; c'est une marque de compétence.	Quand elles peuvent participer aux réunions, et s'assurer que les échanges sont équilibrés, et le partage effectif.
Quand on reconnaît leurs résultats et qu'on les en félicite.	Quand on reconnaît les difficultés qu'elles ont dû surmonter autant que les résultats qu'elles ont atteints.

Nombreuses sont les raisons qui incitent les femmes à chercher une forme d'appréciation différente de celle des hommes. Et bien que certaines différences trouvent leur source dans l'éducation ou le conditionnement social, des dissemblances physiologiques dans la structure et la chimie des cerveaux féminin et masculin ont des répercussions sur leurs besoins respectifs, et très divergents, de reconnaissance. Une connaissance plus affinée de ces différences physiques aide à abandonner toute attente irréaliste envers les hommes et les femmes, qui devraient penser et réagir identiquement. Cela nous donne aussi l'occasion d'apprécier ces différences quand elles émergent.

Le point de vue scientifique

Le lobe pariétal inférieur est la partie du cerveau qui reçoit les signaux en relation avec la sensation du toucher, de la perception de soi, de la vision, et qui intègre ces signaux, amenant l'individu à déterminer son identité, à trouver sa direction et la signification des choses[5].

La recherche a démontré que les hommes ont tendance à activer un seul côté de leur cerveau – plutôt le côté gauche pour le raisonnement verbal –, alors que les femmes activent les deux côtés lorsqu'elles émettent des réponses verbales, visuelles et émotionnelles. Ces différences de zones activées dans le cerveau ont des répercussions sur l'apprentissage et le comportement de chacun des sexes[6].

Le lobe pariétal inférieur est plus développé du côté gauche chez les hommes – il gère les fonctions logique, analytique et objective –, les conduisant à agir en fonction d'un focus placé sur la tâche à accomplir et sur l'objectif final. Les hommes ont tendance à s'autoévaluer suivant les objectifs atteints. Ils ressentent du bien-être et sont motivés par la résolution de problèmes isolés de façon séquentielle (l'un après l'autre), et leur bien-être s'accroît si on remarque leurs résultats.

Les hommes cherchent la façon la plus rapide et efficace d'aller du point A au point B ; ils s'intéressent à l'issue susceptible de découler de leurs efforts et déterminent si cette issue vaut les efforts fournis. Par exemple, lors des réunions d'affaires, la grande majorité des hommes suit l'ordre du jour à la lettre, en passant d'un point à l'autre, dans l'ordre, achevant la discussion d'un point avant de passer au suivant.

Chez la femme, le lobe pariétal inférieur est plus large du côté droit – le côté intuitif, pensif et subjectif. Les femmes s'autoévaluent donc plutôt en fonction de leur capacité à établir des relations et à partager leurs connaissances. Elles ressentent du bien-être et sont motivées par le contact avec les autres, et leur bien-être s'accroît si on remarque leur talent à collaborer et à créer des liens ayant du sens et se révélant productifs.

La priorité d'une femme ne consiste pas tant à trouver la façon la plus efficace d'accomplir une tâche qu'à réussir à créer des relations favorables à l'atteinte de l'objectif grâce à une bonne collaboration en travail d'équipe.

Un homme qui suit sa tendance naturelle à se concentrer de façon séquentielle sur les problèmes n'aime pas être interrompu par des questions ouvertes ni par des remarques sur le problème auquel il s'est attaqué. Or, c'est précisément ce que les femmes ont tendance à faire dans leur effort pour accéder à une meilleure appréhension du problème. Les femmes se sentent exclues par les hommes absorbés dans leurs pensées. Elles ont l'impression qu'ils ne tiennent pas compte de leur point de vue, pourtant susceptible de faire évoluer la situation et d'apporter une meilleure solution.

Mais tout n'est pas noir ou blanc, il y a donc des exceptions à chaque règle. Ainsi, on peut facilement trouver des femmes qui apprécient le travail focalisé et séquentiel, et des hommes recherchant la collaboration. Indéniablement, le contexte social et la nature de chacun jouent un rôle dans l'identité et le comportement de chaque individu. Néanmoins, les différences biologiques entre les sexes ont été prouvées par des études scientifiques effectuées sur des populations vastes et variées d'hommes et de femmes.

Les hommes passent à côté des besoins des femmes

Les hommes donnent le meilleur d'eux-mêmes sous l'effet de l'émulation, alors que les femmes, au contraire, reconnaissent et mettent en avant les apports de leurs collègues, au point parfois de s'oublier elles-mêmes. Voici quelques exemples de travail en équipe...

Le chef de projet entre dans la salle et demande : « Qui a terminé le projet ? »

• Sandrine, coordinatrice du projet, répond : « C'est Carole qui s'en est chargée. »

• Carole répond : « En fait, Pascale en a fait la plus grande partie hier soir après les heures de bureau. »

• Pascale intervient à son tour : « Je n'aurais pu y arriver sans ton aide, Carole. »

Les femmes de cette équipe se renvoient la balle, attribuant le mérite réciproquement, presque au point d'en arriver à lutter pour être celle qui reconnaîtra le plus le travail des autres ! Le chef de projet devra enquêter pour déterminer qui s'est chargé de quoi. Personne ne se mettra en avant pour s'attribuer le mérite sans avoir au préalable insisté sur le rôle des autres membres de l'équipe.

Alors que, sur Mars…

Le chef de projet entre dans la salle et demande : « Qui a terminé le projet ? »

• Jean, le coordinateur de projet, répond : « J'ai pu y mettre un point final hier soir, et nous avons maintenant un pilote à présenter. »

• Laurent répond : « Oui, j'ai pris en charge la partie conception pour finaliser le prototype dans les temps. »

• Gabriel ajoute : « J'ai pu convaincre notre plus gros client d'essayer le pilote pendant six mois. »

Chacun des hommes s'attribue le plus de mérite possible, et aucun d'entre eux ne s'offusque de voir les autres tirer la couverture à eux, parce que cela correspond à leur fonctionnement naturel de souligner ainsi les exploits accomplis. C'est une étape « normale » du rituel masculin, et les hommes apprécient en général de travailler ensemble selon ce rituel.

Dans l'esprit de nombre d'hommes, travailler en équipe revient à appliquer les règles de la compétition sportive. Le but est de prendre la balle des mains de l'autre et de marquer des buts. C'est parfaitement accepté parce que cela fait partie des règles du jeu, à condition bien sûr de rester fair-play.

Composer une équipe mixte conduit au conflit de façon presque automatique, car les règles du jeu des uns et des autres sont opposées. Des témoignages recueillis lors de l'enquête que nous avons réalisée ressort que les femmes ne se sentent pas écoutées lorsqu'elles expriment une idée au sein d'une équipe mixte. La tendance naturelle d'un homme est d'écouter l'idée, d'y apporter quelques modifications et de se l'approprier. L'homme assis à côté de lui va à son tour remanier l'idée modifiée et la récupérer à son profit, et ainsi de suite jusqu'à ce que tous arrivent au point suivant de l'ordre du jour.

Pour la femme qui était à l'origine de l'idée, cela s'apparente à du plagiat. Elle s'attend à ce que quelqu'un approuve sa proposition, mais elle pourra attendre toute la journée : personne n'y a prêté attention, et elle quitte la réunion démotivée et déçue. Contrairement aux hommes, les femmes se sentent mal à l'aise à l'idée de se mettre en avant. Leur penchant naturel les conduit à s'intégrer dans le groupe, à partager le temps de parole de façon équitable et à souligner les interventions utiles des autres.

« Comment j'ai tué l'ours... »

En 1996, le but de Xerox, une grande entreprise commercialisant des imprimantes et des logiciels, était de dépasser Canon, son principal concurrent. Le directeur des ventes avait fait imprimer des tee-shirts pour l'équipe de vente, alors mixte, avec « Abattre Canon » imprimé en grand. L'objectif fixé consistait à vendre plus d'imprimantes que Canon pendant les deux premiers trimestres de l'année.

Xerox atteint cet objectif au bout de ces six premiers mois. Au cours du banquet de célébration, l'équipe ayant obtenu la reconnaissance officielle du directeur des ventes et d'autres dirigeants de l'entreprise, on pouvait aisément constater les réactions très différentes des hommes et des femmes. Les hommes se congratulaient mutuellement, se glorifiant des résultats, dévoilant à leurs voisins de table leur propre réussite, leur histoire de « Comment j'ai tué l'ours ». Les femmes composant l'équipe de vente adoptaient une conduite bien distincte, s'attachant à mettre en avant les résultats des autres, se remémorant les difficultés rencontrées et surmontées, et soulignant la réussite de l'équipe en tant qu'entité, se félicitant que tous soient arrivés à ce résultat extraordinaire ensemble. L'enthousiasme féminin était moins exubérant que celui de leurs collègues hommes, même si les femmes étaient tout aussi ravies.

Mais la façon dont chacun des sexes s'est comporté après le banquet est encore plus frappante et riche en enseignements sur les spécificités masculines et féminines. Les hommes ont simplement poursuivi leur route vers un nouveau défi – une autre montagne à gravir –, alors que les femmes ressentaient à nouveau l'impression d'être laissées pour compte et oubliées. Pour la plupart d'entre elles, quelque chose s'était perdu après cet aboutissement. Certaines l'ont décrit comme une perte d'unité et de confraternité, le sens d'avoir fait partie de l'équipe qui les avait tous animés pendant six mois.

Les hommes de l'équipe ne comprenaient pas bien pourquoi les femmes avaient tout à coup perdu leur enthousiasme lors du banquet et pourquoi elles en ressortaient avec plus de regrets que de satisfaction. Ils ont vu dans cette victoire des ventes un énorme accomplissement, et perçu le déplaisir des femmes comme « une insatisfaction permanente », suscitant du ressentiment de leur côté.

Un homme à qui une femme se plaint d'un manque de reconnaissance aura tendance à rouler des yeux ou à détourner son attention, ce qui contribue encore à ce que la femme se sente dévalorisée. Voici les réflexions d'un homme ou ce qu'il exprimera :

- Elle n'apprécie pas ce qu'on lui donne.
- Elle est ingrate.
- Tu as reçu un bonus, alors pourquoi dis-tu que tu manques de reconnaissance ?

L'angle mort des hommes consiste à penser que les femmes accordent la même valeur qu'eux aux formes de reconnaissance. « L'entreprise t'accorde la liberté de travailler, te donne un titre, un bureau, la chance de te faire connaître – tout ce que moi, j'aime et apprécie. Je ne vois pas où est ton problème. »

Si ces choses comptent aussi pour une femme, à ses yeux il manque d'autres aspects importants : se sentir écoutée, reconnue pour ses propositions, prise en considération. Le besoin d'une femme d'être reconnue pour ses efforts autant que pour le résultat final passe souvent inaperçu aux yeux des hommes.

« Ce n'est pas une question d'argent. »

Hélène était une assistante hors pair, qui se chargeait de l'organisation des séminaires, de tenir à jour le fichier de mes clients et de payer mes factures. Indiscutablement une employée modèle. Je n'avais rien à lui demander, parce que tout était toujours fait avant que j'en manifeste le besoin. Son sérieux et ses compétences me libéraient de tous ces tracas, me permettant de me concentrer sur d'autres aspects de mon travail. Ma confiance en elle était totale ; je la savais capable de gérer tout problème susceptible de survenir pendant le déroulement des séminaires un peu partout dans le monde.

L'appréciant énormément, je lui accordai une augmentation. Deux semaines plus tard, elle vint me trouver pour m'annoncer son intention de démissionner. J'étais abasourdi :

– Je ne comprends pas. Pourquoi veux-tu démissionner ? Je viens juste d'augmenter ton salaire !

– Je sais, répondit Hélène. Merci. Tu me paies très bien, mais je ne me sens pas suffisamment appréciée.

J'étais passé à côté de quelque chose ! Je trouvais qu'Hélène était la personne la plus compétente qui eût travaillé pour moi. Voilà pourquoi je lui laissais toute latitude dans son travail : afin de lui montrer à quel point je croyais en elle. Et j'avais décidé de mieux la rémunérer en signe de reconnaissance.

– Comment devrais-je montrer mon appréciation ? lui demandai-je.

Je tenais vraiment à le savoir parce que, honnêtement, j'attachais beaucoup de valeur à son travail et je ne voulais pas la perdre.

Hélène répondit sans hésitation :

– Tu saurais ce que je fais dans le moindre détail.

On s'est assis autour d'une table, et pendant les dix minutes suivantes Hélène s'est épanchée, exprimant ses sentiments, exposant les difficultés de son travail, les problèmes qu'elle avait dû surmonter, les soucis avec les fournisseurs et ceux relatifs à la gestion de mon planning.

Au cours de cette discussion, je me suis rendu compte qu'effectivement je n'accordais pas suffisamment d'attention au travail d'Hélène car je n'avais pas conscience de tout ce qu'elle accomplissait. J'ai changé ma vision des choses et, à compter de ce moment, j'ai prêté une grande attention à tout ce que faisait l'une des personnes les plus précieuses de mon entourage, et qu'elle souhaitait que je connaisse. Et en me penchant sur ce qu'Hélène accomplissait au quotidien et en imaginant les difficultés qu'elle devait surmonter, j'ai pu remarquer combien elle travaillait dur pour moi et l'apprécier davantage – ce qui se révéla bénéfique pour elle autant que pour moi. Hélène s'est sentie mieux valorisée dans son travail et j'ai pu mieux percevoir le soutien qu'elle m'apportait. Notre relation est dès lors devenue plus profonde, et fondée sur davantage de confiance et de respect.

Les statistiques citées au début de ce chapitre sont une réalité pour les femmes : 48 % d'entre elles seulement se sentent appréciées à leur travail. Ce n'est pas le fait d'une mauvaise volonté masculine, mais d'un manque de connaissances, et la preuve de la présence d'un angle mort masculin dans ce domaine. Si les hommes ne voient pas l'existence d'un problème, ils ne peuvent pas se montrer compréhensifs ou attentionnés, comme les femmes le souhaiteraient.

Oublier comment nous en sommes arrivés là

Le nouveau directeur général d'un grand groupe décida de faire une apparition surprise au sommet annuel des cadres pour rencontrer les dirigeants des filiales de plusieurs pays et les encourager à réaliser de meilleures performances pour l'année à venir. Il monta sur l'estrade et commença par remercier chaque participant pour ses résultats de l'année écoulée. « Nous avons enregistré une belle réussite en 2011, et je suis ici aujourd'hui pour vous demander de puiser en vous l'énergie de faire encore mieux en 2012. Nous pouvons faire mieux ! Nous pouvons faire beaucoup mieux ! »

Les hommes de l'assistance lancèrent des cris d'approbation et applaudirent : ils aimaient la reconnaissance apportée à leur contribution personnelle. Les femmes applaudirent par respect, mais, en les observant, on pouvait voir que ces mots ne les avaient pas beaucoup motivées ; leur enthousiasme était bien plus frileux que celui des hommes. Nous avons remarqué les regards échangés par les femmes, avec une expression polie mais dubitative. Deux semaines plus tard, l'explication est apparue lors des ateliers.

Une femme cadre a ouvert l'un d'eux en exprimant son impression après l'intervention du directeur général. À l'évidence, les autres femmes partageaient son point de vue, parce qu'elles approuvaient par des mouvements de tête. « Il ne s'est pas rendu compte que les seules personnes qu'il motivait ce jour-là étaient les hommes. En répétant "On peut faire mieux, on peut faire mieux", c'était comme s'il enfonçait un clou dans le cerveau des femmes. Elles se réveillent tous les matins en sachant très bien qu'elles peuvent faire mieux, on n'a pas besoin de l'entendre ! On aurait cru que le directeur général ne s'adressait qu'aux hommes de l'assistance. »

Une autre femme cadre ajouta : « Nous aurions perçu une meilleure appréciation du travail accompli en 2011 et été plus motivées pour fournir le même effort en 2012 si le nouveau directeur général avait simplement reconnu toutes les heures d'efforts et les sacrifices personnels que nous avions consentis pour atteindre ces résultats. On aurait dit que seul comptait le résultat atteint, puis le nouvel objectif, sans égards pour les sacrifices que cela impliquait. Sans doute la plupart des hommes de l'assistance n'y ont-ils pas prêté attention, mais je sais qu'auprès des femmes ce n'est pas passé inaperçu. Et la majorité d'entre elles, ainsi que quelques hommes, ne se sentent pas en accord avec cette course au profit avant tout. »

Ne pas montrer d'appréciation pose déjà problème, mais en arriver à dévaloriser les femmes en dénigrant leurs sentiments ou en diminuant leur valeur est un comportement bien pire – et assez typique des hommes qui n'en ont pas même conscience ; ils envoient des messages de dévalorisation aux femmes sans même s'en rendre compte.

« Je ne me plaignais pas ! »

Les femmes peuvent partager la liste des tâches qu'elles ont l'intention d'assumer au cours de la journée ou de la semaine, dans le but d'échanger, de discuter et, par la même occasion, de diminuer leur stress. En s'exprimant de la sorte, elles ne sont pas à la recherche d'aide ou de solutions ; elles ne se plaignent pas non plus d'une quantité de travail trop importante.

Un homme à qui l'on explique l'étendue des tâches à accomplir aura tendance à mal interpréter le but de ce partage : il en déduira que la femme qui s'ouvre à lui se sent débordée ou se plaint ; alors, il proposera des solutions à ces « problèmes » comme : « Ces tâches ne sont pas très importantes » ou « Ne le prends pas tant à cœur ». Il pense apporter de l'aide en soulageant l'anxiété de sa collègue, mais elle le perçoit tout à fait différemment. Elle retient seulement que ce qu'elle fait n'a pas d'importance et, dès lors, qu'elle-même n'est pas très importante non plus.

Son objectif était seulement d'exposer les difficultés qu'elle rencontrait. Sur Vénus, si elle s'en était ouverte à une autre femme, celle-ci l'aurait immédiatement perçu et aurait répondu avec empathie. La réaction de l'homme, bien que tout à fait acceptable dans les rapports masculins sur Mars, est reçue par la femme comme un dénigrement à son égard.

« Me considérer comme un objet n'est pas une forme d'appréciation. »

Les hommes ont tendance à prendre les femmes pour des objets, sans y prendre garde, en remarquant leur apparence et leur comportement plutôt que leur intelligence et leur personnalité. Considérer les femmes comme des objets laisse entendre que les hommes n'accordent pas de valeur à leurs talents et compétences. Elles se sentent dépréciées parce qu'elles sont réduites au statut d'objet ou, pire, d'accessoire.

Ce faisant, les hommes n'ont pas l'intention de les blesser. Nombre de leurs commentaires viennent spontanément et sont énoncés comme des compliments. Les hommes ont souvent acquis ce comportement pendant leur enfance, en entendant leur père complimenter leur mère. L'image de la femme objet est aussi véhiculée par la société dans les films, les publicités ou les magazines. Cette conception de la femme est si intégrée dans notre culture que la plupart des hommes éprouvent de réelles difficultés à prendre du recul par rapport à ce comportement acquis pour accorder aux femmes une valeur égale dans le milieu professionnel.

Pour autant, nombreux sont ceux qui respectent et comprennent les femmes, tant dans la sphère privée que dans la vie professionnelle. Ces hommes auront parfois du mal à briser le code d'honneur masculin et à dénoncer ceux qui traitent les femmes comme des objets. Ils peuvent lancer une remarque par la suite, telle que : « Tu n'aurais pas dû évoquer ses vêtements pendant la réunion d'hier » ; cela n'est pas une infraction au code masculin parce que la remarque est énoncée en privé et n'a pas pour but de défier l'auteur de la remarque.

Bien que de nombreux hommes fassent preuve d'intégrité et aient l'intelligence de ne jamais voir la femme comme un objet, il faut beaucoup de courage à un homme pour en défier un autre, surtout devant un public mixte. Un tel événement s'est pourtant produit et a pris une tournure intéressante.

Le nouveau directeur général d'une grande entreprise de consultants, titulaire d'un MBA d'Harvard, assistait aux dernières minutes d'une séance de planification stratégique destinée à récapituler les points du plan définitif et à l'adopter.

Afin de marquer sa satisfaction pour le travail bien fait, il invite à dîner le même soir quatre des hommes et deux des femmes de l'équipe. À table, le petit groupe évoque les différentes formes de leadership et les règles d'éthique professionnelle des managers des entreprises partenaires d'autres pays. La conversation arrive sur l'un des managers, un dénommé Louis, connu pour ses blagues machistes. Le directeur général lance ce qu'il croit être un trait d'humour : « J'ai rencontré Louis il y a quinze jours, et effectivement ce n'est pas le genre à s'inquiéter de se faire poursuivre pour harcèlement ! » Un silence de plomb s'abat sur la table. Stéphane, le nouveau directeur général, au diplôme prestigieux, a lancé une grenade dans le groupe d'hommes et de femmes. Charles, l'un des sous-directeurs, l'attrape à deux mains : « Vous savez, Stéphane, cette blague aurait sans doute été drôle il y a vingt ou trente ans, mais aujourd'hui plus tellement. Je sais que je ris, c'est sans doute la nervosité, mais je me sens mal à l'aise devant ce genre de remarque. »

Charles craint le pire, toute l'assemblée le regarde. Il a osé affronter le nouveau directeur général devant son équipe complète, composée d'hommes et de femmes, et il pense qu'il va se faire licencier pour faute grave. Les femmes échangent des regards, incrédules devant cette scène. Les hommes fixent leur assiette sans mot dire. Le silence s'éternise, jusqu'à ce que le directeur général, rougissant, se lève et tende la main à Charles avec gratitude : « Merci, Charles, j'ai eu tort. »

Il est très rare de voir un homme avoir le courage de briser le code de la fraternité masculine. Ce jour-là, s'est produite une avancée pour la culture de cette entreprise.

Pour résumer, les hommes et les femmes ne se sentent pas appréciés pour les mêmes raisons, que ces différences trouvent leur source dans les physiologies dissemblables du cerveau ou dans un conditionnement social acquis au cours de l'enfance et de l'adolescence. Les femmes ont tendance à exprimer et percevoir l'appréciation d'une autre façon que les hommes ; mais à cause de la société qui continue de faire comme si les hommes et les femmes avaient un fonctionnement identique, nombre d'hommes sont conditionnés pour nier ces différences et, par conséquent, interpréter de façon erronée les signaux envoyés par les femmes.

Notre intention est d'apporter un éclairage sur cet angle mort des relations hommes-femmes et de mieux mettre en avant ces différences, afin que les hommes puissent s'ouvrir l'esprit et trouver par eux-mêmes les solutions à ce problème. Nous voulons aussi aider les femmes à mieux interpréter le comportement des hommes pour identifier le soutien qu'ils apportent de bonne volonté, même si les formes de ce soutien ne sont pas toujours adaptées.

À défaut de bien comprendre à quel point et pourquoi hommes et femmes se distinguent, on risque d'interpréter à tort les remarques des collègues du sexe opposé. Le risque de verser dans le jugement et la critique est grand.

C'est seulement en évoluant dans l'intelligence des genres qu'il devient possible de commencer à mieux percevoir et respecter les spécificités liées à chaque planète et d'apprendre à marquer son appréciation d'une façon qui sera bien reçue par la planète opposée, et en échange de percevoir les signes de reconnaissance envoyés par les collègues de l'autre planète.

Le point de vue personnel : faut-il partager les tracas du bureau dans sa vie personnelle ?

Après une longue journée riche en complications, Valérie rentre chez elle, avec l'envie d'enfiler des vêtements plus confortables et de raconter à son mari Alain la mauvaise expérience vécue le matin, quand deux de ses collègues hommes se sont approprié toutes ses idées sur les nouveaux produits. Alain, en rentrant chez lui, aspire lui aussi à fermer la porte du garage sur le reste du monde et à trouver un havre de paix pour se détendre avant le repas.

« Écoute, Valérie, tu ne peux rien y faire, explique Alain à sa femme. Ces hommes reformulaient tes idées. C'est ce que font les mecs. Tu dois apprendre à vivre avec ça et ne pas le prendre tellement à cœur. Par ailleurs, tu gagnes quand même très bien ta vie. J'aimerais bien avoir les mêmes problèmes que toi. »

Les hommes communiquent pour réduire leur stress, et Alain était encore dans le mode de résolution de problème qu'il avait adopté toute la journée. Valérie, quant à elle, souhaitait seulement être entendue. Elle n'attendait pas de solution, mais de la bienveillance, de la compréhension et du réconfort. Elle voulait qu'Alain respecte et reconnaissance le bien-fondé de ses sentiments et qu'il l'écoute sans la juger. Pourtant, sa réponse la ramena directement dans la salle de réunion, et elle se sentit encore plus niée.

Cet angle mort émerge aussi régulièrement dans les relations père-fille. L'erreur la plus courante d'un père est d'apporter des solutions à sa fille plutôt que de l'écouter raconter ce qui l'a bouleversée et de se laisser accueillir dans son monde intérieur. Les pères imaginent que leur rôle consiste à régler des problèmes, alors que, la plupart du temps, les filles souhaitent seulement être entendues et comprises.

La plupart des pères sont si focalisés sur le confort matériel de la famille qu'ils se montrent moins présents au quotidien. Souvent, les petites filles le voient comme un signe que leur père n'est pas très impliqué dans leur vie, alors qu'en fait, au fond de lui, il l'est totalement. Un père qui ne s'intéresse pas aux petits détails de la vie de sa fille, à ses progrès scolaires, ses amis, ses victoires au tennis ou même ses goûts vestimentaires, lui envoie le message qu'elle ne compte pas pour lui. Les pères éprouvent de la difficulté à se rapprocher de leurs filles parce qu'ils expriment leur intérêt par des gestes et non par la communication. Pour établir un lien avec sa fille, un père doit prendre le temps de montrer son intérêt pour sa vie en lui posant des questions et en s'entraînant à l'écouter… sans lui apporter de solution.

CHAPITRE 4

LES FEMMES SONT-ELLES MISES À L'ÉCART ?

Réponse de femme : « Cela arrive si fréquemment ! »
Réponse d'homme : « Je ne vois pas de quoi vous parlez. »

Tant les hommes que les femmes qui assistent à nos ateliers et séminaires ont une vraie volonté d'améliorer l'ambiance au travail et de trouver comment travailler en partenariat les uns avec les autres. Nos ateliers sont proposés dans des secteurs très variés de l'économie, comme la finance, la haute technologie, l'industrie agroalimentaire, les autres secteurs de l'industrie, les soins de santé et les services publics. Nos participants viennent de niveaux divers au sein de la hiérarchie : ce sont des membres de conseils d'administration, des cadres exécutifs, des managers et des professions libérales.

Toutes catégories confondues, ils expriment souvent la frustration qu'ils éprouvent à travailler aux côtés de collègues du sexe opposé, bien qu'ils soient déterminés à trouver des solutions. Ils viennent participer à nos séminaires sur les relations hommes-femmes pour mieux comprendre comment leurs collègues de l'autre sexe pensent et agissent, et trouver des solutions pour travailler côte à côte harmonieusement. Ils espèrent aussi en retirer quelques bénéfices applicables à leur vie quotidienne, de façon à renforcer la qualité de leur relation.

Les hommes sont en général particulièrement surpris au cours de nos ateliers lorsqu'ils voient noir sur blanc la liste des problèmes auxquels les femmes sont confrontées dans leur entreprise, et qui constituent des obstacles dans leur vie professionnelle et personnelle. La plupart du temps, le sentiment d'exclusion émerge assez rapidement et est perçu comme la principale difficulté des femmes.

Les hommes tombent des nues en découvrant ce sentiment, parce que leur perception de l'intégration des femmes est diamétralement opposée à celle de ces dernières, comme l'indiquent les chiffres issus de notre enquête.

Données sur les spécificités hommes-femmes[1]

• 82 % des femmes disent ressentir une certaine forme d'exclusion, se sentir mises à l'écart des événements sociaux, des rencontres fortuites, des conversations, ou avoir le sentiment qu'on n'ose pas leur parler sincèrement.
• 92 % des hommes n'ont pas l'impression d'exclure les femmes.

Ce fossé qui sépare la perception des unes et celle des autres est le révélateur des années pendant lesquelles on leur a enseigné qu'hommes et femmes étaient semblables. Ils n'ont pas conscience des différences de fonctionnement et de besoins respectifs, et ne sont pas capables de reconnaître les atouts qu'ils apportent, chacun à leur façon, dans leur travail.

Les femmes souhaiteraient être mieux comprises et perçues par leurs collègues hommes, alors que les hommes éprouvent de l'incertitude sur les règles à appliquer en présence de leurs collègues femmes. Les hommes travaillent de la façon qui leur semble naturelle, et qui paraît naturelle aussi à leurs collègues du même sexe ; mais leurs règles, leurs valeurs et leurs façons de faire entrent en conflit avec le fonctionnement naturel des femmes.

Des comportements récurrents

Le sentiment d'exclusion d'une femme ne repose pas la plupart du temps, sur un fait précis, mais plutôt sur un ensemble diffus de comportements récurrents masculins, qui l'amènent à penser que ses idées, ses questions ou ses interventions ne sont pas les bienvenues lors des réunions, qu'elle n'est pas invitée aux rencontres informelles, et qui l'empêchent d'accéder au soutien précieux d'un mentor.

Dans nos ateliers, les femmes remarquent souvent que leur voix n'est pas entendue, que leurs questions sont dénigrées, à moins d'avoir été reformulées par un homme. Voici quelques phrases d'hommes rapportées par les femmes lors de nos ateliers, qui avaient découragé nos participantes de poursuivre la discussion :

- C'est une idée ridicule.
- Qu'est-ce qui t'est passé par la tête ?
- Voilà bien la dernière chose à faire.
- Personne ne va croire une chose pareille.
- Je pense que tu as tort.

Les hommes ont recours à ce genre de réponses quand ils s'adressent à d'autres hommes, qui n'y prêtent guère attention. Il s'agit d'une réponse impulsive, qui correspond à la façon dont les hommes se conduisent en réunion, se plaçant en compétition les uns par rapport aux autres, mais pas de façon rude. Les hommes supposent que les femmes prendront leurs réponses comme les prennent leurs collègues masculins, en ne s'en offusquant pas, et considèrent que seule l'idée finale est intéressante.

L'un des obstacles qui gênent les femmes dans l'évolution de leur carrière est leur mise à l'écart des réseaux informels de communication – ces occasions de renforcer l'esprit d'équipe, de partager des informations, et même de conclure des contrats.

Ces réseaux informels peuvent consister en de nombreuses activités plutôt traditionnellement réservées aux hommes – par exemple les parties de golf, les déjeuners, les pauses cigares et whisky à la fin d'une réunion – auxquelles sont conviés les représentants masculins des entreprises clientes. Les femmes n'ont pas forcément envie de priver les hommes de se voir en de telles occasions, mais elles souffrent de ne pas bénéficier elles aussi des possibilités de nouer des liens particuliers qu'offre ce genre d'événements.

Les traditions qui tendent à exclure

Depuis la création d'une entreprise norvégienne de manufacture dans les années 1970, tous les hommes de l'équipe dirigeante ont adopté la tradition de se réunir chaque hiver pendant une semaine dans un chalet de location et d'y pratiquer la pêche sous glace. Cette escapade est attendue et considérée comme le moment culminant de l'année.

Au cours du mois précédant le séjour, les hommes s'échangent avant et après chacune des réunions les listes d'équipement qu'ils ont prévu d'emporter. Ils prennent leurs déjeuners ensemble et ne parlent que de cela. Après leur retour, ils continuent à se réunir pour se remémorer leurs souvenirs, évoquer les plus gros poissons pêchés et préparer le séjour de l'année suivante.

Les femmes composent 40 % de l'équipe dirigeante depuis cinq ans, mais aucune d'entre elles n'a jamais été conviée à venir pratiquer la pêche sous la glace – cela dit, il semble qu'elles ne souhaiteraient pas se joindre au groupe. Le problème, selon plusieurs femmes de cette entreprise, c'est que leur absence de cette fameuse semaine a des conséquences sur la progression de leur carrière. Elles ne bénéficient pas des mêmes occasions de se rapprocher de leurs collègues et supérieurs, car la pêche sous la glace les a particulièrement soudés.

Les hommes de cette entreprise n'ont pas conscience d'exclure les femmes. Cette tradition remonte à une époque où l'équipe dirigeante ne comptait pas de femmes. Cependant, les clients les plus importants de l'entreprise y étant à présent invités, les femmes se sentent d'autant plus mises à l'écart.

Il n'y a rien de mal à vouloir créer des liens entre hommes. Mais, apparemment, aucun des dirigeants de cette entreprise n'a jamais eu l'idée d'organiser d'autres événements susceptibles de renforcer les liens et où les femmes seraient elles aussi les bienvenues.

Les occasions de bénéficier du soutien d'un mentor

Se faire épauler par un mentor est un élément clé de la réussite. Le concept de mentor a toujours existé dans les corporations et les entreprises. Un homme plus âgé prenait sous son aile un jeune nouvellement arrivé, le présentait aux personnes importantes, et lui permettait de se mettre en avant pour obtenir des occasions d'avancement. Il existe à l'heure actuelle peu de femmes d'expérience et bien placées dans la hiérarchie susceptibles de guider les jeunes femmes arrivant sur un poste. On propose en général son soutien aux personnes dont on se sent proche, et assez logiquement les hommes se reconnaissent davantage dans les jeunes hommes que dans les jeunes femmes : « On dirait moi au même âge, il a la même attitude que moi quand j'avais trente ans. »

Un autre frein à ce que les hommes âgés offrent leur soutien aux jeunes femmes est la crainte de se voir accusés de harcèlement sexuel et qu'on leur reproche de ne pas se conduire comme ils le devraient ou, pire, de voir leur offre mal perçue. C'est une raison suffisamment importante pour expliquer à elle seule pourquoi les hommes hésitent avant de se proposer comme mentor à des jeunes femmes. Voilà pourquoi celles-ci sont pénalisées lors de leur prise de poste dans une entreprise.

Elles doivent souvent trouver en elles-mêmes le soutien pour naviguer dans les eaux politiques de leur environnement professionnel.

Cela ne signifie pas que la situation soit figée. Un certain nombre d'hommes dotés d'intégrité ont suffisamment confiance en eux pour dépasser cette barrière des sexes et épauler les jeunes femmes, notamment dans des secteurs traditionnellement réservés aux hommes : « Le courage de cette jeune femme me rappelle le mien au même âge. »

« Il n'y avait aucune femme manager. »

Mélanie a débuté sa carrière professionnelle juste après l'obtention de son diplôme. Elle prend son premier emploi au sein d'un groupe de consultants d'ingénierie électrique, constitué principalement d'hommes.

« Il n'y avait aucune femme manager, se souvient Mélanie, alors je me suis comportée comme je le faisais dans mon école d'ingénieurs vis-à-vis de mes professeurs, tous des hommes. J'ai cherché celui qui, parmi eux, serait susceptible d'accepter mon mémoire, et dans l'entreprise aussi j'ai fait le tour des dirigeants pour trouver celui qui pourrait jouer le rôle de mentor. Avec le recul, je me rends compte que les personnes qui m'ont le plus aidée dans ma carrière étaient toutes des hommes. Ils ne me voyaient pas comme une femme voulant prouver aux hommes qu'elle était meilleure, mais comme une personne essayant de percer, qui appréciait son travail, voulait travailler dur et être la meilleure possible. »

Plus de réussite en dehors des grands cabinets

Le courant de femmes diplômées qui émergea dans les années 1970 investit tous les domaines, y compris les professions juridiques. Le nombre de femmes juristes a quadruplé dans les années 1980 par rapport à la décennie précédente. Depuis trente ans, les diplômes sont répartis assez équitablement entre hommes et femmes. Pour autant, la même parité n'est pas mise en application au sein des grands cabinets d'affaires américains.

Année	Pourcentage de diplômes en droit obtenus par les femmes	Pourcentage de femmes pratiquant le droit	Pourcentage de femmes associées dans les cabinets d'avocats
2010	47 %	31 %	19 %
2000	49 %	27 %	16 %
1990	43 %	20 %	12 %
1980	33 %	14 %	Chiffres non disponibles

Bien que les chiffres s'améliorent un peu, il semble que les femmes diplômées ne restent pas longtemps dans cette branche. Quand elles se font admettre dans un grand cabinet, elles le quittent en général après un an ou deux pour ouvrir leur propre petit cabinet, n'accédant pas au statut d'associée dans les grands. D'une étude réalisée sur la carrière des jeunes hommes et femmes diplômés de Columbia, de Harvard, de Berkeley, du Michigan et de Yale, il est ressorti que les femmes pensaient ne pas avoir accès au statut d'associées faute d'avoir un mentor et parce qu'elles étaient exclues des événements informels du cabinet[2].

• 53 % des femmes avocats pensent qu'elles n'ont pas pu bénéficier du soutien d'un mentor, alors que 21 % des hommes seulement partagent ce point de vue.

• 52 % des femmes avocats se sentent exclues des événements informels, alors que 23 % des hommes avocats seulement considèrent que tel est le cas.

Les pratiques d'exclusion des hommes à l'égard des femmes continuent de gêner la progression de celles-ci au sein des grands cabinets ; s'y ajoute la conviction masculine que les femmes ne font pas suffisamment preuve d'assertivité pour garder leur clientèle, qu'elles ne se montrent pas assez affirmées dans leurs plaidoiries et pas suffisamment dévouées à leur carrière.

Une enquête très intéressante, conduite auprès des clients des cabinets d'avocats pour mesurer la qualité du lien conseil client et auprès des jurés pour comparer la compétence et la crédibilité des avocats et des avocates, aboutit à la conclusion inverse...

• La tendance naturelle des avocates à écouter leurs clients est conforme à la perception des clients : ils se sentent mieux écoutés et ont l'impression d'avoir pu exposer plus d'informations pertinentes que devant un avocat[3].

• Les avocates obtenaient plus facilement la confiance de leurs clients en leur apportant un soutien émotionnel et en s'intéressant à eux en dehors des points de vue strictement légaux, alors que les avocats avaient plutôt tendance à se focaliser sur les aspects juridiques. Les femmes avocats, de ce fait, enregistraient un meilleur taux de fidélité de leurs clients que leurs confrères[4].

• Bien que les études montrent que les jurés associent en général compétence et capacité de s'affirmer chez les avocats, et qu'ils voient les avocats comme plus affirmés que les avocates, une avocate faisant preuve de compétence dans sa description des faits, des aspects juridiques et, le cas échéant, des aspects techniques sera plus à même d'obtenir gain de cause pour son client qu'un confrère, et elle bénéficiera d'une plus grande crédibilité aux yeux des jurés qu'un avocat de compétence équivalente[5].

Se voir écartées des réseaux informels et des possibilités de bénéficier du soutien d'un mentor a considérablement pénalisé les femmes dans les grands cabinets, mais cela ne les empêche pas de connaître une réussite enviable au sein de cabinets plus modestes. À l'heure actuelle, les femmes représentent un tiers des avocats aux États-Unis, et le pourcentage de ces avocates travaillant seules ou avec quelques confrères augmente plus vite que celui des hommes. Les femmes ne renoncent pas, mais elles obtiennent une plus grande réussite en restant indépendantes qu'en tentant d'atteindre un jour le statut d'associée dans un cabinet important.

« Je n'ai jamais eu l'intention de t'exclure. »

Les femmes sont persuadées que les hommes les excluent volontairement. Pourtant, lorsqu'un homme reçoit ce genre de critique, il aura tendance à rappeler toutes les occasions où il s'est montré ouvert aux femmes et à répondre : « Non, ce n'est pas vrai, je n'ai jamais eu l'intention de t'exclure. » Il nie parce que, à ses yeux, son intention n'a jamais été d'écarter quiconque.

Les hommes, en général, ont envie de trouver comment travailler aux côtés des femmes. Dans nos ateliers, ils insistent souvent sur le fait que toute exclusion qu'ils auraient pu manifester est involontaire. Les hommes agissent selon leur penchant naturel, et ils pensent, à tort, que les femmes souhaitent être traitées de la même manière qu'eux.

Voici quelques exemples de comportements masculins, parfaitement acceptables entre hommes, mais dénigrants pour les femmes.

« Il parlera quand il aura quelque chose à dire. »

Quand, dans une réunion, un homme reste silencieux, les autres marquent du respect en le laissant tranquille. Ils en concluent qu'il n'a rien d'intéressant à dire à ce moment précis et qu'il prendra la parole lorsqu'il le jugera utile. Ils lui épargnent l'impression désagréable d'être mis sur la sellette.

Les femmes voient la participation aux réunions assez différemment. Elles s'encouragent les unes les autres à s'exprimer, même si certaines personnes de l'assemblée sont plus réservées. Elles trouvent plus équitable de laisser à chacune et chacun la possibilité d'exposer son point de vue, parce qu'elles apprécient d'être intégrées. Une femme s'attend donc à ce qu'un homme montre le même respect que celui qu'elle témoigne aux autres ; et s'il ne fait pas l'effort de lui demander son avis, elle se sent niée.

« On échafaude sur les idées des uns et des autres. »

C'est une pratique courante chez les hommes de s'interrompre et d'exposer leurs propres idées au fur et à mesure qu'elles leur viennent à l'esprit. Les hommes se comportent en réunion comme ils le feraient sur un terrain de sport, comme nous avons déjà eu l'occasion de le dire. Un homme prendra l'idée de son voisin, la modifiera et n'éprouvera pas le besoin de souligner qu'elle n'était pas de lui à l'origine. Dans un match de basket, le ballon passe de main en main, et on finit par féliciter toute l'équipe quand il tombe dans le panier, peu importe qui le tenait au début.

Les femmes ont davantage l'habitude de partager, de collaborer, et voient le travail d'équipe sous un autre angle. Au cours de la discussion, elles s'arrêtent pour souligner la pertinence des idées des unes et des autres. Une femme à qui un homme « emprunte » une idée ne se sent pas reconnue : elle a l'impression d'avoir été spoliée, qu'on ne lui a pas prêté attention ni signifié aucune reconnaissance.

« C'était pour rire. »

Blaguer est une façon masculine de tester les liens d'amitié entre hommes : cela leur permet de se montrer critiques, mais sur un mode léger. Quand un homme a décidé d'accorder son amitié à un autre, ce dernier peut faire n'importe quoi – dans des limites raisonnables tout de même – sans risquer de la perdre. Plaisanter a aussi d'autres buts…

• Blaguer est la façon naturelle de réagir d'un homme qui vient de commettre une erreur. Il éloigne ainsi l'erreur de lui, et la plaisanterie lui permet de dire : « Ce n'était pas ma faute. » Les femmes, au contraire, assument la responsabilité de leurs erreurs en disant : « Je ne sais pas ce qui m'a pris. »

• Les hommes plaisantent pour renforcer leurs liens, avec des remarques telles que : « C'est idiot de faire ça ! » Les femmes, elles, détendront l'atmosphère pour resserrer les liens : « Je suis toujours en retard ! »

• Les blagues permettent aussi aux hommes de communiquer leurs retours négatifs de façon non agressive, et pour vérifier la force de leur amitié. Si l'homme à qui la plaisanterie d'un autre s'adresse s'offusque, cela signifie qu'ils ne sont pas aussi proches qu'ils le pensaient. Mais si, effectivement, il s'est offusqué, l'autre peut toujours rattraper la situation en affirmant : « C'était pour rire. »

Les hommes se permettront en général de taquiner leurs collègues femmes, tout comme ils ont l'habitude de plaisanter avec leurs collègues hommes. Mais ce genre d'humour n'a pas toujours bonne presse et risque d'aboutir à l'inverse de l'effet recherché. Une femme pensera que l'homme la raille pour l'insulter ou la rabaisser. Faute d'en avoir conscience, les hommes animés d'un désir sincère de se rapprocher de leurs collègues féminines seront jugés mal élevés et hautains.

Les hommes ne se rendent pas compte de leur comportement

Un homme assis devant son ordinateur se croit capable d'entendre ce que dit sa collègue venue l'interrompre, mais ce n'est pas le cas. Il éprouve les plus grandes difficultés à oublier le travail dans lequel il était plongé. Même s'il écoute, il n'accordera qu'une petite part de son attention, afin de déterminer le degré d'importance et d'urgence du problème exposé par sa collègue.

Si l'interruption était venue d'un homme, ce dernier ne se serait pas senti visé par le manque d'attention à son égard : il aurait immédiatement compris que l'homme à son ordinateur établit une différence de priorité entre son travail et le motif d'interruption. La collègue féminine venue exposer son problème, elle, sera déçue si son problème est considéré comme moins important que le travail en cours sur l'ordinateur. Elle pensera que c'est sa personne même qui revêt moins d'importance et trouvera son collègue impoli car incapable de lever le nez de son écran trois minutes pour lui prêter attention.

Ces facettes des comportements masculins empêchent les femmes de se sentir en confiance ou appréciées… alors qu'elles passent complètement inaperçues aux yeux des hommes.

Le point de vue scientifique

Si hommes et femmes peuvent atteindre des conclusions similaires et prendre des décisions identiques, le processus auquel ils ont recours pour y parvenir diffère la plupart du temps suivant les sexes. Hommes et femmes n'évaluent et n'intègrent en général pas les informations selon le même mode.

Les hommes ont tendance à se focaliser sur un problème à la fois, ou un petit nombre de problèmes, du fait qu'ils recourent d'abord à la partie gauche de leur cerveau, qui traite des questions rationnelles et logiques. Ils envisagent les questions professionnelles en les évaluant et en se concentrant sur leur aptitude à les résoudre, seuls, sans être interrompus.

Tant qu'un homme se sent capable de venir à bout d'un problème, il poursuivra sa recherche d'une solution, et se sentira motivé et dépourvu de stress. S'il se révèle incapable d'y parvenir, il sollicitera sur la partie droite de son cerveau, laissant la partie gauche se régénérer grâce à un nouvel afflux sanguin et mettant complètement de côté le problème qui le préoccupe.

Voilà l'explication de la réaction normale d'un homme stressé, qui consiste à se battre ou à s'enfuir. Soit il résout le problème (il se bat), et cela réduit son niveau de stress ; soit il oublie le problème (il s'enfuit), à défaut de parvenir à le résoudre, et cela réduit aussi son niveau de stress[6].

Et c'est souvent là que le sentiment d'exclusion émerge. Qu'un homme soit occupé à se focaliser sur le problème à résoudre ou qu'il s'en éloigne pour l'oublier, il ne prête pas forcément attention, à ce moment-là, au besoin de ses collègues féminines de se sentir prises en compte. Les hommes, distraits car concentrés sur leurs propres problèmes, tentent d'écarter tout aspect émotionnel : ils ne sont donc pas disponibles pour tenir compte de la relation avec leur entourage[7].

Les hommes activent un seul hémisphère de leur cerveau à la fois, alors que les femmes, elles, activent les deux hémisphères simultanément. Le corps calleux, une partie composée de nerfs qui relie les deux hémisphères du cerveau, est 25 % plus large chez la femme et contient neuf fois plus de matière blanche fibreuse : cela permet aux femmes de transférer rapidement les données d'un hémisphère à l'autre, et cela leur donne une vision plus large de la situation. Elles peuvent donc en évaluer les nombreux aspects de façon globale.

Les femmes se préoccupent plus de la façon dont le problème sera résolu que de sa résolution effective. Pour la plupart d'entre elles, la discussion et le partage sur une question constituent des occasions de resserrer les liens, donc de réduire le stress. La façon de régler un problème amène une femme à se sentir soit isolée, soit entourée et soutenue.

La réaction naturelle d'un homme, nous l'avons déjà dit, est de se battre ou de fuir, alors que la réaction naturelle féminine consiste à se rapprocher : « L'union fait la force. » Compter sur son entourage, tendre la main pour recevoir de l'aide, partager, échanger, communiquer : voilà ce qui permet de réduire le niveau de stress féminin. Discuter à bâtons rompus d'une question élève la sérotonine dans le cerveau féminin, apportant un sentiment de réconfort. Au contraire, le fait de se sentir mise à l'écart élève le niveau de stress d'une femme[8].

Les modèles de comportements biologiques masculin et féminin ne sont pas absolus. Il s'agit de tendances générales naturelles qui expliquent les comportements habituels des hommes et des femmes. Elles fournissent des clés pour mieux décrypter les attitudes jusqu'alors étonnantes des collègues du sexe opposé et mieux les apprécier, à la fois dans la sphère professionnelle et dans la vie privée.

Des approches différentes
du travail d'équipe

Le travail d'équipe ne revêt pas la même signification pour les hommes et pour les femmes. Ces dernières éprouvent la plupart du temps un grand besoin de se sentir intégrées dans une équipe et voient les réunions d'équipe comme l'occasion de mieux communiquer, de renforcer les liens et d'instaurer une bonne collaboration.

Les femmes retirent une gratification personnelle et du soutien en posant des questions et en répondant à celles qui leur sont posées, en partageant leurs découvertes et leurs décisions avec les autres. Dès lors, elles attachent une grande importance au fait d'être prises en compte (ou non) par le groupe, car l'intégration leur permet de se sentir appréciées.

Les hommes, eux, ont plutôt tendance à travailler seuls jusqu'à atteindre le résultat escompté. Ils ne voient dans le travail d'équipe qu'une occasion de mieux répartir le travail, afin d'éviter que la même tâche soit prise en charge par deux personnes. Et une fois les missions attribuées, ils sont prêts à clore la réunion pour retourner travailler seuls.

Se sentir intégré n'est pas une priorité pour un homme. Voilà pourquoi les femmes interprètent souvent mal les attitudes masculines lors des réunions : elles trouvent leurs collègues distants et froids, ce qui renforce leur sentiment d'exclusion. Un homme peut lui aussi interpréter à tort le comportement de ses collègues féminines, et considérer leur envie de partager, de poser des questions et de communiquer comme un signe d'insécurité et d'indécision, voire de défiance ou de suspicion vis-à-vis de ses intentions.

Au cours de nos ateliers, nous demandons aux hommes et aux femmes quelle signification revêt pour eux le travail d'équipe et nous obtenons des réponses assez divergentes...

Ce que le travail d'équipe signifie pour les femmes	Ce que le travail d'équipe signifie pour les hommes
Partager ses idées avec autrui et trouver ensemble des solutions auxquelles on n'aurait pas pensé seul.	Attribuer les différentes tâches à chacun et établir des priorités.
L'occasion de nouer et de renforcer de bonnes relations de travail.	S'assurer que certaines tâches n'ont pas été attribuées deux fois.
Donner à chacun la possibilité de s'exprimer.	S'assurer que tout le monde travaille aussi efficacement que possible.
Aboutir à une meilleure décision.	Évaluer la quantité d'efforts à fournir, puis retourner à son travail.

Pendant les réunions d'équipe, les hommes ont l'habitude de traiter les questions rapidement et de se faire une opinion rapidement aussi. Ils veulent pouvoir se consulter, puis se séparer aussitôt pour retourner au travail. Les femmes, au contraire, voient dans les réunions d'équipe une occasion de travailler. Elles préfèrent y consacrer plus de temps et évaluer toutes les options avant de se faire une opinion et de s'exprimer. Comme elle y a consacré plus de temps, quand une femme a adopté une position, elle la verra davantage comme la meilleure et sera moins susceptible de changer d'avis.

Les femmes pensent que les opinions des hommes sont elles aussi déterminées et immuables. Mais ces derniers se faisant une idée rapide d'une question sans y avoir réfléchi longtemps, les femmes les considèrent comme dédaigneux. Elles en concluent qu'ils ne sont pas intéressés par leur point de vue parce qu'ils ont déjà adopté une position définitive.

En réalité, ce n'est pas le cas. Un homme a besoin de plus d'informations et est prêt à changer d'avis. Comme il ne se focalise principalement que sur le résultat final, il sera ouvert à toute idée lui permettant d'atteindre plus vite ce résultat.

Le point de vue personnel : rapporter du travail à la maison

— Je suis rentrée. Il y a quelqu'un à la maison ? lance Sylvie en ouvrant la porte d'entrée.

— Oui, maman, je suis en haut, répondent en chœur son fils et sa fille. On fait nos devoirs.

Sylvie dépose son cartable sur l'îlot central et s'attelle à la préparation du repas.

— Nous dînons dans une heure, crie-t-elle en direction de la cage d'escalier.

Elle entend la voiture de Thomas, son mari, avancer dans l'allée du garage et se demande comment s'est passée cette première journée dans sa nouvelle entreprise. Il a dû surmonter le stress du licenciement et accepter un poste moins bien rémunéré, ce qui a réduit sa confiance en lui et en sa capacité à subvenir aux besoins de sa famille — et généré une certaine tension dans sa relation avec Sylvie.

— Je suis là, dit-il en arrivant. Tu as passé une bonne journée ? demande-t-il à Sylvie en lui donnant un petit baiser sur la joue.

Et il va dans le salon sans attendre sa réponse. Il allume la télévision, zappe, toujours debout, vissé devant l'écran, mais le regard perdu dans le vide. Quelque chose attire son attention, et il s'affale dans le canapé. Sylvie partage tout ce qui lui est passé par la tête au cours de la journée :

— J'ai vu papa, aujourd'hui. Je pense que nous devrions l'accueillir ici, Thomas. On doit acheter les tickets pour le match de Martin. Tu veux toujours y assister ? Avant que j'oublie, ton frère propose une partie de poker pour ce week-end, ça te dit ? Ah ! Et puis Suzanne a son examen de chimie demain, tu veux bien la faire réviser après le repas ?

Thomas pense : *Tout ce dont j'ai besoin, c'est de quelques minutes pour recharger mes batteries. Ensuite, j'aiderai Suzanne pour sa chimie après le repas.* Il se concentre sur l'écran et répond en criant en direction de la cuisine :

– Quoi ? Écoute, on s'occupera de tout ça plus tard, d'accord ?

Sylvie a l'impression de ne pas être écoutée et, agacée, pense : *Pourquoi ne peut-il pas venir s'asseoir près de moi et me parler un peu ? C'est tout ce dont j'ai besoin.*

Cette anecdote montre un point de friction très fréquent dans la plupart des couples aujourd'hui. Les hommes et les femmes ont toujours rencontré des difficultés dans leurs relations, mais le rythme stressant et les sacrifices qu'ils acceptent de faire pour leurs carrières compliquent encore davantage leur relation de couple.

Un des fondements des différences hommes-femmes est lié à la façon dont chacun des sexes gère le stress. Les hommes ont tendance à se montrer plus concentrés et distants, alors que les femmes ont le sentiment d'être débordées. Dans ces moments délicats, les hommes oublient ce qui les préoccupe, les femmes ont besoin d'en parler.

Les femmes ne comprennent pas toujours cette façon différente des hommes de gérer le stress. Elles pensent qu'ils vont, comme elles, s'ouvrir et exprimer leurs problèmes ; alors, quand elles voient leur partenaire s'éloigner, elles éprouvent de la tension et du ressentiment, se sentant mises à l'écart.

Les hommes n'ont pas conscience de la façon dont ils se retirent en eux-mêmes. Comme ils ne voient pas le bien-fondé de l'impression d'exclusion éprouvée par les femmes, ils ont tendance à argumenter afin de se défendre, ce qui génère encore plus d'incompréhension et de distance.

Un homme ayant développé son intelligence émotionnelle peut percevoir ce que sa partenaire a besoin de partager afin de réduire son niveau de stress. Il lui dira qu'il a besoin d'une demi-heure pour récupérer et qu'ensuite il sera disponible pour elle. Sa bonne connaissance des besoins féminins lui permet de savoir qu'en lui disant cela, elle sait qu'il pense à elle. Une femme ayant développé son intelligence des genres comprend que son mari est prêt à la soutenir, mais qu'il doit d'abord s'occuper de lui avant d'être disponible pour elle.

À défaut de bien comprendre les spécificités hommes-femmes, chacun perd confiance en soi et développe des sentiments de colère, de ressentiment et de défiance envers ceux qu'il ou elle aime. Le défi auquel les couples d'aujourd'hui doivent faire face est de mieux prendre en compte les besoins de chacun, ses attentes, et de remarquer ses différences tout en sachant qu'elles nous rendent complémentaires.

CHAPITRE 5

LES HOMMES DOIVENT-ILS MARCHER SUR DES ŒUFS AVEC LES FEMMES ?

Réponse de femme :
« Mais non, ils peuvent se comporter normalement. »
Réponse d'homme :
« Oh oui ! Et cela nous pose de sérieux problèmes. »

Les hommes ont souvent l'impression de marcher sur des œufs en présence de leurs collègues féminines, éprouvant de l'appréhension et hésitant sur la meilleure façon de s'adresser à elles. Voici quelques exemples de situations décrites par les hommes, dans lesquelles ils se sont sentis particulièrement vulnérables et inquiets à l'idée de susciter une réaction émotionnelle féminine :

• Soulever certains points qui donneront lieu à des questions de la part des femmes, entraînant un retard dans la prise de décision.

• Émettre une évaluation critique à l'égard du travail d'une collègue féminine.

• Recourir à un langage familier, lancer des blagues douteuses, se montrer grossier.

• Ouvrir les portes, retenir les ascenseurs, payer l'addition, porter des charges lourdes.

> **Données sur les spécificités hommes-femmes[1]**
>
> • 79 % des hommes pensent qu'ils doivent faire attention quand ils émettent une évaluation négative à propos d'une femme.
> • 82 % des femmes disent qu'elles préfèrent se voir adresser des retours négatifs de façon directe et sans fioritures.

Les femmes ne pensent pas que les hommes aient à marcher sur des œufs en leur présence. Elles aimeraient qu'ils n'en n'aient pas besoin et marquent leur surprise en découvrant cette réalité. Dans nos ateliers, les hommes disent souvent qu'ils ont plusieurs fois eu l'impression d'avoir « dit ce qu'il ne fallait pas » et que cette gêne remonte souvent à leur adolescence. Leur appréhension actuelle est la plupart du temps liée à une mauvaise expérience du passé – même s'il s'agit d'un événement isolé qui ne s'est jamais reproduit par la suite – au cours de laquelle ils ont dit ou fait ce qu'il ne fallait pas.

« Dois-je proposer mon aide ou non ? »

Un homme monte dans un avion, range son bagage dans un compartiment supérieur et s'installe. Voyageant souvent, il jouit donc du privilège de monter parmi les premiers dans l'avion. Il ouvre son magazine et se plonge dans la lecture d'un article, levant le nez de temps à autre tandis que les autres passagers s'installent à leur tour.

Une femme avance dans l'allée centrale et s'arrête devant lui. Elle jette un regard aux compartiments à bagages, au sien, très lourd, et se dit : *Voici le moment que je n'aime pas.* Elle jette son sac et sa veste sur le siège, et se penche pour soulever sa valise.

Un œil sur son article, l'autre sur sa voisine d'avion, l'homme jauge la situation. *Dois-je proposer mon aide ou non ? La dernière fois que j'ai voulu me montrer serviable, je me suis fait vertement rabrouer* – « *Je peux m'en charger seule* », avait répondu la femme. *Je m'étais senti très gêné. Je ne voudrais pas embarrasser cette femme-là aussi.*

Indécis, l'homme se fige sur son siège et retourne à sa lecture. Il se sent mal à l'aise en raison de son impolitesse, car on lui a appris à se montrer prévenant envers les femmes.

La femme parvient à élever puis ranger sa valise, avec difficulté, s'assied et pense : *J'aurais apprécié que cet homme m'aide. Je l'ai vu me regarder. Il aurait pu avoir la politesse de soulever cette valise pour moi.*

Bien sûr, cet incident n'a pas grande importance. Mais il a le mérite d'être révélateur de ce qui passe sans doute dans la tête de nombre d'hommes en présence de femmes. Cet exemple est issu d'un témoignage recueilli lors d'un atelier, et les autres participants masculins ont tous hoché la tête en signe d'approbation – ils se reconnaissaient dans cette anecdote.

Marcher sur des œufs au bureau

Les hommes souhaitent se conduire le mieux possible vis-à-vis des femmes, et être le plus authentiques possible envers elles, qu'elles soient leur manager, leur collaboratrice ou leur collègue. Cependant, ils prennent garde à ne pas prononcer par inadvertance des mots inadéquats qui pourraient les vexer.

Marcher sur des œufs en présence des femmes n'est pas très bénéfique pour les hommes : cela nuit à leur confiance en eux, à leurs performances et au plaisir de travailler. Mais, fait encore plus préoccupant, ce n'est pas non plus bénéfique pour les femmes. Un homme cherchera à éviter les femmes en présence desquelles il se sent mal à l'aise ou hésitant ; il éludera les sujets susceptibles de susciter trop de questions ou de ralentir l'ordre du jour. Et il s'abstiendra de toute critique, même constructive, vis-à-vis des femmes qu'il doit évaluer.

Pendant les séminaires, les hommes reconnaissent souvent se sentir plus en sécurité en présence de leurs collègues du même sexe, surtout s'il s'agit de personnes inconnues. Un homme n'a pas à réfléchir à la formulation de tout ce qu'il va dire à un autre homme : il peut lui faire part de critiques constructives ou se laisser aller à une plaisanterie de mauvais goût.

Les hommes pensent que les réactions masculines sont plus prévisibles que celles des femmes, parce qu'ils tendent plus à avoir un comportement homogène, contrairement aux femmes. Le comportement le plus courant pour un homme, c'est de penser et d'agir de façon séquentielle – une chose après l'autre –, et sans s'investir émotionnellement. Soit ils résolvent le problème, soit ils le mettent de côté et l'oublient, alors sûrs que les autres hommes agiront de la même façon.

Que les hommes aient l'impression de devoir marcher sur des œufs avec leurs collègues féminines peut sembler anecdotique à première vue. Mais la mixité grandissante depuis les années 1980 dans tous les secteurs complique la situation ; le fait que les hommes se sentent mal à l'aise vis-à-vis des femmes peut nuire tant aux unes qu'aux autres, et sur le plan tant professionnel que personnel.

Les femmes savent qu'elles ont besoin de se sentir intégrées pour bien accomplir leur travail et avancer dans leur carrière. Elles souhaitent que les hommes aient un comportement naturel en leur compagnie, qu'ils soient sincères et dignes de confiance. Les hommes en ont conscience et font des efforts pour mieux prendre les femmes en considération. Pourtant, ils continuent à éviter toute source de conflit potentiel, toute situation trop sensible.

Marcher sur des œufs en salle de conférence

Guillaume accélère le pas pour rattraper Jean alors qu'ils se rendent tous deux à une réunion.

– Dis-moi, Jean, juste un détail : je te conseille de ne pas évoquer la dernière enquête de satisfaction ; l'enquête précédente était suffisamment représentative.

– Quel est le problème de la dernière enquête ? demande Jean.

– Il y avait plus de points d'insatisfaction que dans les autres, et Janine va nous assaillir de questions, répond Guillaume. Et c'est aujourd'hui que nous devons décider d'y aller ou non. Nous n'avons pas de temps à perdre.

– Ne t'en fais pas, Guillaume, je m'en occupe, répond Jean.

Un quart d'heure après le début de la réunion, Janine demande :

– Avant qu'on passe au vote, pourrait-on connaître les résultats de la dernière enquête de satisfaction ?

Lors des réunions, les hommes prennent garde à ne pas évoquer de points pouvant susciter des questions susceptibles de ralentir l'ordre du jour ou d'entraîner des retards dans la prise de décision. Il n'est pas dans les habitudes des hommes de poser des questions comme « Qu'en pensez-vous ? ». Ils sont plus motivés par la recherche de la distance la plus courte entre les points A et B afin d'avancer en gardant le cap et en subissant le moins possible d'interruptions.

Les hommes interprètent parfois les questions des femmes concernant des points de détail comme le signe qu'elles ne croient pas au projet ou n'accordent pas leur confiance aux autres. À moins qu'un homme considère le point soulevé comme important, il voudra éluder la question ou l'écarter avec dédain.

Poser des questions est pourtant un comportement naturel pour une femme, et elle apprécie tout autant qu'on lui en pose. Ces occasions de dialoguer offrent aux femmes la possibilité de se sentir intégrées à l'équipe. Elles préfèrent explorer tous les aspects d'un problème avant de le résoudre et de prendre une décision. Les femmes aiment collaborer et penser de façon éclectique (passant d'un sujet à l'autre), et poser des questions est aussi un moyen de témoigner leur intérêt à leurs collègues. Mettre en avant certains points qui pourraient revêtir de l'importance par la suite est leur façon de faire preuve de loyauté et d'investissement personnel. Cette réaction naturelle des femmes est un de leurs atouts, pourtant très mal compris et mal perçu par les hommes.

Marcher sur des œufs lors des évaluations

Après une réunion d'évaluation, un manager arrive à l'étage des Ressources humaines et frappe à la porte de son responsable.

— Cela ne s'est pas bien passé du tout. Elle a été tout émue quand j'ai formulé des critiques à propos de ses résultats de l'année écoulée. Je ne savais pas quoi faire.

— Elle s'est mise à pleurer ? demande le responsable des Ressources humaines.

— Oui, répond le manager. Écoute, elle a commis deux grosses erreurs cette année, et par sa faute on a perdu un client important. C'est une bonne employée, dévouée. Je veux la garder dans mon équipe, mais je dois lui expliquer ce qui ne va pas pour l'aider à corriger ses erreurs.

— Qu'as-tu fait quand elle a pleuré ? demande le responsable des Ressources humaines.

— Pour être honnête, j'ai stressé et je me suis figé. Je lui ai dit de se reprendre et j'ai mis fin à la réunion. Qu'est-ce que j'aurais pu faire d'autre ?

— Tu aurais pu reconnaître le bien-fondé de son émotion, lui dire que tu l'apprécies en tant qu'employée et que tu voulais juste l'aider. Après, tu pouvais lui dire ce que tu attends d'elle à l'avenir.

Le manager était partagé.

— Mais elle était très émue.

– Les femmes gèrent l'émotion autrement que les hommes, explique le responsable des Ressources humaines. Tu y as vu de la colère ou de la peur, mais il s'agissait sans doute de passion pour son travail. Ta première réaction ne devrait pas être de la crainte ou un malaise en présence d'un débordement émotionnel féminin.

Un supérieur homme a tendance à limiter les critiques qu'il adresse à une femme concernant ses résultats, de crainte de se montrer trop direct ou trop négatif dans son évaluation, et de la heurter.

Au cours des ateliers, les hommes expriment leur appréhension, la plupart du temps fondée sur des expériences malheureuses du passé ; et comme ils se sentent mal à l'aise, ils préfèrent éviter de donner aux femmes des évaluations honnêtes ou des conseils constructifs. Cette retenue limite les possibilités pour les femmes d'apprendre et d'évoluer dans leur carrière.

Les hommes se sentent bien plus à l'aise à l'idée d'exprimer une critique constructive envers un homme, dont la réaction leur paraît plus prévisible. Les dirigeants hommes préfèrent coacher et être les mentors de leurs jeunes collaborateurs, qui risquent moins de prendre leurs remarques sur un plan personnel.

Marcher sur des œufs après le travail

La réunion prend fin, et les deux femmes venues représenter le client rangent leurs documents dans leurs cartables. L'une dit à l'autre : « Où veux-tu qu'on aille dîner ? Notre vol ne part que demain matin. »

Denis, l'un des trois hommes ayant participé à la réunion, propose : « Je connais un restaurant tout proche, ils servent de bonnes grillades. Acceptez-vous d'être nos invitées ? »

Les femmes se lancent un regard. Elles imaginaient plutôt un petit morceau vite avalé, mais répondent ensemble : « Avec plaisir. »

Jérôme s'inquiète. Il connaît le comportement de Denis après un ou deux verres et ne souhaite pas y assister de nouveau. Mais les deux femmes représentent un client très important. Il ne peut pas faire faux bond. Et surtout, il ne veut pas laisser Denis seul avec elles. Gérard, le troisième homme, ne connaît pas bien Denis. *Peut-être pourra-t-il m'aider à sauver les meubles*, pense Jérôme, *je crains que tout cela ne dégénère.*

Jérôme avait raison. Après les deux Martini de l'apéritif, Denis commence à insulter le serveur et à raconter des blagues qui ne peuvent paraître que sexistes aux clientes. Denis commande encore du vin, puis se met à parler fort et en termes grossiers du film qu'il a vu la veille.

Jérôme tente de détourner au mieux l'attention des deux femmes en leur posant des questions sur leur ville d'origine. Elles perçoivent son angoisse et paraissent apprécier ses efforts. Mais il ne peut se retenir de fixer Denis avec incrédulité.

Le lendemain matin, les deux femmes prennent leur petit déjeuner avant de monter dans le taxi qui les emmène à l'aéroport. « Quel odieux personnage ! dit l'une des clientes à l'autre. Je ne veux pas de ce Denis à la prochaine réunion et certainement pas qu'il rencontre un jour notre directrice générale. Elle mettrait fin au contrat de ce fournisseur sur l'heure.

Les déjeuners informels, les verres après le travail ou les événements de l'entreprise offrent aux hommes des occasions de se détendre, d'oublier leurs problèmes professionnels et de se distraire. Mais ils ne peuvent pas toujours le faire en présence de femmes. Un homme s'inquiétera de la façon dont ses collègues féminines pourraient interpréter ses propos ou ses gestes, surtout si son comportement est un peu limite. Voilà pourquoi les hommes hésitent à convier les femmes à des déjeuners ou à des événements de l'entreprise.

Souvent les bornes de l'acceptable ne sont pas clairement définies, et les femmes ont chacune leurs propres limites personnelles. Un simple faux pas, et l'homme se retrouve dans une situation intenable. Le risque de se faire accuser de harcèlement sexuel est grand, pour une simple boutade pas toujours de bon goût, surtout après un verre ou deux. Le pot après le travail n'est plus le refuge où l'homme peut enfin se détendre, mais plutôt une nouvelle source d'inquiétude.

Dans le premier chapitre, nous avons vu que près de 12 000 plaintes sont déposées chaque année pour harcèlement sexuel aux États-Unis, dont la moitié sont classées sans suite pour défaut de fondement[2]. Pour autant, même si ces plaintes n'aboutissent pas, le simple fait d'être cité au tribunal suffit pour faire déraper une carrière et ternir une réputation, sans compter les liens compliqués que ces hommes entretiendront par la suite avec leurs collègues féminines.

Pourtant, tous les hommes ne sont pas concernés par ce problème, et certains d'entre eux apprécient de partager des moments avec les femmes sans arrière-pensées. Un homme ayant une bonne connaissance des spécificités hommes-femmes se sent à l'aise avec ses collègues féminines. Il sait qu'il suffit de peu pour qu'elles se sentent prises en compte et trouve que le plaisir de les inviter vaut bien quelques efforts. Par contre, il lui arrive de se sentir mal à l'aise en présence des hommes qui manquent de considération envers les femmes.

Les risques pour les hommes

La tendance masculine consistant à éviter les femmes, à se tenir sur leurs gardes en leur présence ou à ne pas savoir comment les aborder dans le milieu professionnel nuit aux femmes : elles souffrent d'être mises à l'écart et de ne pas bénéficier des mêmes possibilités d'avancement. Mais cette habitude comporte aussi des risques pour les hommes. Bien qu'étant de bonne volonté, ils craignent de mal se comporter et évitent toute occasion de commettre des erreurs : cela induit un climat de travail trop peu basé sur la collaboration, et dès lors moins productif.

Les hommes ne peuvent faire émerger le meilleur d'eux-mêmes quand ils craignent les réactions de leurs collègues féminines. Cette appréhension les empêche de bien manager les équipes mixtes, de collaborer avec leurs collègues, ou de soutenir leurs superviseurs féminins, ce qui risque aussi de limiter leurs possibilités d'avancement.

La raison de l'appréhension des hommes

Bien que les cultures et les traditions varient grandement de l'Asie à l'Europe ou de l'Amérique du Nord à l'Amérique du Sud, il semble que plusieurs des appréhensions exprimées par les hommes se retrouvent en différents points du globe et se fondent sur les mêmes raisons : les valeurs sociales en mutation – notamment celles concernant la galanterie – et les tendances instinctives des hommes et des femmes.

Les valeurs sociales en pleine mutation

Le mouvement pour l'égalité des droits au travail, qui a pris de l'ampleur au cours des années 1960, a donné lieu à un déferlement de femmes diplômées le marché du travail dans les années 1970 et 1980. Les valeurs sociales changent souvent de génération en génération, mais dans ce cas c'est au sein d'une même génération qu'on a pu assister à une réelle mutation. Tout à coup, hommes et femmes se sont retrouvés en compétition pour les mêmes postes élevés, ce qui ne s'était jamais produit jusqu'alors : ils ont donc été amenés à devoir travailler ensemble sans y être préparés, ce qui a instauré des relations peu authentiques, et apporté confusion et appréhension tant pour les hommes que pour les femmes.

Le féminisme a fondé l'égalité des sexes sur la similitude des hommes et des femmes, ces dernières étant capables d'abattre le même travail qu'un homme, d'accomplir les mêmes gestes sur le même modèle et d'atteindre les mêmes résultats. La croyance qu'il n'existait pas de différence entre les sexes, excepté l'apparence et la fonction de reproduction, a laissé entendre que tout ce qui avait été appris pouvait être désappris. La phrase emblématique « Tout ce que tu peux faire, je peux le faire mieux », extraite de la comédie musicale *Annie a un revolver*, d'Irving Berlin, en 1946, a conduit les femmes à croire qu'elles pouvaient se comporter comme des hommes et obtenir les mêmes résultats, voire des résultats encore meilleurs.

Les tyrans en jupe de la Silicon Valley

La Silicon Valley était le lieu de prédilection des jeunes femmes titulaires d'un diplôme de management, de technologie ou d'ingénieur à la fin des années 1990 et au début des années 2000, lors de la révolution Internet. Nombre d'entre elles sont devenues des leaders dans les secteurs des nouvelles technologies et ont travaillé d'arrache-pied pour faire évoluer leur carrière.

Afin de parvenir à négocier avec les vendeurs et leurs partenaires, dont la majorité était composée d'hommes, ces femmes ont suivi des cours d'assertivité. L'objectif était d'enseigner à ces femmes occupant des positions de leadership comment affirmer leurs droits tout en respectant ceux des autres, comment exprimer leurs opinions personnelles, leurs besoins et leurs sentiments sans blesser ceux des autres. Et de leur apprendre à marquer leur désaccord sans se montrer désagréables.

La plupart des formations proposées à ces femmes étaient à l'époque basées sur le modèle du comportement masculin – et c'est toujours le cas aujourd'hui pour nombre d'entre elles. Ces femmes cadres ont appris à résoudre les problèmes de façon séquentielle, et sans émotion, à prendre des décisions rapides et unilatérales, et à se focaliser avant tout sur le but final à atteindre. Faute d'exemples féminins à suivre, ces femmes sont devenues dures, fortes et persévérantes, selon le modèle masculin de leadership.

L'assertivité est devenue de l'agressivité, et les « tyrans en jupe » ont émergé dans les conseils d'administration. Les jeunes femmes intelligentes souhaitant atteindre, elles aussi, les positions de direction soudain n'y parvenaient plus. Un programme a été lancé, intitulé « Sortir les tyrans des conseils d'administration », comportant une enquête réalisée auprès de toutes les personnes impliquées auprès des femmes dirigeantes. De cette enquête est ressorti que la plupart des femmes ayant suivi la formation sur l'assertivité avaient développé des traits de caractère plutôt connotés d'agressivité : façon abrupte de s'exprimer, reproches, intimidation, irritabilité et autoritarisme[3].

Les hommes se sentent démunis pour superviser et travailler aux côtés ou sous les ordres de femmes qui se comportent avec agressivité. Cette attitude les désoriente et ils prennent leurs distances. Si un homme n'a pas le choix et doit travailler avec une femme agressive, il prêtera une grande attention à ne pas être mal perçu.

Au cours d'une session de l'un de nos séminaires, les hommes et les femmes devaient établir la liste des difficultés qu'ils rencontraient en travaillant avec des collègues du sexe opposé. Cet exercice est en général riche d'enseignements, et chacun s'investit. Éric, l'un des participants, ne s'est pas retenu : « Elle ne travaille plus ici, mais ma plus grande difficulté a été de travailler avec Suzanne. C'était un tyran ! » Tous les hommes et les femmes dans la salle approuvèrent et commencèrent à partager des souvenirs.

Quand on leur a demandé ce qu'ils entendaient par « tyran », les hommes prirent la parole en premier :

• Suzanne intimidait les autres pendant les réunions, et les mettait sur la sellette pour mettre en avant sa supériorité et gagner les faveurs de la direction.

• Elle aboyait des ordres alors que vous restiez planté dans son bureau. Elle criait si fort que tout le couloir pouvait l'entendre.

• Elle prenait le contre-pied de tout ce que vous disiez, se faisait l'avocat du diable.

• Elle essayait de contrôler chaque projet et mettait un point d'honneur à quitter le bureau la dernière tous les soirs. Les femmes avaient elles aussi des souvenirs à raconter à propos de l'agressivité de Suzanne :

• Vous n'aviez pas le droit de montrer de la faiblesse ou de l'indécision en sa présence.

• Elle s'habillait comme les hommes au bureau, toujours en noir. Elle n'avait pas de temps à consacrer aux femmes qui cultivaient leur féminité. Vous paraissiez faible et inefficace à côté d'elle.

• Je ne pouvais pas lui faire confiance. Elle souriait, mais sans aucune sincérité.

Une femme ayant eu l'occasion de travailler avec Suzanne davantage que les autres résuma la situation : « C'était très triste. Elle prenait ses déjeuners seule dans son bureau, jamais à la cantine avec les autres. Elle se montrait intimidante et sarcastique sans nécessité. Elle était intelligente et créative mais considérait tout comme un défi personnel. Personne ne savait comment se comporter face à elle. La direction l'appréciait, car elle accomplissait beaucoup de travail et secouait les moins motivés, mais plusieurs personnes de valeur ont démissionné par sa faute. Je pense que c'est pour cette raison que l'entreprise a fini par la licencier. »

Les modèles de comportements masculins ne fonctionnent pas aussi bien quand des femmes les appliquent, principalement parce que hommes et femmes ont un penchant naturel différent. Un homme peut en général se montrer assertif et obtenir ce qu'il cherche sans que cela soit fondé sur des émotions personnelles ou du déplaisir. Les hommes se détachent des questions pour trouver les solutions nécessaires et n'estiment pas devoir justifier leurs décisions. Les femmes interprètent l'assertivité masculine comme de l'agressivité, alors que les hommes y voient seulement le signe que « le travail doit être accompli ».

Les femmes prennent les questions et les problèmes sur un plan beaucoup plus personnel. Elles défendent leurs attentes en exprimant leur insatisfaction ou leur inconfort émotionnel. En mêlant leurs besoins et leurs problèmes personnels, les femmes versent plus vite dans les reproches et les critiques, centrant les questions de façon intérieure plutôt qu'extérieure afin d'accomplir le travail requis.

Les règles modernes de politesse

Les petits garçons des années 1950 et 1960 ont reçu pour consigne de se montrer prévenants et attentionnés envers les filles et les femmes : leur avancer une chaise, leur ouvrir la porte, porter les charges lourdes. Lors des rendez-vous galants, ils payaient l'addition sans hésiter. Ils ont appris les règles de politesse et les bonnes manières en regardant leur père les appliquer avec leur mère.

Tant de choses ont changé en une génération ! Depuis les années 1970, ces règles ont connu des bouleversements. Les hommes ne savent plus exactement comment se montrer respectueux et courtois envers les femmes avec lesquelles ils travaillent – il semble par ailleurs que ces règles varient d'une femme à l'autre.

Nombre d'hommes s'inquiètent que leur invitation à offrir leur aide soit perçue par les femmes comme le signe qu'elles sont trop faibles pour se débrouiller seules, donc considérée comme du machisme. Et que les femmes hésitent à demander de l'aide aux hommes, de peur de paraître faibles et incompétentes, complique encore la situation.

Même si la majorité des femmes accepteront avec plaisir l'aide offerte par un homme – car il est plutôt rare qu'une femme s'en offusque – les hommes restent perplexes. Il suffit qu'une ou deux femmes les rabrouent pour qu'ils craignent de voir toutes les femmes marquer la même désapprobation.

Dans le monde du travail actuel, il est rare qu'un homme ose complimenter une femme sur son apparence. Les hommes remarquent naturellement les femmes qu'ils trouvent jolies, mais ils craignent leur réaction. Ils ne voient pas en quoi cela pourrait nuire, mais il semble que souligner l'apparence d'une femme revient aux yeux de certain(e)s à ne pas prendre en compte ses compétences et les idées qu'elle apporte. Un homme a peur de s'emmêler les pinceaux, de déraper et de prononcer des paroles mal perçues.

Ces changements de société, qui remontent aux années 1970 et 1980, expliquent avec plus de clarté pourquoi les hommes marchent sur des œufs face à des collègues féminines. Que les hommes et les femmes soient amenés à jouer ensemble des rôles inconnus et à se conduire de façon similaire a créé un environnement dans lequel personne ne se sent tout à fait à l'aise. Ces changements masquent aussi les différences fondamentales dans la façon dont hommes et femmes gèrent le stress et, plus important encore, dans la manière dont ils réagissent les uns envers les autres dans les moments chargés en émotions.

Le point de vue scientifique

Deux larges structures du système limbique, l'amygdale et l'hippocampe, jouent un rôle important dans la mémoire, les émotions et la gestion du stress.

L'hippocampe est plus large chez les femmes que chez les hommes : voilà pourquoi les femmes ont plus de facilité à se souvenir d'événements riches en émotions et à retrouver de détails infimes ; cela explique aussi pourquoi exprimer leurs problèmes est si bénéfique pour elles. Leur cerveau est constitué de telle façon qu'elles peuvent avoir plus rapidement et aisément accès à leurs émotions, plus facilement aussi les exprimer, ce qui réduit leur stress[4].

Sous un stress modéré, les femmes reçoivent un apport sanguin plus grand dans l'hippocampe[5]. Sous un stress extrême, les hommes, eux, reçoivent un plus grand apport sanguin dans leur système limbique, principalement à travers l'amygdale, par laquelle ils peuvent appréhender les émotions et faire face aux situations stressantes, si c'est possible… ou les occulter complètement[6].

Sous un stress modéré, les femmes ont tendance à parler d'une voix chargée en émotion, au moment où leurs pensées sont marquées par leurs souvenirs. Les hommes interprètent souvent cette réaction de façon erronée, pensant qu'elle est le signe d'un stress extrême et que la femme est désespérée. Cette réaction correspond à la réaction masculine, car si ce dernier fait l'expérience d'une vive émotion, il éprouve lui aussi le besoin d'en parler.

La réaction émotionnelle féminine conduit aussi un homme à faire preuve de prudence dans ce qu'il dit ou fait, de peur d'entraîner ce qu'il pense être une réponse émotionnelle extrême. S'il ne comprend pas le problème de sa collègue ou ne peut le résoudre, il a tendance à ne rien dire qui puisse générer de la rancœur ou toute autre émotion de la part de sa collègue – ou des femmes en général.

Pour régler la question, l'homme choisira de prendre de la distance vis-à-vis de sa collègue et d'oublier l'incident, surtout si elle lui a adressé des reproches ou des critiques. Éviter et oublier les tracas est un mode de fonctionnement naturel pour un homme, et une façon habituelle de réduire son niveau de stress.

Les hommes et les femmes ne parviennent pas à se montrer sincères au bureau, parce qu'ils manquent de confiance dans leurs collègues du sexe opposé et ne se sentent pas libres de s'exprimer. Nous avons remarqué que le sentiment de désarroi est le même partout dans le monde, à des degrés variés. Plus les rôles traditionnels impartis aux hommes et aux femmes sont profondément ancrés dans une culture, plus il est difficile pour les hommes de travailler au côté des femmes, et pour les femmes de sentir qu'elles font partie du groupe et sont appréciées.

Les cultures encore attachées à leurs traditions

Tous les semestres, Isabella quitte son bureau de Milan, en Italie, pour passer une semaine au siège de son entreprise d'investissement, à Tokyo, au Japon, afin d'évaluer la prudence des investissements à long terme, d'orienter les investissements les plus importants et d'établir un projet de bilan annuel.

Depuis cinq ans qu'elle travaille pour la même entreprise, Isabella est parvenue à sécuriser plusieurs investissements européens et a récemment été promue au poste de directrice régionale grâce à ses résultats brillants. Il est très rare pour une femme employée par une firme japonaise d'atteindre un tel poste, et les entreprises japonaises obtiennent de mauvais scores dans le domaine de la mixité des dirigeants[7].

En dépit de ses compétences et de son titre, Isabella n'a jamais été conviée aux soirées d'entreprise pendant ses vingt séjours à Tokyo. Elle passe toutes ses soirées seule dans sa chambre d'hôtel, sur la très animée rue Shibuya Crossing, se répétant qu'elle ne fera jamais vraiment partie de l'équipe. Et en raison de ce sentiment d'exclusion, elle envisage de démissionner de l'entreprise.

J'ai dit à Isabella qu'elle commettrait une grande erreur en quittant l'entreprise. Qu'elle ne soit pas invitée aux soirées d'entreprise au Japon n'est pas lié à sa personne, mais simplement conforme à la culture masculine japonaise. Les hommes de ce pays ne sont pas très à l'aise à l'idée de convier des collègues féminines. Bien que le Japon soit plutôt avancé dans les domaines des affaires, de la science, de la technologie, le reste de sa culture est encore très attaché aux rôles traditionnels masculin et féminin. Cela pose de plus en plus problème, car les femmes japonaises intègrent massivement le marché du travail par nécessité économique.

Ces transformations culturelles vont devoir s'accompagner d'une meilleure compréhension des spécificités hommes-femmes. Reconnaître la réalité de ces différences aidera les hommes japonais à se sentir plus à l'aise face à leurs homologues féminins. Une meilleure intelligence des genres aidera aussi Isabella à ne pas prendre cette forme d'exclusion sur un plan personnel et à mieux comprendre que les cultures encore très attachées à leurs traditions sont celles où il est le plus difficile de travailler dans une équipe mixte de façon sincère et ouverte.

Avancer de quelques pas en direction les uns des autres

Que les Martiens se croient obligés de marcher sur des œufs en présence des Vénusiennes n'est bénéfique ni pour eux ni pour elles. Cela les empêche de se conduire naturellement, ouvertement et honnêtement, et de nouer des relations reposant sur la confiance réciproque, susceptibles de leur apporter gratification et succès.

La seule façon de gagner en authenticité et en confiance, tant pour les hommes que pour les femmes, c'est d'avancer de quelques pas en direction les uns des autres, sans attendre que l'autre sexe consente à faire tous les efforts.

À la fin de nos ateliers, nous demandons aux hommes et aux femmes ce qui a changé pour eux dans leur milieu professionnel. Et voici ce qu'ils expriment sur le sentiment des hommes d'avoir à marcher sur des œufs en présence de femmes…

• J'adapte ma façon de parler et de me comporter aux femmes, afin qu'elles se sentent mieux accueillies et à l'aise en ma présence. Je ne plaisante plus avec les femmes comme je le fais avec les hommes. Et je prête attention, s'il y a des femmes dans l'assemblée, à ce qui pourrait les conduire à se sentir mises à l'écart.

• Je comprends et j'accepte mieux le comportement masculin ; je ne prends plus les remarques impulsives et irréfléchies comme des attaques personnelles. Je me rends compte que souvent les hommes interprètent à tort les émotions des femmes et qu'ils ne sont pas naturellement portés sur le partage des émotions passées, comme elles le sont.

• Je ne suis plus inquiet à l'idée de soulever des points susceptibles de générer des questions. Je sais que les femmes posent des questions pour soutenir et inclure les autres, et pour se sentir intégrées, pas pour ralentir le projet ou émettre des doutes à son sujet. Je me rends compte qu'écouter plusieurs points de vue ralentira le processus de décision, mais qu'au bout du compte la décision sera meilleure.

• Je suis plus compétente dans la construction de mes discussions avec des collègues hommes, car j'appuie mes idées avec davantage de détermination et j'adresse mes demandes aux hommes clairement. Je formule mes interventions d'une façon claire pour les hommes et qui leur donne envie de travailler avec moi.

Le point de vue personnel : jouer la sécurité

Carl sort de sa voiture, et alors que le voiturier va la garer plus loin, Carl attend quelques instants, le regard tourné vers le restaurant, en sachant que Gaëlle l'y attend. Elle porte une tenue rouge, aussi est-il facile de la repérer. Carl n'a pas encore rencontré Gaëlle, mais ils ont échangé quelques mots au téléphone. Elle a proposé qu'ils se retrouvent au restaurant, ce qui a paru pratique tant pour lui que pour elle. *Elle semblait intéressée et intéressante*, se dit Carl. *Je vais jouer la sécurité, cette fois*.

La jeune femme en robe rouge se retourne et sourit dans sa direction. Ses yeux pétillent.

— Vous devez être Gaëlle, je m'appelle Carl, dit-il en lui serrant la main, qu'il retient un moment.

— Enchantée de vous rencontrer, Carl. Julie m'a beaucoup parlé de vous. Je suis contente d'avoir enfin l'occasion de faire votre connaissance.

Carl et Gaëlle suivent le serveur jusqu'à leur table et une gêne s'installe. Il craint de dire quelque chose qui pourrait décevoir Gaëlle, comme cela est arrivé lors des deux derniers rendez-vous galants qu'il a eus. L'une des femmes s'est montrée offensée par ses blagues et ses remarques sarcastiques, et l'autre semblait ne pas apprécier ses idées arrêtées sur la politique. *Je ne ferai pas les mêmes erreurs*, se dit-il. *Je vais jouer la sécurité. Rien de drôle ou de controversé ce soir.*

Au cours du dîner, Carl fait tout son possible pour éviter d'exprimer ses pensées personnelles. Il prend aussi garde à ne poser aucune question personnelle à Gaëlle, qui l'obligerait à dévoiler ses idées sur quoi que ce soit, ce qui risquerait de le faire déraper à nouveau et de dire quelque chose à côté de la plaque. Ils passent finalement une soirée terne et guindée, plus proche d'une interview pour un emploi que d'un moment de détente partagé en compagnie d'une jolie femme intéressante.

Au fil de la soirée, Gaëlle s'ennuie de plus en plus et est assez déçue. Elle regrette d'avoir à perdre du temps avec un homme aussi insignifiant, si peu sûr de lui et peu intéressé par elle. *Carl n'a rien à voir avec celui que m'avait décrit Julie.* Son amie le lui avait présenté comme drôle et plein d'esprit. Gaëlle en conclut que Carl n'est pas intéressé par elle.

Si Carl avait eu une meilleure intelligence des genres, il aurait compris que jouer la sécurité et ne pas se montrer sous son vrai jour risque de poser deux problèmes : il ne manifeste pas d'intérêt pour celle avec qui il passe la soirée, et il donne une image tronquée de lui-même, alors que Gaëlle avait au contraire envie de découvrir sa vraie personnalité.

Carl aurait compris qu'en étant lui-même, en se montrant attentif à ses propos, et en maintenant un bon équilibre entre les questions posées à Gaëlle et les informations qu'il partage avec elle, il aurait pu montrer à la jeune femme qui il était vraiment et lui plaire.

Si Gaëlle avait eu une meilleure intelligence des genres, elle aurait compris que Carl marchait sur des œufs en sa présence, non par manque d'intérêt pour elle mais, au contraire, parce qu'il était très intéressé et ne voulait pas commettre d'impair. En remarquant sa conversation guindée, elle aurait pu détendre l'atmosphère par une réflexion provocante ou drôle, et lui laisser ainsi entendre qu'elle préférait les hommes dotés d'une certaine personnalité et qu'il n'y avait aucune honte à se montrer sous son vrai jour.

CHAPITRE 6

LES FEMMES POSENT-ELLES TROP DE QUESTIONS ?

Réponse de femme : « Il y a un problème ? »
Réponse d'homme : « Effectivement. »

Quand, lors des séminaires, on demande aux hommes d'exprimer les défis auxquels ils doivent faire face, le problème des questions posées par les femmes émerge régulièrement. Certains hommes le voient comme un problème majeur, surtout lors des réunions où les questions de femmes sont perçues comme des tentatives de ralentir le processus décisionnel et l'action.

Les femmes reconnaissent d'habitude qu'elles posent plus de questions que les hommes, mais elles considèrent ces questions comme leur contribution, et comme étant utiles pour permettre l'échange des idées, l'établissement des priorités et la recherche d'un meilleur résultat.

Il est dommage qu'on en soit arrivé à devoir aborder ce point. Le stéréotype des femmes « toujours en train de poser des questions » est si ancien qu'aujourd'hui, dans les formations d'entreprise, l'accent est plutôt mis sur la façon de leur apprendre à cesser de poser ces questions plutôt que sur la valorisation de cet atout pourtant bénéfique. Le défi pour les hommes consiste à cesser de voir ces questions comme des interruptions impulsives qu'il faut tolérer, dont on doit limiter la portée ou qu'on parvient à éviter en jonglant entre les sujets prêtant à la discussion, mais bien plutôt comme une contribution intéressante à la discussion, permettant à l'homme de ralentir le rythme parfois trop rapide de la prise de décision.

Le défi pour les femmes n'est pas d'apprendre à poser moins de questions, mais d'identifier ce qui conduit les hommes à penser que les femmes en posent trop, et de trouver comment formuler leurs questions pour améliorer la communication avec les hommes.

Données sur les spécificités hommes-femmes[1]

• 72 % des hommes pensent que les femmes posent trop de questions.

• 80 % des femmes affirment qu'elles préfèrent poser une question même si elles connaissent la réponse.

« Quelqu'un a des questions ? »

– Moi ! Quand connaîtrons-nous les résultats du nouveau produit ?

– Dans deux semaines, Sophie. J'enverrai un e-mail à chacun avec les chiffres dès que je les aurai reçus.

– Mais les managers des ventes partent la semaine prochaine en formation.

– Les distributeurs ne peuvent pas faire mieux. Le produit doit être sur le marché pendant un temps assez long pour qu'il soit possible d'évaluer l'accueil du nouveau packaging. Il y a encore beaucoup de points à l'ordre du jour, peut-on passer au suivant ?

– Cela m'ennuie qu'il faille attendre aussi longtemps. Ne peut-on pas dire aux distributeurs que nous avons besoin de ces chiffres plus tôt ? Pourquoi devons-nous attendre deux semaines ?

Le manager en charge de la réunion sent sa frustration monter.

– On a posé la question à trois distributeurs avant de choisir celui qui va nous donner les chiffres. Le délai de deux semaines était le plus rapide.

– L'équipe de formation est-elle au courant de ce délai ? Ils préparent déjà les modules des vendeurs qui arrivent chez eux la semaine prochaine, et tout est basé sur le nouveau packaging.

Pourquoi les femmes posent-elles plus de questions que les hommes ?

Plusieurs raisons expliquent la propension des femmes à poser plus de questions que les hommes. Et ces raisons, dépassant le simple besoin d'informations complémentaires, dès lors dépassent le cadre de référence des hommes. Quatre axes se dégagent des discussions en atelier : pour arriver à un consensus, pour montrer son intérêt envers un projet ou envers ses collègues, pour proposer de nouvelles idées, ou pour demander du soutien.

Il n'est pas aussi habituel pour les hommes de poser des questions. La recherche du consensus n'est pas une priorité pour eux : ils ont plutôt tendance à penser et réfléchir seuls, même lorsqu'ils travaillent en équipe. Il est plus habituel pour eux d'exprimer leur avis, d'adresser leurs demandes et d'exposer leurs idées de façon directe, et ils ne chercheront de l'aide qu'en tout dernier ressort, si vraiment ils se sentent dépassés.

« Qu'en penses-tu ? »

Stéphanie reçoit un e-mail contenant un fichier attaché de la part du concepteur de sites Internet. Elle ouvre le fichier et est déçue par le projet. Elle transfère le message à Hélène, sa supérieure directe, en ajoutant : « Je viens juste de recevoir ce projet pour le nouveau site. Qu'en penses-tu ? »

Édouard ouvre le fichier, établit une liste de ce qu'il aime et n'aime pas, puis la renvoie à Stéphanie et à Hélène : « Je trouve bien le graphisme, mais pas le choix des couleurs, ni le cadre de la page, ni le plan du site. Le projet dans son ensemble ne me plaît pas vraiment, et je pense qu'on devrait demander au concepteur de repartir sur une nouvelle idée. »

Hélène étudie elle aussi le fichier, établit sa propre liste de ce qu'elle aime et n'aime pas, puis envoie cette réponse : « Le graphisme n'est pas mal. Tu aimes les illustrations ? »

Au cours de cet échange, les femmes posent des questions pour atteindre un consensus. Elles encouragent ainsi leurs collègues à prendre le temps d'y réfléchir avant de partager leur propre opinion. Les femmes ont tendance à explorer les différents aspects d'un problème avant de se décider. En demandant « Qu'en penses-tu ? », une femme ne cherche pas forcément à prendre une décision immédiate, mais à poser les bases d'une conversation ou à renforcer la qualité de la relation. Les femmes apprécient autant de poser des questions que de s'en voir poser : cela leur donne l'impression de compter et que leurs idées sont appréciées.

« Tu es sûre que c'est la meilleure solution ? »

Les femmes expriment leur intérêt au travers de leurs questions. Souligner certains points susceptibles de poser problème est une façon de montrer leur engagement dans le projet. Les femmes peuvent plus aisément établir des liens entre le projet actuel et des expériences passées, ce qui leur permet de mieux apprendre des erreurs commises et de mieux réfléchir à la situation actuelle, en posant des questions pertinentes. Un exemple… Le directeur général réunit son équipe dirigeante : « J'ai regardé les chiffres et je pense que nous devrions cesser cette ligne de produit. Elle n'est qu'à peine rentable et ne constitue pas une priorité stratégique à développer. C'est une décision importante pour notre entreprise, mais je ne nous vois pas garder quatre lignes de produits dont une qui ne rapporte pratiquement rien. Nous devons penser à la rentabilité. »

Le directeur financier confirme les observations du directeur général : « La marge de profit pour cette ligne est plus basse que celle des trois autres lignes, on est tout juste arrivés au point de rentabilité ces deux dernières années. Je pense que cela va continuer à baisser. Si nous voulons garder de la viabilité et de la croissance, il vaut mieux élaguer. »

Une des deux femmes de l'équipe de direction ne dispose pas des chiffres pour se faire une opinion, mais se souvient d'un point peut-être passé inaperçu aux yeux des autres. Elle s'inquiète d'apparaître comme quelqu'un se mêlant de ce qui ne le regarde pas, mais se convainc que, si elle ne s'exprime pas maintenant, elle n'en aura plus l'occasion : « Vous êtes sûrs que c'est la meilleure décision ? Je veux dire, cette ligne a peut-être la marge la plus basse, mais nos trois plus importants distributeurs comptent vraiment dessus. Je ne suis pas sûre du pourcentage que représentent les ventes chez ces trois clients, mais je pense qu'ils sont les clients principaux. J'ai peur que si nous cessons cette ligne, nous perdions ces clients. Et si nous les perdons, nous risquons de perdre aussi un ou plusieurs de nos meilleurs vendeurs. »

Le directeur financier vole aussitôt au secours du directeur général, manifestement peu convaincu par l'intervention : « Nous devons nous recentrer sur la rentabilité, et cette marque atteint à peine le point de rentabilité. Ces distributeurs ne comptent pas sur nous pour un seul produit, et je ne vois pas comment cela risque de gêner nos vendeurs sur le long terme. »

Les femmes ont souvent tendance à établir des liens entre des faits en apparence éloignés, et les hommes peuvent interpréter leurs questions comme un signe d'incertitude ou de peur de prendre des décisions difficiles.

Un homme peut même voir dans les questions indirectes d'une femme une remise en question de sa compétence ou de son intégrité. Il réagira plus favorablement à une question directe, reposant sur des chiffres, car il y verra une demande moins personnelle et moins ambiguë, fondant le raisonnement sur des faits rationnels, quelque chose à quoi il peut répondre et qu'il peut résoudre. Dans ce cas, la femme aurait pu s'adresser au directeur financier en ces termes : « Cela me semble crucial. Accordez-moi quelques jours pour rassembler les informations, et notamment pour obtenir sur le sujet le retour des trois distributeurs, ça nous permettra de prendre une décision. »

« Pourquoi ce projet a-t-il accumulé autant de retard ? »

Les femmes ne se sentent pas très à l'aise à l'idée d'émettre des critiques négatives directes, alors elles ont plutôt recours à des questions indirectes et rhétoriques. Plutôt que de demander : « Pourquoi as-tu pris autant de retard sur ce projet ? », elles demanderont : « Pourquoi ce projet a-t-il accumulé autant de retard ? », ce qui leur semble moins agressif ou vindicatif.

Un exemple… Il était 10 heures du matin quand Élisabeth arriva à « la mine », nom donné par les programmateurs à leur lieu de travail. Trois des cinq programmateurs étaient déjà présents, assis en cercle, autour d'un petit déjeuner et discutaient.

— Où sont Luc et Mathieu ? demanda Élisabeth.

— Pas encore arrivés, répondit l'un des programmateurs.

— Je dois vous voir tous les cinq quand ils seront là. Je veux comprendre pourquoi ce projet a accumulé autant de retard. Voulez-vous bien venir à mon bureau quand tout le monde sera arrivé ?

Quand elle quitte la pièce, son collègue Hugues marche aussi vers la sortie. Il a assisté à l'échange.

— Élisabeth, si je peux me permettre de te faire une suggestion, tu devrais être plus ferme dans tes demandes. Leur poser une question n'est pas faire preuve de fermeté, alors qu'affirmer les faits est plus convaincant. Tu devrais plutôt dire : "Vous avez pris deux semaines de retard sur le projet et j'ai besoin de vous voir tous dans une heure pour en discuter. Appelez Luc et Matthieu et prévenez-les." Ces mecs sont de bons programmateurs, mais ils ne font que ce qu'on leur demande, et rien de plus. Tu dois vraiment être plus directe avec eux. »

Les hommes sont souvent plus impersonnels et plus directs dans leurs remarques. Un homme ne prendra pas la remarque personnellement ; il ne la reliera pas à des émotions ou à des expériences passées. Détaché et impartial, il prend les critiques constructives avec plus de facilité que les femmes, car il ne s'implique pas personnellement dans les retours qu'il reçoit. Une femme a plutôt tendance à trouver les remarques directes trop agressives, alors que pour un homme elles sont un signe d'assertivité, de neutralité et d'honnêteté.

« Tu as le temps de jeter un œil à cela ? »

Les femmes hésitent à demander un coup de main au bureau. Dans certaines situations, c'est un signe de faiblesse, et les femmes répugnent à montrer leur vulnérabilité dans un environnement où les hommes ont déjà cette idée préconçue sur elles. Une femme recourt plutôt à une approche indirecte, et si elle ne reçoit pas l'aide qu'elle attend, elle éprouve du ressentiment – une réaction difficile à comprendre pour les hommes, qui se sentent critiqués.

• « J'aurais besoin d'un regard extérieur sur cette présentation. Aurais-tu le temps d'y jeter un œil ? Je travaille sur ces images Powerpoint depuis tôt ce matin, et je ne suis pas sûre d'être partie dans la bonne voie. C'est difficile d'avoir l'avis de quelqu'un quand tout le monde est débordé. »

Les hommes n'aiment pas non plus demander de l'aide, d'abord pour ne pas passer pour des incompétents, et puis parce que cela leur semble un signe de faiblesse. Un homme préfère donc mettre tout en œuvre pour se débrouiller seul, sauf s'il reconnaît son incapacité à y parvenir. Par exemple, un homme éprouve des réticences à demander son chemin quand il est perdu.

Si un homme se résout à demander de l'aide, il le fait d'une position de force plutôt que de faiblesse. Il formule sa demande sous une forme directe et encourage la personne à qui il s'adresse en lui exprimant sa reconnaissance et son admiration. Imaginons qu'un homme ait travaillé à sa présentation Power-point toute la matinée. Voici comment il pourrait adresser une demande directe s'il souhaite de l'aide :

• « J'ai fini ma présentation ! Je pense qu'elle est assez complète et j'aimerais que tu puisses me le confirmer. J'ai remarqué que tu étais très au point dans ce domaine. Tu veux bien y jeter un œil et me faire part de tes remarques ? »

Comment les hommes interprètent à tort les questions des femmes

Les hommes et les femmes apportent chacun leur contribution spécifique à leur entreprise. Les femmes ont tendance à poser des questions pour établir un climat accueillant, nouer des liens, montrer leur intérêt pour leurs collègues et pour leur travail. Un homme n'a pas l'habitude de poser des questions, mais s'il le fait, son approche est plus directe ; voilà pourquoi il ne prend pas sur un plan personnel les questions directes qui lui sont adressées. C'est si on l'approche de façon indirecte qu'il sent émerger la frustration et la confusion ; il peut même se sentir offensé par certaines questions car il les considère comme des pertes de temps, des signes d'indécision ou des attaques personnelles.

Chercher à clarifier la situation
ou sous-entendre qu'on doute ?

Lors de réunions d'équipe ou dans les relations avec ses collègues, une femme montre souvent son intérêt en posant des questions, afin d'encourager les autres personnes à rassembler leurs pensées et à envisager la situation sous différents aspects : elle pose des questions visant à clarifier cette situation pour se rapprocher des autres et les inciter à s'exprimer. Quand une femme pose à un homme une question l'encourageant à réfléchir davantage, il le prend comme une critique ou comme le signe qu'elle doute de sa contribution, comme l'illustre l'exemple suivant.

Une équipe composée de cinq femmes et de deux hommes participe à une réunion hebdomadaire le lundi matin. Judith, la responsable du département, a déjà fait le tour de la salle en demandant aux femmes de partager leurs impressions sur la dernière initiative de l'entreprise, et chacune d'elles s'est exprimée. Judith, n'ayant pas encore eu le retour des hommes, se tourne vers eux : « Donc, Martin et Sébastien, nous avons entendu le point de vue de tout le monde, sauf le vôtre. Qu'en pensez-vous ? »

Martin et Sébastien échangent un regard, puis Martin répond en premier : « Je ne sais pas, je suis encore en train d'y réfléchir. » Il ne regarde pas Sébastien, car ce serait un signe de langage corporel signifiant « À ton tour ». Il préfère que Sébastien gère la situation tout seul !

– Alors, Sébastien, qu'as-tu à en dire ? demande Judith.

– Je ne sais pas, je n'y ai pas encore réfléchi, Judith. Cela semble une bonne idée. Il faut que j'y réfléchisse davantage.

Il est rare que les hommes s'encouragent entre eux à exprimer leur opinion ou à participer à la conversation. Dans le code masculin, il est malvenu de mettre quelqu'un sur la sellette. Autant les femmes aiment poser des questions, et s'en voir poser, autant les hommes préfèrent qu'on les laisse s'exprimer seuls s'ils en éprouvent le besoin et rendent la pareille à leurs collègues.

Un homme ne s'offusque pas si on remet en question ses paroles ou ses gestes, à condition que la formulation ne soit pas trop personnelle. Quand un homme a l'impression d'être personnellement critiqué, ou mis en doute, ou d'entendre des reproches, il tend à répondre sur la défensive, ou à éprouver une frustration telle qu'il reste silencieux car il ne peut plus gérer le problème.

« Mettons cela de côté ! »

Lors de l'un de nos ateliers, nous avons entendu parler d'une équipe de développement d'un nouveau produit qui avait décidé d'annuler son lancement, alors que l'étude réalisée avait pourtant indiqué que le produit était susceptible de gagner une bonne part du marché. Après une demi-journée de délibérations, les hommes de l'équipe et le manager, un homme lui aussi, avaient décidé unilatéralement de renoncer au projet.

Les femmes de l'équipe ne voulaient pas prendre position car, selon les chiffres de l'étude de marché, un faible échantillon de clients se révélait plutôt négatif à l'égard du produit. Elles voulaient en savoir plus sur les réticences des consommateurs sondés dans l'étude. Elles pensaient qu'« il n'y avait pas de fumée sans feu » et que leurs impressions négatives pouvaient être le signe que le produit ne convenait pas pour le marché choisi.

Aucun des hommes ne croyait à la nécessité d'une plus large étude de marché, mais ils interprétèrent la demande de leurs collègues féminines comme un manque de confiance dans le produit, et certains la prirent aussi comme un manque de confiance envers eux ou un doute quant à leur intégrité.

Les femmes ne voulaient pas mettre fin au lancement du produit car elles lui trouvaient du potentiel. Elles considéraient en revanche que si un faible pourcentage de consommateurs ne l'appréciait pas, il fallait en tenir compte.

Demande ou critique ?

Les femmes, dans leur interaction avec leur entourage, ont de plus grandes capacités d'observation – des expressions faciales, du langage corporel, du ton de la voix… Elles captent intuitivement ces messages non verbaux, décryptent les besoins des autres et sont immédiatement prêtes à offrir leur soutien. Cela explique pourquoi elles ne voient pas la nécessité d'exprimer leurs besoins de façon directe. Elles s'attendent à ce que les autres les devinent, comme elles devinent ceux des autres. Pourtant, les hommes ne disposent pas des mêmes facultés de perception.

Quand une femme offre son soutien mais ne demande pas d'aide en retour, un homme pense qu'elle n'a besoin de rien. Il ne propose donc pas de la seconder, non parce qu'il n'en a pas envie, mais parce qu'il attend qu'elle en fasse la demande si elle en éprouve le besoin. La tendance masculine conduit les hommes à ne pas aider leurs collègues tant que ceux-ci n'en n'ont pas exprimé la demande : ils traitent donc de façon identique tous leurs collègues, qu'il s'agisse d'hommes ou de femmes.

Voici quelques exemples illustrant les demandes indirectes que les femmes adressent quand elles souhaitent être aidées, et l'interprétation qu'un homme en fait…

Une femme adresse une demande indirecte	La signification réelle de la demande	L'interprétation qu'en fait un homme
Qu'est-ce qu'il faut faire pour que les choses soient faites, ici ?	J'aurais besoin d'aide pour terminer ce projet.	Je présume qu'elle me le demandera si elle veut que je l'aide.

Une femme adresse une demande indirecte	La signification réelle de la demande	L'interprétation qu'en fait un homme
Ça te convient de finir la présentation seul ?	Je suis là si tu as besoin de moi.	Elle a l'impression que je ne vais pas m'en sortir.
Je ne comprends pas… Pourquoi la commande n'est-elle pas encore arrivée ?	Tu veux bien appeler le fournisseur et voir où est le problème ?	Je ne sais pas pourquoi la commande n'est pas encore arrivée.
Ne devrions-nous pas aborder le client de cette façon ?	Je sais comment gérer le problème, mais j'aimerais avoir ton avis.	Dis-moi ce que tu veux, et je le ferai.
C'est vrai ?	Cela me sidère !	J'ai l'impression que tu ne me crois pas.

Derrière tout reproche, il y a une demande informulée

Les demandes indirectes des femmes laissent aux hommes la possibilité d'entendre différents messages : de dépendance, de désapprobation ou de reproche. Plutôt que de répondre au reproche, l'homme devrait chercher à identifier la demande cachée derrière.

Dans chacun des exemples ci-dessus, une femme pourrait aider l'homme auquel elle s'adresse en lui envoyant le bon message, et elle recevrait certainement son aide si elle n'y ajoutait pas un reproche. Elle peut formuler ses demandes directes ainsi…

• J'aimerais ton aide pour terminer ce travail.

• Je sais que tu es capable de t'en occuper, mais je suis là si tu as besoin d'aide.

• Tu veux bien voir pourquoi la commande n'est toujours pas arrivée ?

• J'ai une bonne idée, mais donne-moi d'abord la tienne.

• Je n'en reviens pas ! C'est vraiment comme ça que ça s'est passé ?

« Je n'étais pas sûr de ses intentions ! »

Récemment, le directeur des opérations d'une compagnie pétrolière m'a demandé de découvrir pour quelle raison il était sur le point de perdre deux employés de grande valeur : la responsable régionale des opérations du Moyen-Orient et l'un des meilleurs ingénieurs en chimie.

Anne avait été recrutée peu de temps auparavant pour les opérations du Moyen-Orient, un poste qu'elle trouvait particulièrement intéressant, puisque son père et son frère travaillaient tous deux pour la même compagnie pétrolière. Aucune femme n'avait jamais été embauchée comme responsable de cette région, et ses collègues – tous des ingénieurs hommes – n'avaient jamais eu une femme comme dirigeante.

Au cours de l'entretien que j'ai mené avec Anne, elle a mis en évidence tous les manquements à la communication lors de la toute première réunion qu'elle a tenue avec son équipe, et notamment lorsqu'elle a posé des questions à l'ingénieur chargé de la présentation. Elle imaginait qu'adresser des questions à Haitham marquerait son intérêt pour ce qu'il avait à dire, mais il semble qu'il ne l'ait pas perçu ainsi.

« Je ne pensais pas qu'il réagirait de façon si défensive, s'est souvenue Anne. Mon intention était de me faire une idée de la situation aussi rapidement que possible, puis de nouer des liens de confiance et de partage avec l'équipe. »

Haitham ne l'a pas perçu de la même façon : « Je n'étais pas sûr de ses intentions. Je n'ai pas l'habitude qu'on me pose des questions devant les autres ingénieurs. J'ai un doctorat d'ingénieur en chimie et je travaille pour cette compagnie depuis plus de vingt ans. Mes résultats sont très honorables. Il m'a semblé clair qu'elle ne croyait pas en ma présentation, qu'elle insinuait que je n'accomplissais pas bien mon travail. Je n'ai pas besoin que quelqu'un me regarde et ralentisse mon rythme. Alors, je me suis adressé à son supérieur et j'ai rempli une réclamation à son égard. »

Anne était manifestement bouleversée par le fait qu'Haitham ait mal interprété ses intentions et se soit adressé à son supérieur. Une fois la confiance rompue, elle est pratiquement impossible à regagner. Et la défiance entre Anne et Haitham peut se révéler très néfaste pour toute l'équipe, et même pour les intérêts de la compagnie dans cette région.

Haitham aurait pu être plus clairvoyant dans l'intelligence des genres en comprenant qu'Anne ne le critiquait pas en s'intéressant à son rapport : au contraire, elle voulait y apporter sa contribution personnelle et nouer des liens. Il aurait pu ne pas prendre ses questions comme une attaque personnelle et éviter de se mettre sur la défensive.

Anne aurait pu faire preuve d'une meilleure intelligence des genres elle aussi, en remarquant que ses tentatives d'encourager Haitham à s'exprimer l'avaient gêné, lui donnant à penser qu'elle lui prêtait de mauvaises intentions. Elle aurait pu s'exprimer de cette manière : « Ma porte est ouverte. Si tu as besoin de quoi que ce soit, appelle-moi. Je suis là pour t'aider. Je te fais confiance pour faire du bon travail. »

Le point de vue scientifique

Les femmes ont tendance à réagir face aux problèmes qui se manifestent d'une façon assez différente de celle des hommes, en y intégrant les souvenirs et les émotions du passé, ce qui les aide à percevoir la situation de façon

---

beaucoup plus large. Par conséquent, les femmes prennent en compte davantage de données, envisagent davantage d'options et visualisent un plus grand nombre de solutions à un problème que leurs collègues hommes.

La perception différente des hommes et des femmes et le besoin féminin de poser des questions, qui en résulte, viennent du fait que plusieurs parties du cerveau féminin sont plus larges, mieux interconnectées et plus actives que dans le cerveau masculin : le cortex cingulaire antérieur, le cortex préfrontal et l'insula (ou cortex insulaire)[2].

Le cortex cingulaire antérieur est environ deux fois plus large chez les femmes que chez les hommes, et joue un rôle dans plusieurs fonctions inconscientes, telle la régulation de la pression sanguine et du rythme cardiaque, ainsi que dans certaines fonctions cognitives, telles l'anticipation, la faculté de prendre des décisions, l'empathie et les émotions. Les femmes, dès lors, disposent d'un plus grand nombre de possibilités pour évaluer toutes les options, réfléchir en profondeur et exprimer leurs inquiétudes plus souvent et de façon plus marquée que leurs collègues masculins.

Le cortex préfrontal s'active lors du processus de décision ; il constitue le centre du cerveau qui supervise toutes les informations liées aux émotions et contrôle l'amygdale chez les femmes lors de la pensée logique. Le cortex préfrontal n'est pas seulement plus large, il se développe aussi plus tôt chez les petites filles que chez les petits garçons. Cette différence, combinée avec le taux beaucoup plus bas de testostérone et le taux plus élevé d'œstrogène dans le cerveau féminin, conduit les femmes à prendre moins de décisions impulsives que les hommes et à chercher des solutions aux conflits plutôt que d'agir immédiatement[3].

L'insula est en moyenne deux fois plus large dans le cerveau féminin que dans le cerveau masculin et aide les femmes à traduire les sensations physiques et les pensées inconscientes en réflexions conscientes, teintées de souvenirs et d'émotions. Cette capacité à faire remonter les souvenirs leur évite d'agir dans la précipitation et de prendre des risques inconsidérés. L'insula, en conjonction avec le cortex préfrontal et le cortex cingulaire antérieur, aide la femme à anticiper quelque chose qui risque d'arriver, capacité parfois nommée « intuition féminine » et qui repose sur une véritable différence, observable scientifiquement.

Compte tenu de la taille et de l'interconnexion de ces centres du cerveau, la femme est plus à même de réfléchir en se fondant sur un réseau entier de facteurs. Les hommes, en revanche, focalisent plutôt leur attention sur une seule pensée à la fois, rangeant les informations dans des compartiments différents et écartant toutes les données qui leur semblent manquer de pertinence, analysant les informations selon une voie étroite et linéaire.

Si on conjugue cette différence structurelle des cerveaux avec des niveaux d'hormones différents, on comprend mieux sur quoi reposent les différences dans la façon de penser des hommes et des femmes. Le niveau de testostérone plus élevé chez l'homme l'enjoint à trouver des solutions immédiates et à agir rapidement, alors que cette hormone est plus basse chez la femme. En revanche, l'œstrogène aide cette dernière à se faire une idée plus large, à prendre plus de recul et à envisager la situation sur le long terme[4].

La compétence innée d'une femme pour la réflexion globale et l'établissement des connexions est un atout trop peu valorisé par les hommes, et souvent interprété par eux, à tort, comme le signe d'une indécision ou d'une insécurité. La compétence innée d'un homme à scruter son environnement, à y chercher logique et raison, et à agir immédiatement est un atout que les femmes confondent avec un manque de compassion, un excès de légèreté et une prise de risque inutile.

En fait, les compétences naturelles des hommes et des femmes dans le domaine de la réflexion sont parfaitement complémentaires. Ni les hommes ni les femmes n'ont le monopole de la pensée juste ; mais quand ils collaborent, ils se rendent compte que leurs tendances naturelles, tout à fait conciliables, leur permettent d'atteindre de meilleurs résultats.

Poser des questions et écouter

Au fil des années, nous avons animé de nombreux ateliers sur l'intelligence des genres au sein d'une entreprise d'investissement à Wall Street. Une des grandes découvertes dans ce secteur d'affaires a eu lieu lors d'un atelier auquel participait Jacqueline, directrice financière d'une des plus grandes banques d'investissement de New York. Après l'atelier, elle accepta de nous revoir pour en discuter.

Jacqueline avait été promue à ce poste en 2010, deux ans après la crise bancaire de 2008, et elle avait plusieurs remarques à partager sur la valeur de chacun des sexes au sein d'une banque d'investissement. Selon elle, une plus grande mixité dans la prise de décisions aurait pu permettre d'éviter les erreurs qui ont mené à la crise financière.

« Traditionnellement, un directeur financier se préoccupe surtout des rapports financiers, du respect des règles comptables, de la trésorerie, des taxes et des finances de l'entreprise. On voit pourtant des directeurs financiers s'intéresser davantage aux stratégies et opérations. Poser des questions et écouter sont des choses importantes que nous pouvons faire en tant que dirigeants financiers. Je dois être prête à tout instant à gérer un problème comptable, mais je dois aussi me tenir au courant de la marche des affaires. Je dois poser les questions pertinentes et écouter les réponses avec attention, pour être à même de synthétiser, de dégager des tendances et de transmettre ces informations aux personnes les plus concernées, c'est-à-dire nos investisseurs, les membres du conseil d'administration, nos clients importants et les analystes de Wall Street. C'est positif, car cela permet de rapprocher les différents acteurs de l'entreprise et de réaliser une synergie entre la stratégie, les prévisions financières et les résultats. Depuis 2008, les entreprises redoublent de prudence dans leurs choix d'investissements : les plus risqués ne sont plus d'actualité, et seuls ceux assortis d'une information solide et d'une recherche rigoureuse sont pris en considération. Je ne souhaite pas que mon département ne soit qu'un service de contrôle du reste de l'entreprise. L'obéissance aveugle peut nous mener vers les soucis financiers, et nous avons vu par le passé à quoi conduisaient les investissements risqués. Nous sommes là pour aider l'entreprise à croître, de façon saine et rigoureuse. »

Jacqueline fait partie d'un courant innovant des banques d'investissement. Selon des études récentes, quelques femmes de plus, de la même mouvance, aux commandes, auraient pu éviter la crise bancaire et la récession mondiale qui s'en est suivie. Les femmes, souvent critiquées pour leur prudence, voient maintenant leur point de vue validé. Si elles s'étaient mieux fait entendre, ces courants auraient pu éviter beaucoup de perte fiscale, en équilibrant mieux la prise de risque masculine et la prudence féminine dans ce secteur.

Les études montrent que les femmes sont en général deux fois plus prudentes que les hommes : elles posent des questions et prennent toutes les données en compte, alors que les hommes se révèlent plus aventureux, confiants, voire téméraires, dans leur prise de risque. Plus surprenants sont les chiffres rattachés à ces différences[5]. L'excès de confiance incite les hommes à échanger les actions de leur portefeuille 45 % plus souvent que les femmes, ce qui engendre des retours nets de leur portefeuille de 2,65 % par an – par comparaison, les retours nets pour les femmes traders est de 1,72 %.

Ces études établissent aussi un lien avec le profit selon le sexe. Les entreprises financières comptant plusieurs femmes parmi leurs cadres de direction ont tendance à avoir un bénéfice net par action plus élevé et un cours des actions plus élevé que leurs concurrents comptant moins ou pas du tout de femmes dirigeantes. Les femmes choisissent un objectif de rendement et s'assurent ensuite de minimiser le risque, alors que les hommes optent d'abord pour un risque ciblé, puis cherchent à maximiser le profit potentiel. Les femmes envisagent le risque dans un contexte plus global et sélectionnent les investissements en prenant en compte des données plus larges, comme les valeurs sociales, les effets à long terme et les besoins des clients. Les hommes, en revanche, envisagent davantage les investissements de façon séquentielle en les examinant au cas par cas, sans prendre nécessairement en compte les retombées sociales, mais en se focalisant plutôt sur les gains les plus élevés. Les femmes tendent à être meilleures en investissement parce qu'elles ont de plus grandes capacités d'observation, et sont plus à même de poser les questions pertinentes et d'en écouter les réponses.

En conclusion, les entreprises qui combinent les deux approches obtiennent de meilleurs résultats que celles qui ne recourent qu'aux stratégies masculines. Ces dernières n'ont pas encore pris en compte la complémentarité des stratégies, ni celle de l'évaluation des risques selon les angles masculin et féminin, et dès lors sont moins compétitives.

Le point de vue personnel :
faire des rencontres et être parent

À défaut de bien connaître les attentes et les formes de politesse féminines, un homme peut imaginer qu'il met toutes les chances de son côté pour un premier rendez-vous galant… et pourtant – sans en avoir conscience – faire fuir la femme qu'il veut séduire. Tandis qu'elle lui pose des questions, il continue à parler de lui, imaginant que c'est ce qu'elle souhaite et ayant à cœur de lui faire plaisir.

La plupart du temps, les hommes et les femmes ne partagent pas exactement les mêmes règles de politesse. Les femmes montrent leur intérêt pour autrui en posant des questions et en s'assurant de ne pas monopoliser la conversation. Quand deux femmes bavardent, l'une commence en général par poser des questions à l'autre et à écouter avec intérêt. Ensuite, elles échangent les rôles : la première à poser des questions s'épanche pendant que la seconde l'écoute.

Cet échange permet à chacune de s'exprimer et d'écouter, et compte beaucoup pour la communication féminine. La femme invitée à un rendez-vous galant attend le même genre de conversation. Si elle a écouté poliment l'homme qui l'invite, elle pense qu'il lui témoignera de l'intérêt à son tour. Elle continuera à lui poser des questions jusqu'à ce qu'il prenne la relève et lui en pose. Elle risque d'attendre longtemps… Un homme ne comprend pas souvent qu'il est censé montrer son intérêt en s'enquérant aussi de la vie de la femme qu'il a invitée et en l'écoutant avec une attention sincère.

Les hommes et les femmes ne jouent pas selon les mêmes règles. Ils ne se réfèrent pas au même manuel de bonnes manières. Dans le manuel féminin, interrompre quelqu'un qui s'exprime est impoli : on pose des questions en attendant que son interlocuteur prenne l'initiative d'en poser à son tour.

Les hommes entre eux n'éprouvent aucun scrupule à s'interrompre. Couper la parole au milieu d'une phrase n'est pas déplacé si c'est fait de façon amicale et sans agressivité. Les hommes ne veillent généralement pas à donner à chacun l'occasion de parler, ils s'expriment quand ils en ressentent l'envie et supposent que leur interlocuteur agira de la même façon.

Un homme imagine à tort qu'une femme peu bavarde n'a probablement rien à dire. Parallèlement, une femme suppose à tort qu'un homme qui ne lui pose pas de question ne s'intéresse pas à elle. Le défi qui s'impose aux femmes est de savoir comment et quand interrompre un homme. Demander la permission d'interrompre par des questions comme « Puis-je te poser une question ? » ou « Je peux ajouter quelque chose ? » est la marque d'un manque d'assurance et trouble le climat de la discussion. Un homme s'attend simplement à ce que la femme qu'il a invitée s'exprime, parce qu'elle devrait se sentir à l'aise pour le faire.

Le défi qui s'impose à l'homme est de prendre conscience qu'il doit montrer son intérêt en posant des questions à son invitée, au lieu de vouloir l'impressionner avec ses propres idées sur la vie et ses résultats personnels. S'intéresser à elle sera bien plus efficace pour la séduire.

Les questions rhétoriques peuvent se révéler utiles dans les discours politiques, mais sont souvent néfastes dans une conversation entre deux personnes, que cet échange soit personnel ou professionnel. Chaque question rhétorique induit un message sous-entendu. Et, dans les discussions parents-enfants, ce message sous-entendu est la plupart du temps négatif, empreint de reproches et de culpabilisation, ce qu'un parent n'a pas envie d'exprimer à son enfant. Au lieu de le confronter directement, il recourra à ces questions rhétoriques pour exprimer son mécontentement ou sa déception de façon détournée.

Les femmes ont plus particulièrement recours à cette formulation pour essayer d'encourager leurs enfants à leur obéir. Quand une mère souhaite que son enfant range sa chambre, au lieu de lui dire « Tu veux bien ranger ta chambre ? », elle demandera : « Pourquoi cette chambre est-elle encore en désordre ? » Voici quelques autres formes de questions rhétoriques…

- « Quand vas-tu enfin grandir ? » implique que l'enfant agit de façon immature.
- « Comment as-tu pu oublier de fermer la porte du garage ? » induit que l'enfant n'est pas fiable.
- « Pourquoi la lumière est-elle toujours allumée et pourquoi ne dors-tu pas ? » implique que l'enfant n'a pas respecté les consignes de couvre-feu.
- « Pourquoi n'as-tu toujours pas fini tes devoirs ? » implique que l'enfant est fainéant ou manque de sérieux.

Dans chacun de ces exemples, le parent tente d'encourager l'enfant à faire quelque chose en insistant sur le problème ; mais, en réalité, il ne lui adresse aucune demande spécifique. La demande sous-jacente n'est pas forcément comprise par l'enfant, qui a donc tendance à rester figé sans savoir quoi répondre.

En évitant de poser des questions rhétoriques, et en formulant des questions plus directes, les parents augmentent leurs chances de voir leur enfant coopérer. En effet, les questions rhétoriques semblent ne pas entraîner de conséquences et amènent l'enfant à cesser de les écouter. Une compétence très utile, et particulièrement pour les mères à l'égard de leur jeune garçon, est de ne pas assortir leurs demandes de menaces, mais plutôt de les formuler directement et positivement.

CHAPITRE 7

LES HOMMES ÉCOUTENT-ILS LES FEMMES ?

Réponse de femme :
« Non, et c'est ma source principale d'insatisfaction. »
Réponse d'homme :
« De quoi parles-tu ? Bien sûr que j'écoute ! »

Au cours des ateliers, vient un moment où nous séparons le groupe en deux selon les sexes. Comme on peut l'imaginer, les femmes commencent aussitôt à bavarder, alors que les hommes ont en général besoin de quelques minutes pour s'échauffer. Ils restent assis calmement, jetant des regards étonnés en direction du groupe animé des femmes.

Et il est toujours impressionnant de voir la similarité des points soulevés par les femmes dès qu'elles se retrouvent entre elles, et ce quel que soit le pays dans lequel l'atelier est animé. Le premier point soulevé, habituellement, est l'incapacité des hommes à les écouter. Les hommes se montrent surpris d'entendre les femmes s'en plaindre. Leur réaction, assez prévisible, est : « Mais bien sûr que nous les écoutons ! », ce qui donne lieu à de vives discussions des deux côtés.

En réalité, les hommes écoutent bien les femmes, mais pas toujours d'une façon qui permette à celles-ci de se sentir entendues.

Données sur les spécificités hommes-femmes[1]

• 98 % des hommes et des femmes pensent que la communication est importante, mais 52 % seulement des femmes se sentent entendues par les hommes.
• 82 % des hommes pensent communiquer suffisamment avec les femmes et que les femmes avec lesquelles ils communiquent se sentent entendues.

« Étais-je censé dire quelque chose ? »

Une femme manager lève les yeux du photocopieur et lance, sur un ton plein de frustration : « Ces machines ne marchent jamais ! » Un collègue, seul présent dans la salle des photocopieuses, et éloigné d'un mètre, est absorbé dans le classement des documents qu'il va utiliser pour sa présentation. Il entend la remarque de sa collègue, s'arrête un instant et réfléchit : *Je ne connais rien aux photocopieuses. Veut-elle que je fasse quelque chose ? Il y a une autre photocopieuse au fond du couloir*. Il ne trouve rien à répondre et retourne à son classement.

La femme le trouve impoli parce qu'il n'a pas réagi, ne serait-ce qu'en lui adressant quelques mots de soutien. Si elle s'était plainte auprès d'une autre femme, celle-ci aurait exprimé sa sympathie : « C'est clair ! Ces machines ne fonctionnent jamais quand on en a besoin ! » C'est tout ce qu'une femme a besoin d'entendre. Elle ne s'adressait pas à son collègue dans l'espoir qu'il répare la photocopieuse.

Elle ressasse ces pensées tout en essayant de faire fonctionner la machine. De son côté, son collègue a déjà oublié son commentaire et s'est replongé dans ses classements.

Au cours du précédent chapitre, nous avons observé que les femmes posaient souvent des questions dans un but de partage, ou pour renforcer les liens de partenariat ou de confiance. Une femme aime penser à voix haute. Cette façon d'exprimer ses émotions et ses idées l'aide à accéder à ses souvenirs et à ses expériences passées, ce qui diminue son stress. Ce processus, tout à fait normal et bénéfique pour les femmes, se révèle inutile pour les hommes.

Ils ont plutôt tendance à rester silencieux pour trouver une solution et à ne s'exprimer qu'après avoir réfléchi à ce qu'ils veulent exprimer. Avant de parler, ils peuvent attendre quelques secondes, quelques minutes ou même quelques heures... et c'est ce qui dérange le plus les femmes, qui se sentent exclues. Si un homme ne dispose pas des informations nécessaires pour répondre à une femme, ou si la question qu'elle lui a posée ne correspond pas à la façon dont l'homme réfléchit, il peut faire une réponse très courte ou même ne rien répondre. Cela donne à la femme l'impression fausse qu'il ne l'écoute pas, qu'il n'est pas intéressé par ce qu'elle exprime ou, pire, qu'il ne s'en soucie pas.

Les hommes peuvent en arriver à saboter leurs relations avec leurs collègues féminines en ne prenant pas le temps de montrer qu'ils les écoutent, faisant ainsi passer le message qu'ils ne se préoccupent pas de leurs difficultés.

Les femmes, de leur côté, ont tendance à saboter la possibilité de réussir à travailler avec les hommes en exprimant de l'irritation ou du ressentiment quand ils se montrent silencieux ou en interprétant ce silence comme un manque d'attention ou d'intérêt. Dans l'exemple repris ci-dessus, l'homme de la photocopieuse n'aurait jamais imaginé que sa collègue se sentait agressée par son silence ; et, pour compliquer encore la situation, il aurait pu se sentir offensé du fait qu'elle s'offusque de son absence de réponse.

Pourquoi les femmes ont-elles l'impression que les hommes ne les écoutent pas

À défaut de connaître les raisons qui incitent une femme à poser des questions, c'est-à-dire partager de nouvelles connaissances, des attentes, relancer la conversation, exprimer son intérêt ou son soutien, un homme répond souvent de façon inappropriée ou s'abstient de toute réponse.

Quand une femme se plaint du manque d'écoute des hommes, elle peut se souvenir de situations où un homme n'a pas prêté attention à ce qu'elle disait, ou bien a mal interprété ses intentions, ou encore a sous-évalué sa contribution.

Voici le genre de situations indiquant qu'un homme n'écoute pas une femme.

- Il ne prête pas attention à ce qu'elle dit.
- Il l'interrompt au milieu d'une phrase.
- Il pense qu'il sait ce qu'elle ressent – ou ce qu'elle devrait ressentir.
- Son attention est facilement détournée.

Il n'est pas très compliqué de l'expliquer aux hommes, qui dès lors peuvent améliorer leur communication avec leurs collègues féminines en montrant qu'ils les écoutent effectivement. Les femmes peuvent aussi améliorer leurs compétences en communication en attirant mieux leur attention, en s'assurant qu'elles sont entendues et en proposant la réponse qu'elles aimeraient (ou ont besoin d') entendre.

« Vous n'avez pas compris ce que je voulais dire. »

Quand les Martiens ne renvoient pas les signaux adéquats pour montrer leur écoute, les Vénusiennes commencent à penser que leurs mots n'atteignent pas leur destinataire. Le sentiment d'exclusion féminin – étudié lors des précédents chapitres – vient principalement du défaut des hommes à répondre de la façon attendue par les femmes. Cela conduit ces dernières à penser qu'elles sont mises à l'écart, que ce qu'elles ont à partager n'est pas important : dès lors, elles en concluent que ce sont elles qui manquent d'importance.

Mariana avait été l'une des rares femmes à obtenir son doctorat en science de la nutrition du Caltech (California Institute of Technology) à la fin des années 1980. À cette époque, les femmes titulaires d'un doctorat de Caltech pouvaient se compter sur les doigts d'une main. Mariana faisait partie des pionnières qui savaient exactement ce qu'elles voulaient. Et son projet, simple mais auquel elle était passionnément attachée, était de retourner au Brésil et de créer une entreprise d'alimentation de grande qualité pour chiens et chats.

Pendant presque vingt ans, Mariana fut la P-DG de sa petite entreprise, qui se développa rapidement, étendant sa clientèle dans toute l'Amérique du Sud, puis dans le reste du monde avec l'avènement de la vente sur Internet. Quand elle voulut quitter son poste de directrice générale, les recherches furent longues pour la remplacer.

Mariana souhaitait rester présidente du conseil d'administration, pour s'assurer que sa société continuerait à être le reflet de sa philosophie personnelle et qu'elle garderait la culture d'entreprise choisie par Mariana. Elle exprima très clairement au conseil d'administration ses attentes concernant le nouveau directeur général : « Il ne faut pas se limiter à faire de l'argent, mais aussi veiller à soutenir la relation émotionnelle particulière que les propriétaires d'animaux domestiques ont développée à l'égard de leurs animaux. C'est ce souci qui nous distingue de nos concurrents, et je veux m'assurer que mon successeur partagera cette philosophie. »

Son conseil d'administration, composé d'hommes et de femmes, passa les mois suivants à interviewer des candidats avant de réduire la liste à deux personnes entre lesquelles Mariana pourrait se décider. Le conseil d'administration se

montra satisfait du choix des deux finalistes, et plus particulièrement de Robert, un leader visionnaire et travailleur qui
avait développé une grande expertise dans le domaine de la
distribution *on line* et des médias. Mariana rencontra Robert
une première fois pendant la phase terminale du processus de
recrutement et commença leur entrevue en exposant ses idées
sur la philosophie de l'entreprise pour l'avenir. Dès que Mariana
eut fini d'introduire le sujet, Robert sauta sur l'occasion pour
se présenter et dévoiler les projets qu'il concevait pour amener
l'entreprise à un niveau de développement supérieur.

Mariana savait qu'elle avait besoin d'une personne
d'expérience comme Robert, mais son intuition lui suggéra
qu'il n'était pas le leader qu'elle recherchait. Elle attendait seulement de lui qu'il signifie son adhésion à la philosophie de
l'entreprise ; mais il n'aborda pas cette question, omettant d'indiquer qu'il la comprenait et y adhérait. Bien que les hommes
siégeant au conseil d'administration l'eussent considéré comme
le candidat parfait, Mariana ne fut pas convaincue, et Robert
ne fut pas embauché. Il avait juste oublié d'assurer à Mariana
qu'il partageait sa philosophie.

Dans le milieu professionnel, les hommes ont tendance à se
focaliser sur les résultats à atteindre, oubliant de souligner les
idées des autres, ce qui donne l'impression qu'ils y sont indifférents. Si l'homme montre qu'il s'évertue à réaliser le meilleur
produit ou à fournir le meilleur service, mais sans parvenir à
démontrer qu'il a pris en compte les idées et les besoins des
personnes qui travaillent avec lui, il perd leur confiance, et
annihile leur créativité et leur envie de travailler, si précieuses
pour atteindre le résultat visé.

« Mais nous sommes le sujet ! »

Un des plus grands cabinets de Chicago cherchait à comprendre les raisons qui amenaient la plupart de ses meilleures
avocates à le quitter pour son principal concurrent. Le cabinet

chargea un groupe de travail, composé d'hommes et de femmes associés, d'identifier les causes financières ou autres qui conduisaient leurs meilleures collaboratrices à partir. Un homme associé, le plus ancien du cabinet, commença par étudier les chiffres et à évaluer les pertes financières liées au départ de ces femmes.

Les trois femmes incluses dans ce groupe de travail partagèrent leur expérience concernant les trois collaboratrices ayant quitté le cabinet, cherchant des similarités susceptibles d'expliquer leur départ. Les hommes, de leur côté, se concentraient plutôt sur leurs statistiques, l'attrition (perte de clientèle) qui en résultait, et l'effet du départ de ces femmes sur la facturation en taux/horaire par le cabinet.

Deux débats se dégagèrent : l'un sur les effets financiers de ces départs, et l'autre sur leur cause principale. Finalement, l'associé âgé, dans son effort pour reprendre les rênes de la discussion, demanda : « Mesdames, pouvons-nous revenir au sujet de la discussion ? » Les femmes, assez heurtées d'entendre insinuer qu'elles débordaient du sujet, répondirent : « Mais nous sommes le sujet ! »

« Si vous me laissez terminer… »

Les hommes ont l'habitude de s'interrompre les uns les autres lors de réunions ou dans les discussions à deux et ne prennent pas mal ces interruptions. Quand ils collaborent, c'est surtout dans un esprit de compétition, même s'il n'y a aucun point sur lequel s'affronter. Ils se coupent la parole pour donner leur avis ou se servir des idées des autres afin d'en apporter de nouvelles.

Nous l'avons déjà dit, on peut recourir à la métaphore du ballon de basket qui passe de main en main pour aboutir finalement dans le panier et marquer deux points. On peut voir la réunion comme un terrain de sport, l'ordre du jour comme un livret de jeu, et les décisions comme des points à marquer.

Dans chaque jeu, il y a des règles à respecter, et l'une des principales règles de ce jeu est que chaque idée lancée doit être en lien avec le sujet étudié. Si une proposition s'en éloigne, un des participants montrera son désaccord en rappelant le sujet initial. Pour atteindre le but final visé, un homme pense qu'il faut se focaliser sur les façons les plus efficaces et effectives d'y parvenir, en laissant de côté toutes les réflexions qui s'en écartent.

Interrompre est tout à fait naturel selon le mode de fonctionnement masculin, mais pas du tout selon le mode de fonctionnement féminin. Si un homme coupe la parole à une femme pour donner son avis ou un conseil, et si cette intervention est en lien avec le sujet, la dernière accusation à laquelle il s'attend est de ne pas écouter. Il pense que son interlocutrice va répondre « Bien vu ! », alors qu'elle pense : « Je ne cherche pas de conseil, je voulais juste organiser mes pensées. Alors, s'il te plaît, laisse-moi terminer. »

Les hommes adorent résoudre des problèmes et se sentent honorés quand on leur offre la possibilité de le faire. Exposer un problème à un homme est une invitation à ce qu'il donne des conseils. S'il perçoit de la frustration ou de l'angoisse dans la voix de la femme, il pensera qu'il est de sa responsabilité de l'aider et de la ramener à plus de sérénité.

Elle considérera qu'il ne l'écoute pas s'il l'interrompt au milieu d'une phrase en disant quelque chose comme : « Non, non, voilà ce que tu devrais faire… » Il pense que sa prompte réaction et la pertinence de son conseil prouveront à quel point il l'écoute. Et pourtant, la femme n'aura souvent souhaité qu'être écoutée, sans qu'on lui propose une solution.

Voici quelques exemples de phrases d'hommes ayant pour but d'interrompre pour donner un avis, pour ramener la discussion sur son sujet initial ou pour offrir un conseil à une femme, alors que celle-ci souhaite plutôt créer un dialogue, ce qui l'amène à croire qu'elle n'est pas réellement entendue.

Ce qu'elle dit	Ce qu'elle veut réellement dire	Comment sa réponse à lui montre qu'il ne l'écoute pas
D'abord, je dois te raconter cette histoire.	C'est pertinent et cela va m'aider à clarifier mon point de vue.	Je ne vois pas le rapport.
Peut-être devrions-nous prendre cet aspect en compte avant d'aboutir à une décision.	Cela vaut la peine d'y réfléchir deux minutes.	Je pense qu'on a déjà un bon plan d'attaque ici.
Puis-je poser une question ?	J'ai une meilleure idée.	Poursuivons et nous en viendrons aux questions par la suite.
J'ai été invitée à participer à cette réunion, mais j'hésite.	Je ne suis pas sûre de vouloir y aller.	Je pense que tu dois aller à cette réunion, point final.
Je n'arriverai jamais à finir pour ce soir.	Je me sentirai mieux si je peux en parler une minute avec toi.	Ne t'inquiète pas, ce n'est pas très important de toute façon.

Sur Vénus, on parle souvent afin de découvrir ce sur quoi on doit se focaliser, alors que sur Mars, on a plutôt tendance à se focaliser sur ce dont on va parler avant de s'exprimer. Parfois, une femme commence à exprimer des idées sans aucun rapport avec ce qu'elle va dire – par exemple : « L'autre jour, je parlais avec Stéphane, et ça m'a fait réfléchir... » –, pour finalement arriver au sujet qu'elle voulait aborder. Cela lui permet de faire le tri entre ses priorités et de clarifier dans son esprit le point le plus important qu'elle doit résoudre.

Les femmes explorent souvent les problèmes sous un angle plus large que les hommes et réfléchissent davantage aux conséquences des décisions qu'elles vont prendre : « Est-ce le plus bénéfique pour l'entreprise ? » ; ou : « Est-ce que ce sera la meilleure décision pour l'environnement ? »

Énoncer sa pensée permet souvent à une femme d'atteindre une meilleure compréhension du sujet qui la préoccupe. La formulation à voix haute l'aide à organiser ses pensées et à mieux en comprendre les tenants et les aboutissants. Si un homme vient s'immiscer dans le processus de réflexion, cela peut causer frustration et distraction pour sa collègue. Si elle se plaint de ne pas disposer de suffisamment de temps pour terminer une tâche dans le délai imparti, la meilleure manière pour l'homme de répondre serait : « Qu'est-ce qui te fait penser cela ? », car cela donne à la femme l'occasion d'y réfléchir et peut-être de se rendre compte qu'elle y parviendra très bien.

Les femmes n'interrompent en général pas leurs collègues femmes, parce qu'elles n'aiment pas être interrompues. Elles accordent à leur interlocuteur – masculin ou féminin – le temps de bien réfléchir et de partager ce qu'il ou elle a à l'esprit. Elles l'encouragent à poursuivre, par exemple, par une formule du genre : « Ah, vraiment ? Raconte-moi ça ! » Pour une femme, renforcer la qualité de la relation compte plus que de trouver une solution.

Les femmes ne jouent pas le même jeu que les hommes ; mais lorsqu'elles comprennent ce qui conduit les hommes à les interrompre, elles savent aussi comment les encourager à les écouter et à les soutenir sur le long terme. La tendance masculine est de résoudre les problèmes, et l'homme attend patiemment de savoir si c'est ce qu'on lui demande. La meilleure façon d'y parvenir est de l'exprimer très clairement : « J'ai besoin de ton aide, et j'aimerais bien connaître ton avis sur quelque chose. Mais avant, je dois t'exposer le contexte. »

« Il est facilement distrait. »

Solange se tient debout devant le bureau de son collègue et dit : « Pierre, je pense qu'on va avoir un gros problème avec ce fournisseur. La livraison n'est pas arrivée, et le client est en route. »

Pierre fixe l'écran de son ordinateur et paraît ne pouvoir en détacher son regard. L'écran semble contenir un trou noir qui a aspiré son attention. Pierre doit respecter un délai pour remettre son travail et, au lieu de regarder Solange, il continue à entrer des données dans son tableur tout en grommelant : « Euh… euh »

Solange continue à parler, lui exposant la situation en détail dans l'espoir de le détourner de son activité et qu'il prête attention à son problème. Pierre, lui, pense qu'il l'écoute alors qu'en réalité il lui accorde seulement 10 % de son attention.

Solange demande à présent d'une voix irritée : « Pierre, tu m'écoutes ? »

Pierre répond sans lever le nez de son écran : « Oui, j'entends bien… Un problème de fournisseur ? » Il aggrave la situation parce qu'il ne veut pas ralentir son rythme et il pense : *Ce qu'elle dit est-il plus important que ce tableur ?* Solange reste là, attendant que Pierre lui montre qu'il lui prête de l'attention. Il finit par dire : « Que disais-tu ? »

Quand un homme est en situation de stress, sa vision en tunnel se développe. Il a tendance à ne se focaliser que sur un objectif très délimité et à ignorer tout le reste. Pierre essaie d'assimiler ce que lui dit Solange, sans pour autant ralentir son rythme ; c'est trop stressant pour lui, alors que ça ne le serait pas forcément pour elle. Les femmes ont la capacité de se concentrer sur plusieurs tâches à la fois et gèrent mieux plusieurs problèmes simultanément. Elles ne parviennent pas à comprendre pourquoi les hommes fonctionneraient différemment. Et Solange de conclure : « Il n'écoute pas », ou pire : « Il fait exprès de ne pas me prêter attention. »

L'incapacité de Pierre à accorder sa pleine attention à Solange n'est en rien liée à sa personne mais, au contraire, à sa façon de communiquer. Si Solange n'expose pas immédiatement le fond du problème, l'attention de Pierre est redirigée vers d'autres soucis urgents et importants dont il s'occupait avant son arrivée. Si l'interruption avait été le fait d'un collègue, ce dernier n'aurait pas été offusqué. Il en aurait conclu : « Pierre est trop occupé, je reviendrai plus tard. »

Un homme qui se montre distrait, soit parce qu'il évite de regarder la personne qui s'adresse à lui, soit parce qu'il regarde sa montre, le plafond ou son téléphone pour y lire ses messages, donne l'impression aux femmes qu'elles ne comptent pas pour lui.

S'il a développé son intelligence des genres, cet homme détournera son regard de son ordinateur ou de la télévision, posera le journal ou le téléphone et accordera à la femme sa pleine attention. S'il est particulièrement stressé ou pressé, il pourra lui dire : « J'ai besoin de quelques minutes pour finir ceci, et puis je t'écoute, d'accord ? » Il lui transmet ainsi le message que ses besoins à elle comptent pour lui et qu'il a seulement besoin d'un peu de temps pour achever ce qu'il avait commencé. Ce message tout simple aide sa collègue à éprouver moins de stress et lui signifie qu'elle mérite qu'on l'écoute.

Le point de vue scientifique

Bien qu'il n'y ait pas de différences essentielles dans le degré d'intelligence des deux sexes, il existe des différences significatives entre les parties du cerveau dans lesquelles cette intelligence se révèle. La matière grise est le siège du processus de gestion des informations, et la matière blanche un ensemble de fibres nerveuses qui relient et connectent les centres de gestion. Les études montrent que les femmes disposent de plus de matière blanche que les hommes ; à l'inverse, les cerveaux masculins sont pourvus de davantage de matière grise. « En général, les hommes

---

ont environ 6,5 fois plus de matière grise, liée à l'intelligence générale, alors que les femmes disposent de 10 fois plus de matière blanche liée à l'intelligence connective[2]. Cela pourrait contribuer à expliquer pourquoi les hommes semblent se montrer plus compétents dans les tâches localisées dans le centre de gestion du cerveau, par exemple les mathématiques, alors que les femmes excellent davantage dans les domaines exigeant la connexion de la matière blanche aux lieux de matière grise, par exemple l'apprentissage des langues ou les raisonnements analytiques. Cependant, d'après les études, « les chemins neurologiques et la localisation des centres d'activité varient grandement entre les cerveaux masculin et féminin, mais aboutissent aux mêmes performances cognitives, telles qu'elles sont testées dans les tests de quotient intellectuel[3] ». Les distinctions physiologiques, et notamment au niveau de leur composition, entre les cerveaux masculin et féminin contribuent à expliquer les différentes façons de communiquer entre les sexes. Le cerveau féminin est conçu pour la communication et l'expression des sentiments ; et, étant en permanence en train d'absorber et de relier des données, il est plus actif que le cerveau masculin. Le niveau de préoccupation d'une femme sur un sujet précis l'incite à se connecter avec ses souvenirs passés enfouis dans le système limbique.

Les hommes éprouvent plus de difficulté à relier leurs émotions et leurs pensées, et à formuler ce qu'ils ressentent. Un homme répond souvent moins rapidement qu'une femme, parce qu'il lui faut davantage de temps pour intégrer l'information s'il établit une connexion. Il peut même ne pas répondre du tout s'il n'a créé aucun lien avec des souvenirs ou émotions passés. Par ailleurs, les centres du langage et de l'écoute sont particulièrement actifs quand un homme résout un problème, mais une fois la question résolue, ces régions du cerveau se désactivent.

Prenons un exemple. Quand une femme rentre du bureau, d'un voyage ou d'une visite à une amie, elle a beaucoup à partager et à raconter. Échanger et communiquer lui permet d'élever son niveau d'ocytocine et d'abaisser son niveau de stress. L'ocytocine est une hormone qui joue un rôle non seulement dans l'accouchement et l'allaitement, mais aussi en tant que neurotransmetteur dans le cerveau. Les scientifiques ont dégagé quatre comportements d'affection et d'attachement (les baisers, les câlins) qui élèvent le niveau d'ocytocine chez l'homme et chez la femme. Cette hormone joue aussi un rôle important dans les liens sociaux, ce que les chercheurs ont appelé la réponse « de rapprochement et d'amitié », qui se distingue de la réponse « de fuite ou de combat[4] ».

Quand une femme demande à son partenaire : « Comment s'est passée ta journée ? », ce dernier peut n'avoir rien à répondre, à moins qu'à son bureau, lors de son voyage ou d'une visite se soit produit un événement particulier. S'il répond : « Oh, rien de spécial ! », il est très vraisemblable qu'il ne cache rien à sa partenaire. Il n'y réfléchit pas et, dès lors, ne s'en souvient pas non plus.

Une femme s'offusque souvent du fait qu'un homme n'ait que peu à apporter à la conversation, supposant qu'il ne souhaite pas partager son quotidien avec elle, donc qu'il n'est pas enclin à l'écouter en retour. Pourtant, il n'a souvent que peu à partager, et cela n'a rien à voir avec elle.

En découvrant cette particularité, une femme peut se rendre compte qu'un homme peut être intéressé par ce qu'elle partage même si lui n'a rien à partager en retour. Quand elle cesse de le presser de parler, il se montre de meilleure volonté pour l'écouter ; de plus, cela stimule de nouvelles connexions dans son cerveau qui, avec le temps, l'inciteront à s'ouvrir davantage.

Implicite *versus* explicite

Il est indéniable que les femmes apportent un point de vue nouveau et des valeurs particulières à l'entreprise. Si les hommes voyaient que cette nouvelle perspective est susceptible de contribuer à trouver un meilleur plan d'action et à atteindre de meilleurs résultats, ils seraient plus enclins à envisager ces approches novatrices. Pour atteindre la réussite, une entreprise doit tenir compte à la fois d'une vision large et d'un passage à l'acte.

Les hommes et les femmes recourent à la parole pour nouer des liens, mais de façon assez opposée. Les hommes exposent des statistiques et des chiffres pour se rapprocher, les femmes partagent leurs observations et leur expérience. On peut penser que les hommes sont plus directs et ouverts, en exprimant leurs idées avec clarté et précision, et que les femmes se montrent en général plus indirectes ou implicites, partageant leurs idées de façon plus subtile. Il est intéressant d'établir ce constat : en général, les hommes pensent que parler de façon explicite est la manière la plus logique de penser et de communiquer ; les femmes, elles, pensent que leur approche, plus implicite, est aussi plus fine.

Lors d'une récente discussion sur les stratégies de leadership masculines et féminines, tenue dans l'une des plus grandes institutions financières, nous avons eu l'occasion de réfléchir à cette différence de perspective entre les sexes. La question était ainsi formulée : « Quelle est la façon de penser et de communiquer la mieux perçue ? »

Le directeur des Ressources humaines de l'institution financière dit à la sous-directrice des Ressources humaines pour l'Amérique du Nord : « Lors de notre dernière réunion sur la stratégie, je n'ai pas entendu les idées des femmes leaders d'Amérique du Nord et du Canada concernant les trois stratégies globales prioritaires. Il semble que ces femmes n'étaient pas impliquées dans ce projet. »

Sa subordonnée lui répondit : « Oh si, les femmes leaders étaient impliquées dans ce projet. À aucun moment je n'ai perçu leur manque d'engagement. Il est vrai que leurs commentaires ont parfois entraîné la discussion dans de nouvelles directions, mais seuls les hommes ont considéré que les femmes n'étaient pas suffisamment impliquées dans les priorités stratégiques. Les femmes pensaient le contraire, mais n'ont pas eu l'occasion de soumettre leurs idées. »

Lorsque je coache des femmes, j'insiste souvent sur le fait qu'il existe une autre façon de communiquer pour les femmes et une autre façon d'écouter pour les hommes, que chacun doit apprendre et adopter dans la sphère professionnelle. Les hommes doivent apprendre à apprécier les capacités des femmes à réfléchir aux problèmes de façon large et en prenant en compte toutes les conséquences. Les femmes, quant à elles, doivent apprendre à exprimer leurs pensées d'une façon compréhensible pour les hommes, afin qu'ils puissent les prendre en compte.

Voici un exemple de ce qu'aurait dû répondre la sous-directrice des Ressources humaines : « Une de nos quatre priorités stratégiques est l'innovation, et ce que je vais vous présenter maintenant y est directement relié. »

Le point de vue personnel : partenaires et parents

Dans nos séminaires, les femmes dévoilent souvent que leur principale source de déception concernant leurs relations amoureuses est liée au fait que les hommes n'écoutent pas. Une femme qui n'a pas l'occasion de discuter de sa journée ne dispose pas d'autres possibilités pour faire diminuer son stress.

Si ses besoins ne sont pas comblés, quels que soient les gestes de son partenaire à son égard – lui rapporter un plat tout préparé, faire la vaisselle ou promener le chien après le dîner –, elle considérera toujours qu'elle ne reçoit pas suffisamment de sa part.

Quand une discussion a effectivement lieu, elle ne doit pas forcément être calquée sur le modèle habituel des discussions entre femmes, qui échangent et partagent leurs émotions chacune à son tour. Un homme ne pense pas et ne répond pas comme le ferait une femme. Voilà pourquoi la phrase « Il faut qu'on parle » effraie tant un homme : il a peu à dire. Pressé de devoir s'exprimer, il se montrera irrité et sur la défensive, ou n'accordera pas sa pleine attention à sa compagne... qui en sera d'autant plus stressée. Pour éviter que ces frictions dégénèrent en disputes, les hommes doivent apprendre à écouter sans interrompre pour tenter de « résoudre le problème ».

Mais un homme assuré de ne pas avoir à s'épancher à son tour est bien plus motivé pour écouter. Si son écoute peut rendre la femme heureuse et qu'elle ne demande à l'homme rien de ce qu'il n'est pas à même de donner, il sera d'autant plus ouvert à l'idée de l'écouter et, paradoxalement, en arrivera à partager davantage.

Non seulement il est plus intelligent de se comporter ainsi, mais c'est aussi un acte d'amour et de gentillesse de la part d'un homme que d'accorder la priorité au besoin de sa femme de s'exprimer – sans résoudre ses problèmes à sa place. L'écoute que son partenaire lui aura offerte aidera une femme à trouver la solution au problème qui la taraudait. Et autant les hommes doivent apprendre à mieux écouter, autant les femmes doivent apprendre à partager sans attendre que leur partenaire change son fonctionnement naturel. Si, en s'exprimant, la femme souhaite aussi faire passer un message à son partenaire, le faire évoluer ou le culpabiliser, le résultat sera désastreux : il se sentira manipulé et se montrera bien moins enclin à l'écouter par la suite.

Si une femme se préoccupe trop des émotions de son partenaire, elle aura tendance à se montrer maternelle ou directive, lui ôtant la possibilité d'assumer ses propres responsabilités. Cela affaiblit l'homme et se révèle un fardeau trop lourd à porter pour la femme. Il faut en outre s'attendre à ce qu'il se détourne d'elle lorsqu'elle lui parle.

On peut observer le même phénomène entre mères et fils, et cela peut même s'aggraver selon la façon dont les parents réagissent. Les mères se plaignent souvent que leur fils ne les écoute pas. Cela vient du fait qu'elles leur donnent souvent trop de directives et de conseils. Les mères perdent le respect de leur fils en leur donnant trop d'ordres, puis en se plaignant que leur fils n'est pas de bonne volonté pour faire ce qu'elles demandent. Les garçons ont généralement besoin de plus d'indépendance et d'espace que les filles. Ils ont un besoin plus marqué de prouver ce dont ils sont capables seuls. Un excès d'aide maternelle est interprété comme un manque de confiance, et au fil du temps le garçon prêtera moins d'attention aux remarques de sa mère et s'éloignera d'elle.

La façon dont un mari traite sa femme joue aussi un rôle important dans la façon dont leur fils traitera sa mère. Si son père ne réagit pas aux demandes de sa mère, le fils reçoit clairement le message suivant : il n'a pas à y réagir non plus. Un père ne devrait jamais rouler des yeux devant son fils quand la mère lui adresse une demande. Cette expression, qui peut sembler inoffensive, est le signe d'un manque de respect, et leur fils en conclura que les femmes en général ne méritent pas d'être respectées.

CHAPITRE 8

LES FEMMES SONT-ELLES TROP ÉMOTIVES ?

Réponse de femme : « Non ! »
Réponse d'homme : « C'est une blague ? »

Oui, les femmes sont émotives, et elles ont tendance à exprimer ce qui leur arrive – leurs joies, leurs frustrations, quelle qu'en soit l'importance – plus souvent que les hommes. Pour autant, cela signifie-t-il qu'elles sont *trop* émotives ? Manifestement, les femmes ne le pensent pas. Et la plupart d'entre elles considèrent au contraire que les hommes ne manifestent pas suffisamment leurs émotions.

En réalité, les hommes sont tout aussi émotifs que les femmes, mais ils ont tendance à masquer leurs sentiments et ne pourront les révéler qu'en cas de stress intense, et seulement auprès de personnes très proches. Les femmes, au contraire, expriment leurs émotions ouvertement et partagent leurs aventures non seulement avec leurs familles et avec leurs amis, mais aussi avec des inconnus. En règle générale, on peut observer que la plupart des femmes aiment partager leurs histoires, alors que les hommes cherchent à prendre de la distance et à se retrouver seuls.

Données sur les spécificités hommes-femmes[1]

• Un homme pourra raconter une expérience négative à d'autres personnes, jusqu'à trois d'entre elles, mais seulement s'il les connaît.

• Une femme pourra raconter une aventure négative ou positive à d'autres personnes, jusqu'à trente-deux d'entre elles, même si elle ne les connaît pas ou si elles ne sont pas concernées.

Coincé dans les embouteillages

Évaluons cette comparaison au moyen d'un petit test. L'heure de pointe est considérée comme stressante partout dans le monde. Et les émotions des hommes et des femmes coincés dans les embouteillages – surtout s'ils sont en retard pour un rendez-vous – ne diffèrent pas, que cela se passe à Los Angeles, à Paris, à Dubaï ou à Tokyo.

Hervé est très énervé, et au bout de deux minutes il ne cesse de klaxonner. Il bout intérieurement en regardant ces rangées de feux de voitures devant lui. Mais faire des reproches à tous les autres conducteurs ne va pas l'aider à avancer plus vite ; alors il se calme, allume la radio et reprend ses esprits. Il se raisonne pour retrouver un état plus zen : « Pourquoi ça m'arrive toujours ? Je ne devrais plus être coincé. La prochaine fois, je partirai plus tôt. »

Anaëlle est assise dans la voiture juste à côté de celle d'Hervé et elle est en retard pour sa réunion. Elle commence à penser aux conséquences de son retard et cela augmente son niveau de stress. Elle appelle une amie pour s'épancher : « Julie, tu ne vas pas croire ce qui m'arrive. Je vais déranger tout le monde avec mon retard. Je suis vraiment désolée ! Et le mec dans la voiture d'à côté n'arrange pas les choses en klaxonnant sans arrêt. Il devrait apprendre à mieux contrôler ses émotions. »

Quand les hommes éprouvent de fortes émotions, ils ont tendance à exploser s'il s'agit d'un problème grave, ou à se calmer et à rester silencieux s'il n'y a rien à faire pour améliorer la situation. Ils se focaliseront sur autre chose pour détourner leur attention.

Les femmes ne réagissent pas aussi calmement et ne peuvent pas détourner leur attention aussi facilement que les hommes. Elles ont tendance à prendre la situation sur un plan personnel – en s'adressant des reproches à elles-mêmes – et trouvent des personnes auprès desquelles s'épancher, plutôt que de s'énerver et d'adresser des reproches comme le font les hommes.

Alors, que répondre à la question posée en début de chapitre : les femmes sont-elles trop émotives ? Tout est relatif. Les hommes et les femmes gèrent et expriment leurs émotions de façons différentes. Sur son lieu de travail, un homme a tendance à ne montrer que très peu d'émotions au cours de la journée, tant en réunion d'équipe que dans ses échanges avec ses collègues. Une collègue – et même un collègue – aura des difficultés à décrypter ce qu'il ressent. Une femme, au contraire, exprimant ce qu'elle éprouve de manière passionnée, que ce soit lié à un projet ou à un client, passe souvent pour trop émotive aux yeux de son collègue homme. Mais trop émotive par rapport à qui ? Par rapport à lui et à la façon dont il réagirait dans la même situation ?

Au travail, un homme qui trouve une femme trop émotive a tendance à l'éviter ou à essayer de tempérer ses émotions en lui apportant une réponse rapide : « Ne t'en fais pas » ou « Ce n'est pas si grave ». Ce faisant, non seulement il se trompe sur sa réaction, mais il passe aussi à côté d'un point de vue intéressant pour lui : la femme en proie à ses émotions peut renouer avec des expériences passées, liées ou non au problème actuel, qui influenceront son intuition.

Pourquoi les femmes montrent-elles leurs émotions ?

Hommes et femmes sont indéniablement des créatures émotives. Les êtres humains éprouvent des émotions. La distinction s'établit plutôt dans la façon dont ils les expriment. Les femmes ont tendance à exprimer davantage leurs joies, leurs passions et leurs soucis. Aux yeux des hommes, leurs réactions paraissent souvent imprévisibles. L'homme en déduit que la femme se trouve dans une situation de stress intense, alors qu'elle souhaite seulement partager un peu de joie ou évacuer un léger stress. Les hommes racontent parfois comment ils réagissent face à ces débordements émotionnels : « Elle a l'air vraiment bouleversée. Je ne sais pas pourquoi, mais je préfère ne pas rester dans les parages. » Parfois, un homme décrypte mal ce débordement émotionnel, imaginant alors qu'il doit intervenir pour réconforter la femme – « Ne t'en fais pas » –, alors qu'elle attend seulement un peu d'écoute attentive. Les femmes évacuent leur stress en exprimant leur point de vue et en partageant leurs émotions. Cela ne signifie pas qu'elles se plaignent ou ont besoin de conseils. Cela ne signifie pas non plus qu'elles ont oublié toute rationalité et sont incapables de gérer la situation. En fait, les femmes sont bien mieux capables que les hommes d'éprouver des tempêtes émotionnelles tout en réfléchissant de façon rationnelle.

En partageant ce qu'elle vit, une femme se donne la possibilité de s'écouter. Elle se souvient de situations passées, les compare, retrouve des souvenirs enfouis et, au cours de ce processus, trouve une solution et évacue la pression qu'elle ressentait. Ne pas avoir l'occasion de partager ses sentiments avec une autre personne prolonge son état de stress et la coupe du bien-être et du bonheur qu'elle pourrait ressentir.

Pourquoi les hommes cachent-ils leurs émotions ?

En comparaison avec les femmes, les hommes montrent bien moins leur côté émotionnel. Sur Mars, l'autonomie compte beaucoup : donc, laisser échapper une tempête émotionnelle n'est pas un signe de self-control. L'obligation de rester digne, apprise dans l'enfance, est confirmée dans chaque film ou chaque livre représentant un héros, sans peur, courageux, stoïque et seul face à l'adversité. On comprend mieux à quoi correspond l'idéal masculin dans notre culture.

Le rôle joué par nos parents compte encore plus que l'influence des personnages de fiction. La plupart des hommes ont connu leur père émotionnellement distant, ne pleurant ou ne montrant d'affection que rarement, voire jamais. Les comportements de nos parents et proches jouent un rôle très important pendant notre adolescence ; ils façonnent souvent nos comportements d'adulte. Bien sûr, les hommes éprouvent aussi des émotions et peuvent les exprimer, mais souvent avec moins d'intensité que les femmes.

Voici quelques exemples de situations quotidiennes du monde professionnel, et les réactions d'hommes et de femmes qui illustrent les émotions des uns et des autres face au même événement. En fin de compte, les femmes considèrent que les hommes n'expriment pas assez d'émotions, et les hommes trouvent les femmes trop émotives.

La situation	Réaction de femme	Réaction d'homme
L'équipe de vente est en train de perdre un client important.	Pourquoi l'avons-nous perdu ? Qu'avons-nous fait de mal ? Qu'ai-je fait de mal ?	En période de crise, chacun réduit ses budgets. Il reviendra une autre fois.
Un membre de l'équipe est licencié.	Comment va-t-il s'en sortir ? Que va-t-il arriver à sa famille ?	Ne t'en fais pas, il va retomber sur ses pattes.
Un membre de l'équipe obtient une promotion.	Je suis tellement contente pour toi ! Il faut qu'on fête ça !	Super pour lui. J'espère que ce sera mon tour la prochaine fois.
L'entreprise a gagné un nouveau gros client.	On en a tellement bavé pour y arriver ! Félicitations à tout le monde pour ce super boulot !	Bravo ! Gagnons-en un autre !

La réaction masculine face au stress est d'extérioriser le problème, afin de rester calme et détendu, et de se focaliser sur sa solution. Un homme sera souvent silencieux, s'isolera, ou s'enfermera dans un mutisme pendant un certain temps, même s'il assiste à une réunion. Il commence son processus interne de résolution de problème seul.

Quand un homme se sent débordé par un problème ou ne peut gérer une situation stressante, il compense son insécurité en étalant ses compétences et ses prouesses aux yeux des autres : « On va y arriver, on va battre ces gars, et on va gagner ! » S'il est vraiment dépassé, alors seulement il explose : « C'est un problème que nous devons régler immédiatement. »

Il y a une subtilité à souligner dans cette distinction homme-femme. Une femme confrontée à un problème, mineur ou majeur, n'éprouve pas le besoin de compenser sa réaction émotionnelle, ni de remettre à plus tard la résolution du problème. Elle ne se sent pas forcément impuissante. En général, elle pense : « J'ai le pouvoir de résoudre ce problème, mais je dois me connecter avec mes émotions en en parlant avec quelqu'un, et je trouverai la solution. »

« Passe-moi simplement la boîte de mouchoirs. »

La réunion fiscale semestrielle fut probablement la pire à laquelle l'entreprise eût jamais eu à faire face. La crise avait des répercussions sur tous les départements de l'entreprise. Les deux femmes siégeant au comité du budget se montrèrent émues à l'idée de devoir fermer un des bureaux et de licencier plus de 75 salariés. Marie, qui ne voulait pas montrer ses larmes, dit d'une voix étranglée : « Je n'arrive pas à croire qu'on va licencier tous ces gens. »

Marc réagit rapidement : « Bon, on fait une pause, et vous pouvez aller toutes les deux vous rafraîchir et vous reprendre avant qu'on continue. Retrouvez votre calme et prenez le temps dont vous avez besoin, puis nous reprendrons. »

Carine réagit la première, assez énervée par la proposition de Marc : « Qu'est-ce que tu veux dire ? C'est bien la dernière chose que nous souhaitons. Je ne perds pas mes moyens ! J'exprime juste mes émotions, et je sais que Marie aussi. Passe-moi simplement la boîte de mouchoirs et revenons aux chiffres. Peut-être pouvons-nous fusionner les deux divisions et les relocaliser, et éviter d'aggraver les pertes. Si on licencie tous ces employés, cela risque de nous faire perdre aussi une partie de la clientèle. »

Cette situation constitue un défi, tant pour les hommes que pour les femmes. Ces dernières offrent en général une réponse plus émotionnelle que celle de leurs collègues hommes, et expriment une réaction plus vive. Les hommes en concluent à tort que, emportées par leurs émotions, elles ne peuvent plus réfléchir calmement ni gérer la pression du travail.

Le point de vue scientifique

Nous avons eu l'occasion de l'étudier au chapitre 3, les femmes ont un système limbique – la partie du cerveau regroupant l'hippocampe et l'amygdale, qui constitue le siège des émotions et de la motivation – plus large que celui des hommes.

La mémoire à long terme est conservée dans l'hippocampe. Il est deux fois plus actif chez la femme. Voilà pourquoi les femmes sont souvent plus efficaces pour gérer et encoder les expériences émotionnelles, et pour les relier à des situations passées. Plus l'émotion est forte, plus l'afflux de sang dans l'hippocampe est important, déversant un flot de souvenirs. Il en résulte une réaction plus intense, vivante, émotionnelle et marquée par les souvenirs[2].

Même sous l'effet d'un stress modéré, une femme a, dans le système limbique, un flux sanguin huit fois plus important qu'un homme soumis au même niveau de stress. Elle a donc tendance à penser à tout ce qui pourrait mal se dérouler, en fonction de ce qui s'est passé lors d'expériences précédentes. Elle se sent obligée d'exprimer ses émotions pour trouver une solution, et plus elle pourra en parler, plus vite son stress sera évacué.

Par comparaison, soumis à un stress modéré, un homme ne subit qu'un apport minimal sanguin dans son système limbique, et bien moins de connexions neuronales à des expériences du passé. En règle générale, un homme doit éprouver un stress très intense pour faire l'expérience de la même quantité de flux sanguin que la femme en situation de stress modéré ; lorsque le niveau de flux sanguin est effectivement identique, il est généralement plutôt localisé dans l'amygdale, ce qui permet à l'homme de gérer le problème... ou de l'ignorer.

L'amygdale du cerveau masculin, bien plus large que celle du cerveau féminin, dispose de connexions neuronales directes avec d'autres régions du cerveau, comme le cervelet, ce qui permet à l'homme de réagir rapidement à un stimulus sensoriel, de se concentrer sur les facteurs extérieurs et d'agir immédiatement.

Si les femmes ont tendance à intérioriser, les hommes extériorisent plutôt ; ils ne reviennent pas sur des expériences passées, mais se concentrent sur l'instant présent. Les hommes répondent plus vite que les femmes aux stimuli parce que leurs pensées ne sont pas emplies de connexions émotionnelles avec des situations antérieures.

Les distinctions entre les systèmes limbiques féminin et masculin permettent à chacun des sexes de protéger et de défendre les autres (et eux-mêmes) de façon instinctive depuis des dizaines de milliers d'années. Les femmes protègent par la réflexion, la connexion et le relationnel, alors que les hommes défendent par des décisions rapides, une concentration exceptionnelle et une action immédiate dénuée d'émotions encombrantes.

Tenter de trouver les mots appropriés

Le 11 septembre 2011, les femmes volontaires qui appelè-rent les épouses, les parents et les enfants des personnes sans doute décédées pendant l'effondrement des tours jumelles à New York furent plus à même de témoigner de l'empathie et de se rapprocher des familles des victimes que leurs collègues hommes. La plupart des hommes volontaires, bien qu'animés des meilleures intentions, se trouvèrent démunis, cherchant leurs mots. Ils éprouvaient les pires difficultés à exprimer leur empathie. Ils ressentaient de la compassion, mais ne savaient comment la traduire en mots de réconfort vis-à-vis des per-sonnes inconsolables qui traversaient les pires moments de leur existence.

« Je ne pouvais pas la calmer. »

Les hommes secouristes volontaires, ravalant leurs larmes, décrivaient leurs échanges avec les membres des familles des victimes, leurs gestes et leurs propos, parce que revenir sur les données réelles leur permettait de surmonter ce moment d'in-tense émotion.

« Notre équipe a été appelée pour assister certaines des familles. Donc, vers 10 heures, nous avons commencé à prendre les appels, se souvient un des hommes. Les femmes, les maris, les fils, les filles, tous paniquant au téléphone, me donnant le numéro d'étage où travaillait la personne qu'ils aimaient, et me disant si le bureau était situé dans la tour sud ou la tour nord, me demandaient si je connaissais les noms des survivants. Chacune de ces personnes était désespérée. Je me souviens d'une femme qui venait d'apprendre le décès de son mari. Elle avait vu en boucle à la télévision le crash du premier avion dans la tour et constaté qu'il l'avait emboutie à peu près à l'endroit exact où travaillait son mari. Je ne savais pas quoi lui dire… Et quand elle s'est tue après m'avoir exposé ses craintes, j'ai su que je devais lui répondre quelque chose, mais tout ce que j'ai trouvé, c'était : "Ne vous en faites pas. On n'est encore sûrs de rien, ne vous en faites pas." Ça ne l'a pas du tout aidée, se rappela-t-il, des larmes roulant sur ses joues. Mais je me sentais obligé de la soutenir. »

Les hommes éprouvent de grandes difficultés à communiquer leurs sentiments, ils sont donc souvent perçus comme manquant de flexibilité, de compassion et d'intérêt. Mais ce n'est pas forcément vrai. Les hommes éprouvent des émotions, simplement ils s'y connectent et les expriment avec moins d'aisance que les femmes. On les entend souvent dire : « Bien sûr, j'y attache de l'importance, mais je ne parviens pas à trouver les mots. »

« Je n'avais plus de larmes, mais j'ai su trouver les mots. »

Les femmes secouristes volontaires semblaient toutes porter la douleur des membres des familles de victimes avec lesquels elles parlèrent ce matin-là. Une femme, le visage blanc comme neige, et toute tremblante, se souvient des rencontres qu'elle a faites ce jour-là.

« Il était 11 h 30 quand j'ai reçu l'appel d'une jeune fille, fille unique d'un père et d'une mère travaillant tous deux dans la tour sud, qui s'était effondrée une demi-heure plus tôt. Ni sa mère ni son père ne lui avaient téléphoné. Nous avons parlé durant une vingtaine de minutes, et je l'ai aidée à localiser la personne à contacter à la Croix-Rouge pour obtenir du soutien. Ensuite, j'ai pleuré avec elle pendant je ne sais pas combien de temps. Je pleurais sans arrêt depuis 9 heures du matin, et je n'avais plus de larmes, mais j'ai su trouver les mots pour elle. Je l'ai questionnée sur les autres membres de sa famille, ses oncles et tantes. Je lui ai dit à quel point ils l'aimaient et qu'ils prendraient certainement contact avec elle. Je lui ai proposé de la rappeler dans la soirée, mais elle m'a suppliée de ne pas raccrocher jusqu'à ce qu'une personne de la Croix-Rouge arrive chez elle. Alors, c'est ce que j'ai fait. »

Les femmes ont tendance à porter plusieurs casquettes, à jouer plusieurs rôles dans leur vie, et à s'adapter plus facilement à chaque nouvelle situation qui surgit. Une femme décrypte plus aisément les besoins des autres et montre son empathie plus rapidement qu'un homme dans la même situation au même moment. Une femme qui gère des employés, dirige une équipe, se charge d'une présentation à un client, s'occupe d'un bébé ou d'un adolescent est capable de s'adapter aux spécificités de la situation et d'aligner ses sentiments sur ceux de l'autre personne.

Les hommes tendent à porter une seule casquette, à ne jouer qu'un rôle : être un homme. Et les hommes apportent en général le même état d'esprit dans chacune des situations, qu'ils gèrent leurs employés, animent leur équipe, parlent avec un ami, passent du temps avec leur partenaire ou leurs enfants adolescents.

Il semble que, dans toutes les cultures, un seul rôle soit dévolu aux hommes, et ce depuis leur adolescence : ils apprennent, par le biais de leur famille et de la société, qu'ils seront jugés sur leur capacité à se montrer forts, à garder leur calme et à ne pas montrer leurs émotions. C'est dommage et, surtout, cela constitue un frein pour eux, incapables la plupart du temps d'exprimer leurs sentiments ou très mal à l'aise à cette idée. Ils éprouvent souvent de la confusion au côté des femmes qui partagent les leurs. Cela constitue un handicap pour les femmes dans la sphère professionnelle, car elles ont l'impression de devoir elles aussi cacher et retenir leurs émotions, et se montrer aussi calmes et émotionnellement détachées que leurs collègues hommes, afin de prouver qu'elles aussi ont bien la situation en main.

Les femmes témoignent souvent de leur malaise à l'idée d'exprimer leurs sentiments profonds au bureau, qu'il s'agisse de bonheur, de frustration ou de peur. Elles craignent de passer pour faibles ou irrationnelles auprès de leurs collègues hommes. Je ne peux vous dire le nombre de fois où j'ai entendu : « Vous rigolez ! Ne jamais montrer aucune émotion au boulot. Surtout, ne jamais les laisser vous voir pleurer ! »

« Ne t'attends pas à ce que je dise "Merci" ! »

Karine descendit les marches du train, et le soleil l'aveugla soudain. Elle atteignit l'immeuble dans lequel elle travaillait, sachant vers quoi elle se dirigeait. Elle savait que sa société de publicité allait procéder à des licenciements économiques et qu'elle recevrait probablement son préavis de départ.

Ils attendront 16 h 30 pour me le dire, pensa-t-elle, *pour bénéficier pendant une journée supplémentaire de mon travail.* En traversant le carrefour encombré, elle imagina la situation… *Je serai convoquée dans son bureau, et il sera tout gêné, cherchant les mots pour m'expliquer à quel point il est ennuyé pour moi et combien cela lui manquera de ne plus m'avoir dans son équipe. Il terminera en m'assurant que je retomberai rapidement sur mes pieds.*

Karine dit à voix haute : « Ne vous imaginez pas que je vais vous dire merci », pour s'entraîner à prononcer ces mots. Et elle pensa : *Je ne vais montrer aucune émotion ! Je prendrai la lettre de licenciement et je partirai.*

« J'aurais dû ne rien dire ! »

Magali rassembla ses documents, son ordinateur et son téléphone avant de se diriger vers les ascenseurs. La réunion habituelle du lundi matin serait identique à toutes les précédentes. *Je pense chaque semaine à cette réunion, et elle me gâche toujours mon week-end. Je n'arrive plus à dormir et François croit que je suis fâchée contre lui*, se dit-elle.

Elle s'assied à sa place habituelle, au bout de la salle de conférence, et poursuit son monologue intérieur… *Les hommes voudront se battre pour obtenir l'attention. Ce n'est pas mon style, et je ne pense pas qu'ils m'apprécient de toute façon. J'étais la seule à me prononcer en défaveur du projet la semaine dernière. C'était idiot de ma part. Je n'aurais jamais dû dire ça. Je ne dirai rien aujourd'hui. Les gars de l'équipe disent toujours que je veux leur mettre des bâtons dans les roues pour leurs projets. Ils pensent que l'émotion que j'exprime est de la colère, mais c'est seulement de la passion. Je ne vais plus montrer mes émotions. Et je vais chercher un autre travail.*

Le manque d'intelligence des genres dans la sphère profes-sionnelle génère souvent chez les femmes l'impression de ne pas avoir le droit de s'exprimer, même si ce qu'elles ont à dire est intéressant. La compétence naturelle d'une femme à voir les événements sous un angle global et à les lier les uns aux autres la conduit à faire preuve d'une plus grande prudence dans la prise de décisions. Pourtant, il lui arrive souvent d'avoir l'impression de ne pas avoir le droit de partager ses intuitions si elle veut être considérée comme faisant partie de l'équipe.

Tout naturellement, les hommes ne se souviennent pas des expériences passées. Motivés par les résultats, ils ne prêtent guère attention aux conséquences de leurs actes. Une seule chose les préoccupe : l'objectif à atteindre. Leur attitude se résume ainsi : « Faisons-le et voyons ce qui se passe. »

Chez un homme, le processus décisionnel tend à être court et réactif. C'est pourquoi, la plupart du temps, les hommes passent à côté des réflexions des femmes : ils interprètent à tort leurs réactions comme négatives et voient leurs hésitations comme des obstacles qui les empêchent d'avancer.

Oui, les femmes sont émotives, mais c'est une réaction pro-fitable. Elles apportent une réflexion à long terme qui manque souvent dans le monde des affaires. Lorsqu'elles soulèvent un point, ce n'est pas pour mettre fin au processus en disant « Non », mais plutôt « Réfléchissons à ceci d'abord ». Cela ne signifie pas qu'elles se plaignent ni qu'elles manquent de foi dans le projet, et le point qu'elles soulèvent n'a pas non plus besoin d'être résolu immédiatement. Elles se sentent obligées d'évoquer les points qui pourraient poser problème et d'attirer l'attention des autres membres de l'équipe sur toutes les conséquences possibles des décisions que tous sont sur le point de prendre, afin peut-être de prendre une décision encore meilleure.

Des hommes capables de voir les interventions féminines comme des atouts sont mieux préparés pour anticiper ce qui pourrait tourner mal dans l'avenir, en fonction de ce qui s'est mal passé auparavant, et peut-être même pour trouver des solutions alternatives plus sûres.

Voici quelques exemples de la façon dont une femme peut partager ses idées ce qu'elle pense réellement, sur un ton ému, et comment un homme initié à l'intelligence des genres peut le comprendre et profiter de son raisonnement.

Ce qu'elle dit	Ce qu'elle pense	La bonne réaction pour un homme
Cela aura un impact négatif sur un trop grand nombre de nos clients.	Je sais bien que seul un petit nombre sera concerné, mais cela pourrait être le signe d'un problème sous-jacent.	Cela vaut la peine d'y jeter un coup d'œil maintenant plutôt que de devoir le refaire par la suite.
C'est trop risqué ! Nous n'avons aucune certitude que cela va marcher.	Je veux entrer sur ce marché autant que toi, mais nous avons besoin de davantage d'informations.	Je ne vois pas les conséquences possibles, mais toi, oui. Nous pourrions être engagés d'une façon que nous n'avons pas bien évaluée.

Ce qu'elle dit	Ce qu'elle pense	La bonne réaction pour un homme
Nous sommes en train de commettre une grave erreur.	Je ne suis pas encore prête à prendre cette décision. J'ai toujours des doutes.	Réfléchissons-y davantage et prenons le temps d'en discuter.
Je n'ai vraiment pas assez de personnel. Je ne peux pas augmenter ma charge de travail.	Je veux seulement que tu remarques tout le travail que j'assume.	Je n'étais pas conscient de la situation. Quelles sont les possibilités ?

Dans chacun des exemples ci-dessus, valider la perspective féminine ne signifie pas forcément qu'un homme doit être d'accord avec les sentiments de sa collègue ou avec ses intuitions. Son ton ému laisse entendre, selon lui, qu'elle est animée de sentiments négatifs et que son esprit est fermé, mais aucune de ces deux suppositions ne reflète nécessairement la réalité.

La réaction émotionnelle d'une femme et ses réflexions sur le long terme complètent très bien l'esprit d'action d'un homme. Celui-ci peut alors bénéficier de cette invitation à prendre un peu plus de temps pour penser aux conséquences de certaines décisions, au lieu d'agir dans l'urgence. Et les femmes peuvent bénéficier de l'énergie et de la volonté d'aller de l'avant des hommes de leur équipe.

Lorsque hommes et femmes apprennent à se soutenir plus efficacement dans la sphère professionnelle, les tensions émotionnelles disparaissent, remplacées par la coopération et la collaboration. Résultat : une meilleure résolution des problèmes, une prise de décision plus sage et une plus grande productivité.

Le point de vue personnel

Les femmes disposent d'une immense capacité à ressentir et à exprimer la joie, le plaisir et la plénitude, même pour les petites choses de la vie. Une femme peut aussi éprouver et révéler des émotions d'aussi grande ampleur de stress ou d'angoisse. Devant son émotion, qu'il s'agisse d'exaltation ou de désespoir, qu'elle soit modérée ou sévère, une femme se sent obligée de partager ses sentiments, surtout avec la personne qui compte le plus pour elle – son partenaire.

Mais le fait qu'elle souhaite partager ce qui lui est arrivé au cours de la journée ne signifie pas qu'elle y attache une importance particulière. S'il s'agit d'une expérience joyeuse, et qu'elle a envie de la partager avec son partenaire, c'est bénéfique pour leur relation, car cela peut lui apporter plus de profondeur et d'intimité. S'il s'agit d'un problème qui la préoccupe, même s'il n'est pas vraiment stressant, l'exprimer lui permet de prendre du recul et d'y réfléchir pour trouver sa propre solution.

Le cerveau masculin n'est pas organisé pour renouer avec les expériences passées – bonnes ou mauvaises – de façon aussi aisée et vivante que le cerveau féminin. Il arrive qu'une femme ait envie de partager et que son partenaire s'interroge : « Si ce n'est pas si important, pourquoi y passe-t-elle tant de temps ? »

Voici quelques exemples de remarques émanant de femmes désireuses de partager une expérience émotionnelle, et la façon dont leur partenaire peut passer à côté de cette occasion de rapprochement. Nous montrerons aussi comment formuler une réponse plus attentionnée, en reconnaissant les sentiments que la femme éprouve et en renforçant les liens de leur relation.

Ce qu'elle dit	Comment il passe à côté du moment	Comment il peut mieux se connecter
Est-ce que toi aussi, tu as adoré ce film ?	Ouais, il était pas mal. Tu veux de la glace ?	Oh oui, quelle belle histoire ! Quel est le moment que tu as préféré ?
Je pense que c'est le meilleur saumon que j'aie jamais cuisiné.	Tu es une bonne cuisinière. Qu'y a-t-il comme dessert ?	Il était vraiment parfait. Qu'as-tu fait différemment cette fois-ci ?
J'ai perdu un gros client aujourd'hui. Parfois, je me demande si je vais y arriver.	Tu t'inquiètes trop. Ce n'est pas si grave.	Qu'est-ce qui s'est passé ?
Je suis tellement stressée à l'idée de devoir licencier ma collaboratrice.	J'ai déjà dû licencier des personnes dans le passé. Tu le fais et tu passes à autre chose.	Qu'est-ce qui te tracasse le plus : la licencier ou devoir trouver quelqu'un d'autre ? ou les deux à la fois ?
Tu te souviens quand on est venus manger la toute première fois ici ?	Non, pas vraiment.	Je ne m'en souviens pas. C'était quand ?

Les femmes doivent garder présent à l'esprit qu'elles ont des souvenirs plus vivants que ceux de leur partenaire. Et lorsque, à l'époque, elles ont éprouvé une vive émotion, leur mémoire l'aura d'autant mieux imprimée. Une femme ayant acquis une bonne intelligence des genres ne s'offusque pas si son partenaire a oublié les détails. Les hommes n'ont pas les mêmes filtres que les femmes. Cela ne signifie pas qu'ils ne prêtent pas attention aux détails ou que cela ne compte pas à leurs yeux. Ils n'en n'ont simplement pas gardé le souvenir.

Et de façon tout aussi importante, un homme qui a développé une bonne intelligence des genres ne ridiculisera pas sa femme quand elle se rappelle des détails insignifiants. La meilleure façon de lui répondre est de reconnaître honnêtement qu'il ne s'en souvient pas, mais de montrer un intérêt sincère pour ce qu'elle se remémore.

Un homme oublie souvent que cette expression de plénitude et de joie est ce qui l'a attiré au tout début, car voir le bonheur de sa partenaire l'encourage à l'aimer : il se sent compétent pour la rendre heureuse.

En percevant mieux cette nuance, un homme peut faire énormément évoluer leur relation. Quand une femme parle de ses émotions, elle n'attend pas forcément des conseils. Son instinct incite l'homme à trouver des solutions ; pourtant, quand sa femme communique ses impressions, il n'a rien à résoudre. Il fait donc preuve non seulement d'intelligence, mais aussi d'amour et d'attention quand il fait passer le besoin de sa femme de s'épancher avant son propre besoin de résoudre les problèmes.

Un homme à l'écoute de sa femme l'aide à réduire son stress et à alléger sa vie. Cela le libère aussi de ses propres préoccupations, auxquelles il ne doit plus songer. Il peut se contenter d'écouter sa femme s'exprimer. Ses émotions à elle s'atténuent quand elles sont entendues et prises en compte.

CHAPITRE 9

LES HOMMES
SONT-ILS INSENSIBLES ?

Réponse de femme : « De toute évidence. »
Réponse d'homme : « Certains hommes le sont, mais pas moi. »

Il semble que, depuis la nuit des temps, les hommes ont toujours répondu à l'accusation d'être insensibles par une réponse perplexe : « Non, je ne suis pas… Comment… Où… ? » Se pourrait-il que les hommes ignorent ce dont il s'agit ? Qu'ils soient effectivement insensibles à ce qu'ils ne ressentent pas ?

Les femmes décryptent, en général, les ambiances et les personnes différemment des hommes, ayant tendance à témoigner de l'empathie et de l'attention dans chaque relation ou situation. Les hommes ne sont, en général, pas aussi attentifs. Cela ne signifie pas qu'ils n'ont pas de capacité d'observation, mais simplement qu'ils disposent d'un filtre différent, qui les conduit à prêter attention seulement à ce qui est en lien avec leur objectif.

Données sur les spécificités hommes-femmes[1]

• 72 % des femmes pensent que les hommes ne s'intéressent pas autant qu'elles aux émotions et aux variations de leur environnement.

• 68 % des hommes partagent cet avis.

Si on ajoute à cette donnée la meilleure capacité des femmes à se souvenir, on aboutit au huitième angle mort : les hommes sont insensibles et inattentifs aux personnes et aux situations.

Cet angle mort repose sur la croyance que les hommes sont volontairement indifférents et insouciants des autres. Les femmes se retrouvent souvent à se dire :

- Comment j'ai pu le remarquer, et toi pas ?
- Tu ne t'en souviens vraiment pas ?

Un manager ayant atteint une belle réussite le formula ainsi : « J'admets que je prête surtout attention à l'objectif à atteindre. Parfois, c'est la seule chose à laquelle je pense quand je suis au bureau, je me concentre sur le but final. J'essaie vraiment de décrypter les gens et les situations du mieux que je peux, mais je sais que beaucoup de choses me passent par-dessus la tête. Ce n'est pas qu'elles ne comptent pas pour moi, c'est simplement que je ne les remarque pas. »

Les hommes comprennent, plus que jamais, que, pour bien réussir leurs relations, il est crucial qu'ils prêtent attention à ce qui les entoure, aux besoins et aux intérêts des personnes qu'ils côtoient. Bien que la plupart des hommes aujourd'hui consentent à faire des efforts dans ce sens, la sensibilité n'est en général pas leur atout majeur. En s'en rendant compte, une femme peut se montrer plus compréhensive vis-à-vis des hommes qui paraissent indifférents, absorbés par eux-mêmes et peu portés sur la collaboration. Elle peut reconnaître qu'il n'y a rien de volontaire de la part de son collègue, que son manque d'attention ne lui est pas réservé, mais qu'il vient de ce que l'homme est préoccupé par ses propres pensées. Elle peut lui pardonner ses oublis, même si, quand ils se répètent, ces moments d'absence sont parfois difficiles à comprendre pour elle. « Comment a-t-il pu oublier ? Nous l'avons encore évoqué pendant la réunion de ce matin ! »

Les femmes peuvent aussi reconnaître qu'en période de stress et d'urgence, les hommes prennent encore moins en compte les besoins des autres et oublient souvent de prêter attention à ce qui se trouve pourtant juste sous leurs yeux.

« Nous ne disposons que de sept minutes. »

Nous avions organisé un atelier spécifiquement adapté à un fabricant de jouets. L'un des exercices consistait à charger cinq équipes d'hommes et de femmes de construire une petite voiture et un pont suffisamment solide pour que la voiture puisse passer dessus. Les équipes ne disposaient que de sept minutes pour ce faire ; et dans ce temps imparti, il fallait aussi prévoir la présentation de la voiture et du pont au reste du groupe. Chacune des équipées était filmée, mais après une minute la plupart des participants semblaient avoir oublié que l'enregistrement était en cours !

Vu le délai très court, la plupart des hommes s'étaient immédiatement placés en vitesse grand V, se focalisant sur les tâches à répartir, les actions à entreprendre, la répartition des décisions, alors que la plupart des femmes, se montrant moins directives, recouraient plutôt à la suggestion pour faire passer leurs idées. Voici trois des commentaires recueillis parmi les équipes.

• « Nous ne disposons que de sept minutes ? Donnez-moi les instructions, commença le manager le plus âgé d'une des équipes. Voyons… C'est tout le matériel dont nous disposons ? Serge, Hugues et Édouard, vous construisez la voiture. Michèle et Christine, vous vous chargez du pont. Je ferai la présentation. D'accord ? »

• « Je pense que je sais ce qu'ils recherchent, dit Julie. J'ai une idée et j'aimerais savoir ce que vous en pensez. – On n'a pas le temps pour ça, répondit Alain. Regarde ce que Serge et Hugues sont en train de faire. Daniel et Bernard, venez, on fait la voiture. Ils ont pris de l'avance sur nous ! »

• « Qui a de jeunes enfants et connaît les petites voitures ? demanda Monique. – Moi, répondit Olivier, bonne idée de départ. »

À la fin de l'exercice, chaque équipe a pu revoir l'enregistrement de ses performances et les interactions entre ses membres. Chacune des équipes s'est ensuite vu attribuer des notes en fonction d'une liste assez complexe d'évaluation des comportements.

Les hommes furent surpris et manifestement gênés en voyant leur comportement enregistré. L'un d'entre eux remarqua : « Je l'ai littéralement poussée de côté ». Et un autre constata : « Je n'ai même pas entendu l'idée de ma collègue. Pourtant, elle était intéressante, mais je suis passé complètement à côté. »

Il est édifiant de remarquer à quel point la nature véritable des personnes émerge sous la pression. Cet exercice a vraiment marqué les hommes, et aussi apporté quelques réflexions aux femmes. Les hommes n'avaient aucune idée du despotisme dont ils faisaient parfois preuve dans la prise en charge de l'équipe. Dans un délai imparti de sept minutes seulement, ils s'étaient mis dans le mode d'action pure, en omettant tout ce qui ne concernait pas leur victoire.

L'équipe gagnante fut celle où la collaboration avait été le mieux mise en œuvre : elle avait pu faire preuve d'esprit d'équipe, résoudre un problème et prendre des décisions collectivement. Il s'agissait aussi de la seule équipe dans laquelle la présentation avait été prise en charge conjointement par un homme et une femme.

L'insensibilité et l'envie de gagner

Un homme a tendance, nous le savons, à se focaliser sur un seul problème à la fois et à fonctionner sur le mode séquentiel, en prenant des décisions aussi rapidement que possible. Ce mode de fonctionnement lui est naturel, et complète parfaitement la tendance des femmes à prendre plus d'informations et à réfléchir sous l'éclairage des expériences passées avant de prendre une décision. Chacune des méthodes présente des avantages et des inconvénients, mais les études montrent que la réussite sera d'autant plus grande si les deux approches peuvent être combinées pour former une « intelligence collective[2] ».

Alors que les femmes apprécient autant de gagner, elles ont besoin de mieux comprendre les tenants et les aboutissants, et de coopérer avant de se décider à agir.

- Y a-t-il une ambiance de coopération ici ?
- Chacun se sent-il bien soutenu ?
- Y a-t-il de la tension dans le bureau ?
- Chacun prend-il part à la conversation ?
- Tout le monde est-il d'accord avec cette décision ?

Les hommes, nous l'avons vu, plus à l'aise dans le travail individuel, ne sont pas très intéressés par la coopération. Bien qu'ils aient l'intention de travailler de leur mieux chaque jour, cette tendance crée un angle mort dans la dynamique relationnelle sur le lieu de travail. Pour les hommes, la motivation personnelle importe plus que l'effort de groupe. Et bien qu'ils fonctionnent parfaitement selon ce mode, celui-ci vient moins naturellement aux femmes. Cela les intéresse plus de créer de bonnes relations et de collaborer dans la poursuite d'un objectif commun. Elles voient le manque d'attention des leaders hommes comme la preuve qu'ils souhaitent « gagner à tout prix » plutôt que de « gagner ensemble ».

Messieurs, prenez note, car c'est une idée clé dans l'instauration de la confiance avec les femmes : témoigner de l'attention mutuelle en reconnaissance de la valeur des interventions de chacune. Un manager peut se dire satisfait, mais si, focalisé sur le résultat à atteindre, il ne montre pas concrètement son appréciation, il passera à côté des petites attentions ; et, petit à petit, ces gouttes d'eau s'accumuleront jusqu'à ce que le vase déborde. Tous ses projets peuvent échouer à cause de simples petits manquements quotidiens.

Les hommes sont confrontés à un autre défi. Quand un homme repère une situation qui demande une grande sensibilité, il ne dispose pas la plupart du temps des compétences nécessaires pour l'appréhender, et il ne parvient à montrer son intérêt qu'en agissant de la façon qui lui est la plus connue – par un plan d'action –, même si ce n'est pas ce que demande la situation.

« Je pensais être plein de tact ! »

Margot gère un département très créatif dans une agence de publicité new-yorkaise. Chaque jour, elle doit faire face à des délais de remise de documents et de graphiques, mais elle travaille le plus possible pour maintenir l'équilibre dans son bureau : « Je veux que mes collaborateurs respectent les délais, mais pas au point d'oublier le respect et les attentions des uns envers les autres. Nous sommes plus créatifs quand nous travaillons ensemble. »

Margot est aussi mère de jumeaux. L'un de ses collègues l'appelle un matin chez elle ; en fond sonore, les pleurs des deux enfants malades. Margot me raconta par la suite que James pouvait entendre les pleurs, mais qu'il fit semblant de les ignorer : « Il aurait pu avoir le tact de reconnaître que j'étais déjà débordée, mais il voulait une réponse à sa question. Je sais qu'il aime atteindre ses objectifs, et je l'admire pour cela, mais là, je l'ai vraiment trouvé trop insensible. J'ai compris par la suite que ce n'était pas vraiment de l'insensibilité, mais de la concentration sur son travail. J'ai eu l'impression qu'il était mal à l'aise de m'appeler chez moi et d'entendre mes enfants malades. Tout ce que je suis parvenue à faire, c'est couvrir les pleurs de mes enfants en parlant fort pour lui donner la réponse qu'il demandait et pouvoir mettre fin à l'appel. Il devait juste entendre ce que je disais malgré les cris, et il y est parvenu. Quand il m'a sentie à l'aise dans cette situation, il s'est détendu lui aussi. »

J'ai eu l'occasion de parler de cet épisode avec James, et voilà ce qu'il en a retenu : « Je pouvais entendre les bébés pleurer, mais j'avais besoin de la réponse, et j'essayais de l'obtenir le plus vite possible pour que Margot puisse retourner à sa famille. J'avais besoin de ses directives. Je pense avoir fait preuve de beaucoup de tact et, en même temps, d'un grand professionnalisme pour que le travail soit accompli. J'ai eu la réponse à ma question et j'ai pu gérer le problème du client de la façon dont Margot le souhaitait. »

On ne pourra jamais changer le sens de la compétition masculine. Et plus stressante et agressive est la profession – qu'il s'agisse des secteurs de la vente, de l'investissement, de la sécurité ou même de la logistique –, plus l'homme se montrera concentré sur le résultat à atteindre sans se soucier des besoins des autres autour de lui.

Le secret pour les hommes est de montrer plus de sensibilité, mais c'est souvent plus facile à dire qu'à faire. Les femmes doivent le comprendre et ne pas supposer automatiquement que l'homme a agi de façon délibérée. Elles risquent de saboter leurs relations avec leurs collègues en se sentant offensées pour un geste ou une parole irréfléchie, ou par des oublis répétés.

Sous la pression du stress, un homme cherche à réduire son angoisse de la meilleure façon qu'il connaisse : en mettant de côté la situation ou en gérant le problème seul. Lorsqu'il réagit de la sorte, volontairement ou non, il ne se montre en général pas très attentif aux besoins d'autrui. Si les femmes considèrent cette réaction comme une offense, c'est tout aussi agressif envers les hommes. « Bien sûr, je me sens concerné. Qu'est-ce qui vous fait croire le contraire ? »

L'insensibilité dans les discussions

Les femmes se plaignent souvent de l'insensibilité des hommes quand elles souhaitent communiquer : il arrive en effet que les hommes affirment leur position de façon tranchée, lancent leur opinion à la cantonade, et par là même découragent toute discussion. Voici quelques phrases qui coupent court à toute argumentation.

- Je sais que mon plan va marcher.
- On n'a pas le temps d'en discuter.
- On doit avancer si on veut terminer dans les délais.

Même si une femme s'est, elle aussi, forgé une opinion, elle n'apprécie pas de l'affirmer haut et fort sans avoir permis aux autres d'exprimer leurs propres idées. La plupart des femmes préfèrent une discussion équitable et attendre que toutes les idées aient été explorées avant de prendre une décision.

Les hommes voient les choses sous un autre angle. Ils pensent qu'ils sont les plus performants quand ils énoncent leurs idées sans hésitation, tout en imaginant, nous l'avons vu, que si leurs collègues souhaitent partager leurs idées, ils prendront la parole sans en avoir été auparavant priés. Un homme croit faire preuve de tact en évitant de mettre un collègue sur la sellette, il évite donc de questionner directement les autres pour connaître leur avis.

De nombreux managers hommes ont appris à affiner leur perception, à quitter leur zone de confort et à reconnaître l'intérêt de ne pas se montrer aussi réactif. Ils vont volontairement chercher à connaître l'avis de leurs collègues femmes pour s'assurer qu'il n'existe pas d'idées non exprimées et que la décision ne se fonde pas sur trop peu d'éléments.

Ce qu'elle dit	Comment il se montre insensible	Une meilleure réaction qu'il pourrait avoir
Je pense que nous devrions revoir toutes les données disponibles avant d'avancer sur le projet.	Il n'y a rien de compliqué dans ce projet. Nous avons déjà tout ce dont nous avons besoin.	Peut-être pourrions-nous prévoir plus de temps dans l'ordre du jour pour mieux analyser la situation.
J'ai encore l'impression que nous passons à côté de quelque chose.	Toutes les informations ont été passées en revue. Nous avons déjà élaboré un plan.	Peut-être n'est-il pas trop tard. À quoi penses-tu ?
Je ne pense pas que tout le monde dans l'équipe soit d'accord avec cela.	Ils ont eu la possibilité de s'exprimer pendant la dernière réunion. Ils auraient dû le dire à ce moment-là.	Vérifions que tout le monde est d'accord. Et pour rester dans les temps, accordons-leur jusqu'à la fin de la semaine. Ça marche pour vous ?
Nous avions choisi cette option dans la dernière stratégie de vente, et elle n'a pas fonctionné.	Je ne m'en souviens pas. De toute façon, ça n'a pas d'importance, la situation était différente.	Je n'y avais pas pensé. Tu veux me rappeler quelle était la situation d'alors ? Pourquoi crains-tu que ça ne fonctionne pas maintenant ?

Dans chacun des exemples ci-dessus, le défi pour les hommes est d'éviter d'éprouver de la frustration face à ces détails trop nombreux, de garder l'esprit ouvert et de ne pas chercher à conclure trop rapidement. Un homme ayant développé son intelligence des genres s'efforcera de ralentir la cadence. Il tempérera son sens de la compétition et inclura aussi les besoins des autres dans ses réflexions. Il prendra conscience que ses faiblesses correspondent aux forces des femmes : la capacité à analyser des erreurs du passé, à peser le pour et le contre, et à trouver des idées alternatives.

Une femme ayant développé son intelligence des genres comprendra qu'un homme ne partage pas aussi aisément ses idées, qu'il est plus à l'aise en réfléchissant seul. Elle connaîtra la tendance de l'homme à agir et la verra comme complémentaire de la tendance de la femme à poser des questions.

Le défi pour les hommes et les femmes est de prendre conscience que les meilleures décisions émergent à l'intersection de leurs processus de réflexion.

L'insensibilité dans les e-mails
ou les textos

Il n'est pas surprenant de constater que les femmes ont tendance à partager plus d'informations, à s'efforcer de créer plus de liens et à poser plus de questions que les hommes, et ce non seulement dans les discussions *de visu*, mais aussi par le biais des messages électroniques et des textos. Il n'est guère plus étonnant de voir que souvent les messages émanant des hommes sont libellés sous la forme « Prenons une décision ».

Dans les messages électroniques ou les textos, on n'entend pas le ton de la voix : seuls les mots sont présents, sans aucun contexte ni vue d'ensemble. Dans ces conditions, l'habitude masculine de se montrer bref peut être perçue comme critique et péremptoire aux yeux des femmes, alors que les hommes la trouvent « concise et pertinente ».

Voici quelques exemples d'échanges électroniques entre un manager masculin et une collaboratrice féminine, à propos de la nécessité de terminer un devis pour un client avant le vendredi après-midi. Cet échange illustre à quel point les messages écrits peuvent être perçus comme teintés d'indifférence et de manque d'attention, et montre comment mieux les formuler pour leur donner un ton plus amical, ce qui entraînera une meilleure coopération... et de meilleurs résultats.

Ce qu'il envoie	Ce qu'elle perçoit en lisant le message	Une meilleure formulation
Le devis est attendu pour vendredi à 17 heures. Renvoie-le-moi avant jeudi après-midi.	Il doit m'en vouloir pour quelque chose. Comment lui demander son avis pour être sûre de ne pas me tromper ?	J'aimerais que tu te charges de ce devis. Tu voudras bien m'envoyer le projet avant jeudi soir ? Je pourrai y ajouter quelque chose au besoin et te le renvoyer pour qu'on le finalise avant vendredi après-midi.
Demande à ton département de remplir ceci aussi vite que possible.	Ce dossier ne doit pas être remis avant vendredi après-midi et toute mon équipe est débordée. Suis-je censée tout arrêter pour faire passer ce dossier en priorité ?	Tu veux bien t'occuper du dossier attaché ? Nous avons quelques jours avant de le renvoyer. On peut en discuter dès que tu seras prête.

Ce qu'il envoie	Ce qu'elle perçoit en lisant le message	Une meilleure formulation
Ce n'est pas ce que j'attendais.	Je pensais qu'on allait y travailler ensemble et je n'ai envoyé qu'un premier projet.	On avance ! J'ai mis quelques remarques en fichier attaché ; tu veux me dire ce que tu en penses ?

L'humour insensible

Nous avions eu l'occasion de le constater (voir chapitre 4), sur Mars blaguer est une façon habituelle pour les hommes de tester leur amitié avec d'autres hommes, de lancer des remarques un peu piquantes, mais sur un ton léger et sans méchanceté. Cela fait partie du rituel masculin de rapprochement, mais l'humour est aussi utilisé pour relâcher la tension ou apaiser les esprits dans une situation délicate. Un homme pourra aussi, à l'occasion, faire une remarque sarcastique ou lancer une insulte, puis la tempérer d'un « C'était pour rire » ou « C'était une blague ». L'homme à qui s'adresse la remarque ne s'en offusquera pas. S'il en prenait ombrage, sa réaction serait perçue comme une limite à leur amitié.

Ainsi, les hommes peuvent s'adresser, sans aucune malice de part et d'autre, nombre de petites piques ou invectives...

• Tu pensais vraiment porter ce truc-là ? Tu dois choisir tes vêtements dans le noir !

• N'oublie pas ton GPS ? Tu vas sans doute encore te perdre !

• Pourquoi aurais-je envie de déjeuner avec toi ?

• Tu es trop bête. Pourquoi as-tu voté pour lui ?

Imaginons à présent qu'un homme taquine de la sorte une femme plutôt qu'un homme... Ce genre d'humour ne sera pas perçu de la même façon sur Vénus, car les femmes n'ont pas les mêmes rituels de rapprochement que les hommes. Elles ne comprennent pas aisément l'humour masculin, qu'elles considèrent comme une perte de temps et une preuve supplémentaire du manque de tact masculin.

« Quel grossier personnage ! »

Il y a plusieurs années, au cours d'une pause lors d'un atelier en Allemagne, un dirigeant âgé participant à la session m'expliqua à quel point il avait apprécié le sujet du groupe du matin. Tout en parlant, il passait une pomme d'une main à l'autre, et ses yeux faisaient le tour de la salle. Je me suis dit : « Quel homme impoli ! En a-t-il assez de la conversation ? S'ennuie-t-il en parlant avec moi ? Ou veut-il juste paraître détendu ? » Ses gestes détournaient mon attention de lui : je regardais la pomme au lieu d'écouter ses propos. Et j'ai compris par la suite : ses gestes me dérangeaient, moi, mais pas lui. Il se concentrait tout à fait sur ce qu'il me disait.

Un homme anxieux ou stressé voit son niveau d'adrénaline grimper, et la plus petite activité physique l'aide à convertir l'adrénaline en dopamine. La dopamine est une substance chimique – un neurotransmetteur – produite en différents endroits du cerveau et dont le rôle consiste à moduler les mouvements physiques, à réguler le niveau d'agressivité, la motivation et le contrôle des impulsions. Le mouvement physique détend le cerveau masculin et lui permet de se concentrer sur son travail, d'écouter avec plus d'attention, de rassembler ses idées et de les partager[3].

Il arrive souvent aux hommes de se déconnecter d'une discussion ou d'une réunion lorsque les échanges sont trop nombreux. Pour rester attentif, l'homme tapote son stylo ou son genou, parcourt la salle du regard… Grâce à ces mouvements, il parvient à se concentrer de nouveau et à retrouver son calme. L'homme qui passait la pomme d'une main à l'autre ne souffrait pas d'ennui ou d'inattention : au contraire, il tentait de se concentrer sur notre échange.

Une autre différence est à souligner ici : les femmes, lorsqu'elles communiquent, ont tendance à se regarder dans les yeux. Plus elles sont intéressées par la conversation, plus leur regard est intense. Les hommes, au contraire, ont besoin de détourner le regard pour réfléchir : « Quelle est la solution à ce problème ? » Un homme éprouve des difficultés à maintenir le contact visuel quand il cherche des idées ou se concentre sur la discussion. Il regarde vers le haut ou vers le bas, et peut même pencher la tête de côté.

Assistant à cette façon de se comporter chez un de ses collègues, un homme peut penser : « Il doit vraiment se concentrer sur ce que je lui dis », alors que la réaction féminine la plus courante sera : « Coucou, je suis là ! Il est distrait. Il se fiche probablement de ce que je raconte. »

En décryptant les réactions des hommes de façon plus adéquate, une femme cessera de prendre ombrage des gestes « parasites » d'un homme qui passe sa pomme d'une main à l'autre, ou tapote son stylo, ou gigote sur son siège, ou regarde tout autour de lui.

Pareillement, un homme qui a développé son intelligence des genres attachera plus d'importance aux petits mouvements physiques qui l'aident à rester concentré mais envoient le message contraire : ils laissent entendre que son interlocutrice est trop longue ou qu'il n'est pas intéressé par ce qu'elle dit.

Le point de vue scientifique

Les études montrent que les hommes n'ont pas la même capacité que les femmes à lire les expressions faciales et les émotions. Cette compétence aide les femmes à éprouver de l'empathie pour l'autre personne, par un processus appelé « le miroir ». Le cerveau féminin dispose de neurones particuliers pour détecter les émotions humaines. Les images de résonance magnétique montrent que les femmes « réfléchissent » les émotions des autres avec plus d'efficacité que les hommes[4].

Dès la naissance, petits garçons et petites filles montrent des compétences distinctes pour observer leur environnement : les petites filles passent plus de temps à fixer les visages, alors que les petits garçons regardent davantage le reste de leur environnement. Une femme, lorsqu'elle regarde un visage, décrypte quantité de micro-expressions qui apparaissent dans les muscles faciaux, la bouche et le rythme de la respiration. Ces micro-expressions révèlent la colère, la peur, la tristesse, le mépris, le dégoût, la surprise, la joie, même si ces sentiments ne sont apparents qu'une seconde – ce qui suffit pour apporter plus d'éléments à la communication.

Les études d'imagerie du cerveau indiquent que le cerveau féminin dispose de grands espaces – notamment les cortex insulaire et cingulaire antérieur, et le corps calleux – qui permettent à une femme de « lire » les relations interpersonnelles, de se montrer plus empathique avec son entourage et de repérer les sentiments profonds[5].

Le cortex insulaire, souvent nommé insula, est une composante du cortex cérébral qui semble être lié au niveau de conscience. Il joue un rôle dans diverses fonctions liées à l'émotion ou à la régulation de l'homéostasie du corps. Ces fonctions comprennent la perception, le contrôle moteur, la conscience de soi, la fonction cognitive et les relations interpersonnelles. L'insula est environ deux fois plus large chez la femme que chez l'homme, ce qui lui confère une compétence plus grande pour percevoir les humeurs et les ambiances.

Le cortex cingulaire antérieur (CCA), la partie frontale du cortex cingulaire, se présente comme un collier entourant le corps calleux. Le CCA est deux fois plus large chez la femme que chez l'homme, et il joue un rôle assez diversifié dans le domaine des fonctions automatiques, comme la régulation de la pression sanguine et du rythme cardiaque, les fonctions rationnelles et cognitives, l'anticipation, la prise de décision, l'empathie, les émotions. Ce CCA élargi explique pourquoi les femmes ont tendance à davantage soupeser les options, à y réfléchir, et à ressentir et exprimer davantage de considération que les hommes. Nous avons décrit le corps calleux (voir chapitre 4), 25 % plus large dans le cerveau féminin que dans le cerveau masculin. Disposant de davantage de connexions neuronales entre les deux hémisphères, la femme peut activer les cerveaux gauche et droit de façon simultanée, alors que les hommes tendent à n'utiliser qu'une partie de leur cerveau à la fois. La largeur du corps calleux féminin aide les femmes à mieux prêter attention aux aspects non verbaux de la communication, tels le langage corporel, le ton de la voix et les expressions faciales. Elles bénéficient donc d'une vue plus complète de la situation et peuvent percevoir certains éléments du problème qui passent inaperçus aux yeux des hommes.

La taille et l'interconnexion de ces deux parties du cerveau chez la femme – le cortex insulaire et le corps calleux – leur permettent d'augmenter leur degré de perception et d'élever leur niveau d'intuition, ce qui les rend plus sensibles que les hommes aux sentiments des personnes et aux ambiances autour d'elles.

L'insensibilité des femmes
envers les hommes

Bien que ce chapitre soit consacré à l'insensibilité des hommes, dont se plaignent les femmes, il arrive qu'un homme considère lui aussi qu'une femme a manqué de tact à son égard ou l'a traité injustement. Les hommes répugnent en général à exposer leurs côtés vulnérables ; mais lorsque les femmes abordent le sujet de l'insensibilité masculine au cours des ateliers, il arrive que nous recueillions des témoignages décrivant ces situations.

• Corriger un homme en public est très embarrassant pour lui. Il est tellement gêné qu'il ne sait comment réagir. En général, il se fige et reste sans voix. Une femme désireuse de faire preuve d'intelligence des genres évoquera ce point à un autre moment, en privé, en expliquant à l'homme comment elle a vécu la situation et en lui laissant la possibilité d'y réfléchir et de répondre.

• Apporter à un homme un conseil qu'il n'a pas sollicité revient – à ses yeux – à supposer qu'il ne sait pas ce qu'il doit faire ou qu'il ne peut y parvenir seul. La question de la compétence revêt une grande importance pour les hommes. Ils préfèrent gérer les problèmes seuls, nous l'avons vu, et ne recourront à l'aide d'autrui qu'en cas d'impuissance et seulement s'ils ont une grande confiance dans la compétence de la personne à laquelle ils s'adressent et la conviction qu'elle ne les critiquera pas.

• Les généralisations de type « Tous les hommes se comportent de cette manière » conduisent un homme à se sentir critiqué pour un geste qu'il n'a pas commis et qu'il ne songerait pas à commettre. Bien que certains hommes se conduisent de façon exclusive ou dénigrante envers les femmes, beaucoup d'autres font l'effort de les intégrer et de les comprendre. Les hommes n'apprécient pas d'être perçus comme des problèmes, ou que l'on brosse d'eux un tableau grossier et peu flatteur.

• Avancer que les femmes disposent de meilleures capacités d'observation que les hommes peut conduire ces derniers à se sentir incompétents. En réalité, les hommes et les femmes décryptent des éléments différents. Et s'il est vrai que les femmes notent plus de détails, c'est simplement du fait de leur fonctionnement particulier, ni meilleur ni pire que celui des hommes.

Dans presque chacun des exemples repris ci-dessus, les hommes concluent que les femmes manquent de sensibilité à leur égard parce qu'elles prennent ombrage d'un de leurs propos ou d'un de leurs gestes, alors qu'eux n'avaient à l'origine aucune volonté de dénigrement.

Des apprentissages des deux côtés

Pour conclure ce chapitre, et toute la partie sur les huit angles morts, il semble que chacun des sexes bénéficierait d'un meilleur apprentissage dans le domaine de l'intelligence des genres. Comment atteindre la réussite ensemble si nous restons cantonnés dans nos incompréhensions mutuelles chacun sur nos planètes ?

Pour un homme, décider que « c'est comme ça que je suis » ne suffit pas. Il lui faut faire l'effort de se rapprocher de ses collègues et de décrypter les situations avec un nouveau filtre. Même si un homme n'est pas par nature aussi sensible qu'une femme, cela ne signifie pas qu'il ne peut pas affiner ses capacités de perception par rapport à ses propres comportements et faire preuve de plus de prévenance à l'égard des autres. Compte tenu du fait que la moitié des personnes dans le monde du travail sont aujourd'hui des femmes et que les entreprises regroupent en général du personnel issu de plusieurs cultures différentes, être un manager abouti implique un plus grand niveau de conscience et d'engagement personnel.

L'intelligence des genres aide une femme à comprendre que ce qu'elle perçoit comme de l'insensibilité ou un manque de considération de la part d'un homme n'est que très rarement intentionnel. S'en rendre compte l'aide à mieux formuler ses demandes, afin de s'assurer que ses collègues comprennent bien la signification de ses attentes. Ses collègues hommes marqueront leur gratitude en se sentant respectés dans leur nature et en sachant que leurs gestes et propos ne seront plus jugés offensants. De cette meilleure connaissance des fonctionnements respectifs de chacun découlera une collaboration plus efficace fondée sur la confiance.

Voici quelques exemples de la façon dont les hommes peuvent se montrer plus attentifs aux demandes formulées ou tacites de leurs collègues féminines. Ce tableau n'a pas l'ambition de couvrir les fondements émotionnels, mais plutôt de proposer quelques idées pour aider les hommes à prendre davantage en considération les besoins de leurs collègues femmes, afin d'enrichir la vie professionnelle et personnelle des deux parties.

Sa façon à elle de communiquer	Son intelligence des genres à lui	La meilleure réaction qu'il peut avoir
Elle ne dit rien au cours de la réunion.	L'esprit d'une femme est rarement, voire jamais, inactif ! Elle attend probablement d'avoir l'occasion de s'exprimer.	J'aimerais connaître ta position sur ce point.
Tout va bien.	Si la femme s'exprime de façon succincte, c'est souvent le signe qu'il y a un problème.	Je me trompe peut-être, mais y a-t-il un problème ?
Tu n'as pas fait ce que j'avais demandé.	Le collègue ne se met pas sur la défensive, mais cherche à mieux comprendre.	Quelque chose a dû m'échapper. Que souhaitais-tu que je fasse ?

Sa façon à elle de communiquer	Son intelligence des genres à lui	La meilleure réaction qu'il peut avoir
Qu'en pensent tous les autres ?	Il sait qu'elle n'est sans doute pas dubitative, mais qu'elle recherche plutôt la collaboration.	Parlons-en avec eux.

Lorsqu'un homme demande « Comment vas-tu ? » et que sa collègue féminine lui répond par un bref « Ça va », elle l'imagine capable de lire entre les lignes et de poursuivre son questionnement. Pourtant, nous l'avons maintenant compris, les hommes éprouvent plus de difficultés à lire les expressions du visage et à saisir les inflexions de la voix : ils prennent donc, en général, ce genre de réponse au sens littéral et répondent : « Parfait, content de l'entendre. »

Quels malentendus des deux côtés ! La conclusion de la collègue sera sans doute : « Cela lui est égal », alors que, de son côté, le collègue repart tranquillisé à l'idée que tout va bien pour elle. Cela ne lui est pas égal. Il est juste passé complètement à côté des vraies émotions.

Si une femme demande à une autre : « Comment vas-tu ? », et qu'elle reçoit pour réponse un court « Ça va », elle perçoit que ça ne va pas si bien et regarde son amie avec attention, puis tente d'en savoir plus : « Tu n'as pas l'air bien, qu'est-ce qui se passe ? »

Le point de vue personnel

Qu'ils soient enfants, adolescents ou jeunes adultes, les fils et les filles partagent leurs expériences stressantes avec leurs parents de façons assez opposées. Quand une jeune fille vit une situation angoissante, elle cherche en général à en parler en détail. Elle commence par la mentionner pour mieux la cerner et, parfois, part ensuite dans une direction tout à fait différente de ce par quoi elle avait commencé. Par exemple : « Je conduisais samedi soir, et je ne pensais pas rentrer si tard. Cela n'arrivera plus, papa ; mais ce n'était pas vraiment ma faute : j'ai dû ramener Mona et Charles chez eux parce que la voiture de Mona était en panne. Et donc, je réfléchissais en rentrant et je me demandais comment je pourrais trouver un stage pour cet été… » ; et elle en arrive enfin à ce qui la préoccupait.

Ce processus l'aide à fixer les priorités dans ses soucis et à gagner en clarté sur les sujets dont elle doit se préoccuper. La mère de cette jeune fille voit tout de suite qu'elle a besoin de parler pour éclaircir ses idées ; elle écoute donc patiemment sa fille sans l'interrompre.

Les pères, quant à eux, s'éloignent souvent de leurs filles parce qu'ils tentent de résoudre leurs problèmes et ne leur posent pas suffisamment de questions. Ils ne comprennent généralement pas que leur fille ne cherche pas un conseil ni de l'aide. Ils croient à tort que leur rôle consiste à tout régler, alors qu'en réalité les petites filles, les adolescentes et les jeunes femmes ont surtout besoin d'être écoutées. C'est dommage, car la plupart du temps les pères se préoccupent du bien-être de leurs filles : voilà pourquoi ils souhaitent les secourir. Mais une fille aimerait plutôt constater chez son père de la patience et de la sensibilité vis-à-vis des petits événements qui comptent beaucoup pour elle.

Le père le plus attentionné et sensible encouragera sa fille à partager ses soucis en l'écoutant attentivement, et en répondant par un « Hum hum… », ou un « Ah oui… », ou encore un « En effet… ». Un père ayant à cœur de bien écouter sa fille éteindra la télévision, lèvera les yeux de son ordinateur, cessera de réparer la fixation du lampadaire et lui accordera quelques minutes de pleine attention : c'est tout ce qu'elle souhaite !

Au contraire, le père peu attentif poursuivra la tâche qu'il avait entreprise et interrompra sa fille par un « Tu veux bien en venir au vrai problème ? », ou par un « Ce n'est pas grave… », ou encore par un « Ne t'inquiète pas tant ! ».

Les garçons, eux, n'éprouvent pas le besoin de partager leurs émotions. Quand ils subissent un stress modéré, les petits garçons, les adolescents ou les jeunes hommes tentent de surmonter la difficulté seuls. En cas de stress plus important, le rôle des parents prend davantage d'ampleur. Leur fils souhaitera souvent s'ouvrir à l'un d'entre eux et profitera d'une activité parent-enfant pour se confier : une promenade, un match de tennis, une tâche accomplie ensemble. Si les filles s'épanchent plutôt pour clarifier leurs pensées, les fils auront souvent retourné le problème dans leur tête avant de le partager – et l'exercice physique aide les garçons à se concentrer.

Les pères et les mères d'aujourd'hui ont moins de temps à consacrer à leur rôle de parent. Souvent, les hommes se focalisent principalement sur le revenu qu'ils rapportent à leur famille, pensant que c'est ce que l'on attend d'eux. Pourtant, pendant qu'ils travaillent d'arrache-pied, ils manquent les moments qui comptent vraiment pour leurs enfants et les privent de ce dont ils ont le plus besoin : leur temps et leur attention.

AMÉLIORER
NOTRE COMPRÉHENSION
DES DIFFÉRENCES
HOMMES-FEMMES

CHAPITRE 10

GAGNER LA CONFIANCE DES FEMMES, AMÉLIORER SA CRÉDIBILITÉ AUPRÈS DES HOMMES

Dans les précédents chapitres, nous avons étudié la façon dont les hommes et les femmes se font les uns sur les autres des opinions qui les gênent dans leur quotidien professionnel. Nous avons dégagé plusieurs angles morts et souligné la valeur des spécificités hommes-femmes qui, bien comprises, peuvent apporter une plus grande confiance dans les relations personnelles et professionnelles.

La confiance doit exister avant de pouvoir développer la compréhension et l'acceptation. C'est le fondement de la relation à autrui, du travail collectif, et la meilleure façon d'atteindre la réussite. Nous souhaitons tous qu'on nous fasse confiance ; nous réagissons favorablement à la confiance et nous grandissons grâce à elle !

Au fil des années, nous avons découvert lors de nos ateliers que les hommes et les femmes attribuaient des significations différentes au concept de confiance et différaient dans ce qu'ils attendaient de l'autre sexe pour lui accorder leur confiance.

Les Vénusiennes disent : « Pour que j'accorde ma confiance à un homme, il doit me montrer sa considération, témoigner d'un intérêt sincère pour mes idées et ma personne, et faire l'effort de comprendre ce qui me motive et comment travailler avec moi. »

Les Martiens disent : « Une femme gagne ma confiance quand elle fait preuve de crédibilité et de compétence, en prenant en compte et en appréciant mes intentions véritables, et en travaillant avec moi pour trouver des solutions et atteindre des résultats. »

Bien que ce que chacun recherche diffère – considération pour les femmes, compétence pour les hommes –, ces deux sortes de besoin existent sur chacune des deux planètes. Les hommes et les femmes souhaitent être compris et valorisés pour ce qu'ils sont réellement, et tous veulent établir et maintenir au travail des liens leur permettant de travailler au mieux et d'atteindre la réussite ensemble.

Que ce soit au travail ou dans sa vie personnelle, une femme considérera un homme comme digne de sa confiance s'il se montre attentionné et s'il accorde de l'importance à ce qui compte pour elle.

• J'ai besoin d'être sûre que tu attacheras de l'importance à mes idées ainsi qu'à moi.

• J'ai besoin d'être sûre que tu m'écouteras avec sincérité.

• J'ai besoin d'être sûre que tu comprendras mes émotions...

• ... et que tu me diras honnêtement ce que tu penses de mon travail.

Les hommes n'ont pas conscience de l'importance d'établir et de maintenir un tel niveau de confiance avec les femmes. Un homme n'ayant pas suffisamment développé son intelligence des genres peut entendre une femme s'exprimer ainsi et pourtant ne pas comprendre ses vraies demandes. Il y a un angle mort ! En général, les hommes ne savent pas que les femmes recherchent une relation de confiance ; ils passent donc souvent à côté de ce qui compte tant pour elles. Pour compliquer la situation, les femmes ne se rendent pas compte que les hommes ont d'autres attentes ; aussi continuent-elles à espérer que la glace se brise... tandis que les hommes continuent à rater le coche et à jouer selon leurs propres règles du jeu.

La cohérence intérieur/extérieur

Quand un homme a gagné la confiance d'une femme, les petits malentendus, les erreurs ou les différences de point de vue qui continueront certainement d'émerger ne seront que mineurs et n'entacheront pas la confiance acquise. Cela ne signifie pas que les hommes auront carte blanche pour agir comme bon leur semble ! Aux yeux des femmes, la confiance se base sur l'intégrité, et on prouve son intégrité en restant cohérent, en conservant la même attitude tant en privé qu'en public.

Cela peut constituer un défi pour un homme, souvent engagé malgré lui dans le code masculin de comportement sur son lieu de travail, et qui dès lors perd sa cohérence en :

- considérant les femmes comme des objets sexuels par le biais de commentaires ou de blagues ;
- excluant les femmes lors des discussions ou des réunions ;
- dénigrant les idées ou les questions féminines.

Il peut ne pas se comporter ainsi lui-même, mais souvenons-nous de cette règle très importante entre hommes : ne pas en mettre un autre sur la sellette. Pour ne pas embarrasser un collègue, il arrive à un homme de ne rien dire quand un autre adopte un comportement dénigrant. Si l'homme attend que cela se soit produit pour énoncer un commentaire, ce sera parfois considéré comme une intervention trop tardive. Il pourra constater qu'il a manqué au principe de confiance quand la femme dira : « Je n'arrive pas à croire qu'il ait dit cela devant toi sans que tu réagisses… »

Bien que la plupart des hommes aujourd'hui fassent attention à ne pas traiter les femmes en objet, il faut beaucoup de courage à un homme, nous l'avions mentionné, pour en corriger un autre en public, surtout en présence de femmes.

Pourtant, les hommes ayant développé leur intelligence des genres peuvent trouver des façons de montrer le bon exemple à leurs collègues hommes : en faisant preuve de cohérence et en s'interposant au besoin.

Données sur les spécificités hommes-femmes[1]

• 95 % des hommes et des femmes pensent que la confiance est le fondement de toute relation professionnelle.

• 92 % des femmes expliquent qu'elles accordent leur confiance aux hommes qui se montrent attentifs et pleins de sollicitude.

• 89 % des hommes expliquent que les femmes gagnent leur confiance en se montrant crédibles et compétentes.

« Je pensais connaître cet homme ! »

Anne et Philippine quittent le restaurant très déçues. Le déjeuner avec Pierre n'a en rien ressemblé aux repas d'étudiants qu'ils ont partagés par le passé. Un petit peu moins d'un an s'était écoulé depuis leur remise de diplôme à tous les trois, et ils s'étaient séparés pour se lancer chacun dans sa carrière. Les deux jeunes femmes étaient heureuses pour Pierre qu'il ait pu obtenir un poste élevé dans une prestigieuse entreprise, mais à peine le serveur avait-il apporté les entrées que les deux femmes virent qu'elles déjeunaient avec un étranger.

Anne rompt le silence la première :

– J'ai toujours vu Pierre comme quelqu'un d'attentionné, qui prêtait attention à ce que je disais. Mais il est devenu complètement égocentrique. Je pensais connaître ce mec !

Philippine marque son accord :

– Il n'a fait que parler de lui pendant tout le déjeuner. Il nous a bien demandé ce qu'on devenait, mais tu as remarqué ? Il regardait ses messages pendant tout le temps où tu as parlé de ton nouveau boulot.

– Et il s'est montré surpris quand tu as exposé ton projet, comme si ce projet était trop ambitieux ou je ne sais quoi, ajoute Anne. J'ai vraiment l'impression d'avoir perdu quelque chose. On a traversé des moments difficiles ensemble, on pouvait compter les uns sur les autres à cette époque-là.

Pour nombre d'hommes, les vies estudiantine et professionnelle constituent deux mondes bien distincts. Il leur faut opérer un changement de cap. Ils se montrent en général plus flexibles et ouverts d'esprit quand ils sont plongés dans un environnement d'apprentissage ; mais dès qu'ils ont migré vers le monde du travail, une autre dynamique les anime soudainement, et ils se sentent obligés de se montrer compétitifs. Ils acquièrent rapidement les codes de comportement masculins, ainsi que le sens de la hiérarchie. Les femmes restent plutôt elles-mêmes. À leurs yeux, la collaboration et la camaraderie ont encore lieu d'exister au bureau, mais, malheureusement, plus souvent avec les femmes qu'avec les hommes.

Certains hommes, cependant, conservent la même attitude que celle adoptée durant leurs années d'études. Ils font l'effort particulier d'établir une relation de confiance avec les femmes qu'ils côtoient professionnellement. Et celles-ci témoignent que ces hommes ont pu gagner leur confiance lors de nos ateliers :

- en appréciant leurs contributions ;
- en les invitant à des événements officiels ou non ;
- en prenant en compte leurs questions ;
- en les écoutant avec sincérité.

Apprécier les contributions

Alors que les hommes, nous l'avons vu, s'épanouissent quand on apprécie leurs résultats, les femmes se sentent surtout appréciées quand on prend en compte les difficultés qu'elles ont dû surmonter pour atteindre ces résultats.

Les femmes apprécient aussi de parvenir à leurs fins, et les hommes accordent de la valeur aux relations, mais à des degrés différents.

Un homme ouvert à l'intelligence des genres saura que le sentiment d'être appréciée pour une femme diffère de celui d'un homme. Il s'efforcera de gagner sa confiance par des petits et grands gestes illustrant son respect des valeurs féminines.

Comparons ces similarités et ces différences dans la façon dont hommes et femmes se sentent appréciés et reconnus.

Ce qu'une femme préfère	Ce qu'un homme préfère
Être choisie pour faire partie d'une équipe dans le but d'atteindre un objectif commun.	Qu'on lui demande de prendre en charge un projet seul.
Qu'on lui apporte du soutien sans qu'elle ait besoin de le demander, signe qu'on pense à elle.	Qu'on ne lui apporte pas d'aide sans qu'il l'ait demandé, signe qu'on respecte sa compétence à atteindre seul les objectifs.
Qu'on lui pose des questions pendant le processus décisionnel, pour maintenir une ambiance de collaboration.	Qu'on lui dise être disponible si des questions émergent.
Qu'on la mette en avant en l'encourageant à participer lors des réunions.	Qu'on ne le mette pas en avant, sachant que, s'il a quelque chose à dire, il le dira lorsqu'il sera prêt.
Qu'on reconnaisse les difficultés qu'elle a dû surmonter.	Qu'on le félicite pour ses résultats.

L'intégration

Nous avons déjà eu l'occasion de l'observer, le sentiment féminin d'exclusion n'est pas lié à un événement particulier mais plutôt à des comportements masculins récurrents dans la sphère professionnelle. Les hommes n'en ont pas conscience, mais, telles des gouttes d'eau fuyant d'un robinet, ces petits comportements se répètent : les femmes ne sont pas invitées à s'exprimer au cours des réunions, elles ne sont pas non plus conviées à sortir après le travail, et elles manquent des occasions de bénéficier d'un mentor. Un homme expert dans l'intelligence des genres et capable de faire l'effort de briser cette barrière d'exclusion – souvent non intentionnelle – en intégrant les femmes gagnera leur confiance.

Voici un exemple récurrent lors de nos ateliers : un comportement apparemment anodin aux yeux des hommes et qui pourtant tue tout sens de partenariat et de confiance aux yeux d'une femme.

Un groupe d'hommes est assis dans une salle de conférence en attendant que la réunion commence. Ils discutent d'un sujet d'intérêt commun et rient ensemble. Une femme entre dans la pièce, et tous se taisent. Les hommes cherchent un nouveau sujet de discussion pour meubler le silence, mais rien ne leur vient à l'esprit. La femme connaît bien ce genre de situation, elle l'a vécue par le passé. Elle tente de la supporter avec indifférence, mais elle ne ressent ni camaraderie ni chaleur dans cet accueil. Que doit-elle penser ? Qu'elle interrompt un moment de rapprochement entre hommes ? Que les échanges la concernaient ? Qu'elle ne fait pas partie du groupe ?

L'homme ayant le mieux développé son intelligence des genres sera le premier à prendre la parole pour l'intégrer au groupe. Elle lui accordera plus de confiance qu'aux autres parce qu'il se sera montré attentif à ses sentiments. Il a prêté attention à la situation et s'y est adapté. Si, lors de la conversation, les hommes parlaient du physique des femmes, il ne s'y est pas joint. Pour lui, ce genre de propos est dépassé, réservé à un temps révolu. Son absence de participation adresse à ses collègues hommes le message que ces débordements sont trop juvéniles pour lui.

Il existe plusieurs possibilités d'intégrer les femmes et, dès lors, de gagner leur confiance. Cela demande une intention particulière et l'effort d'aller regarder au-delà de ses angles morts.

L'encourager à participer

Si les hommes ne s'encouragent pas les uns les autres à s'exprimer, pour ne pas se mettre sur la sellette, les femmes attendent une autre attitude. Inviter une femme à s'exprimer est un signe d'intégration.

Prendre ses idées et ses questions en compte au cours des réunions

Les hommes voient dans le travail l'occasion d'entrer en compétition comme sur un terrain de sport. Les règles du jeu masculines autorisent les hommes à emprunter les idées de leurs voisins sans en indiquer la provenance. Pour les femmes, il en va autrement, et souligner qu'une femme est à l'origine d'une idée intéressante permet de gagner sa confiance.

L'inviter lors des rencontres informelles

De nombreux événements informels sont traditionnellement organisés en fonction des centres d'intérêt masculins. Et bien que les femmes n'aient pas envie de priver les hommes de ces rencontres, elles préfèrent pouvoir être intégrées dans l'équipe. Inviter les femmes et leur laisser la décision de venir ou non est une bonne façon de gagner leur confiance. Et comme, de nos jours, la moitié des travailleurs sont des travailleuses, organiser des rencontres autour d'activités également appréciées par les femmes semble une bonne idée.

Prendre en compte les questions des femmes

Grâce à une meilleure intelligence des genres, un homme ne considère pas les questions des femmes comme des désagréments à tolérer, à réduire ou à éviter en n'abordant pas les questions sensibles. Les questions des femmes sont davantage le signe d'une intuition bénéfique et d'une approche complémentaire à la sienne.

Le tableau suivant propose un décodage des demandes féminines et une façon d'y répondre en faisant preuve d'intelligence des genres, c'est-à-dire en équilibrant les demandes avec un certain élan d'action.

Ce qu'elle demande	Ce qu'elle peut dire en réalité	Comment il répond à ses questions
Ne devrait-on pas réfléchir davantage aux risques possibles avant de prendre une décision ?	J'ai peur que nous fassions une erreur.	Tu as des réserves sur ce projet. Que risquons-nous, d'après toi ?
Puis-je poser une question ?	J'ai peut-être une meilleure idée.	Bien sûr. Que penses-tu de ce projet ?
Penses-tu que cela vaille la peine d'aller à ce congrès ?	Je ne suis pas sûre d'avoir envie d'y aller.	Qu'aimerais-tu en retirer ?
Ça va aller, pour terminer la préparation de l'exposé ?	Je suis là si tu as besoin d'aide.	Dès que j'aurai fini le premier jet, je te l'enverrai pour que tu me donnes ton avis.

Les femmes, rappelons-le, disposent d'une vue d'ensemble plus large que les hommes et pensent à des aspects du problème qui passent inaperçus aux yeux des hommes ; cette capacité naturelle, très utile et bénéfique pour leur équipe, est souvent sous-estimée par les hommes. Pour intégrer les femmes et faire preuve d'intelligence des genres, un homme tirera parti de ce talent particulier et, avant de prendre une décision, attendra que tous les éléments aient bien été éclaircis.

Écouter avec sincérité

Une femme se sent souvent dévalorisée quand un collègue ne la regarde pas, tripote sa montre, vérifie ses messages ou regarde le plafond. Elle en conclut : « Il ne s'intéresse pas à mes propos » ou « Je ne suis pas très importante à ses yeux ».

Bien qu'il s'efforce d'écouter avec beaucoup de bonne volonté, l'homme ayant acquis une meilleure intelligence des genres se rendra compte que son comportement laisse penser le contraire. Il prêtera attention aux signaux que sa conduite envoie : alors, il se détournera de l'écran de son ordinateur, éteindra la télévision, posera son journal et accordera sa pleine attention.

S'il doit terminer un travail dans un délai court ou s'il est stressé, il saura comment l'exprimer : « J'ai besoin de quelques minutes pour finir, et puis je suis à toi. » Il envoie ainsi le message que ses demandes à elle sont importantes et qu'elle compte pour lui. Cette réponse simple mais sincère aide déjà la femme à se sentir mieux. Elle se sent prise en considération et sûre de pouvoir lui faire confiance : il l'écoutera avec attention.

Les femmes gèrent mieux les turbulences émotionnelles que les hommes. Leur seuil de tolérance plus élevé les autorise à écouter patiemment les problèmes des autres sans éprouver le besoin de proposer immédiatement une solution. Quand elle entend un homme répondre « Je comprends… » ou « Ne t'inquiète pas… », la femme entend plutôt : « J'en ai suffisamment entendu, et voici ma solution… » ou « Je n'ai pas envie d'en entendre davantage, changeons de sujet… »

Un homme attentif saura que sa collègue souhaite plutôt pouvoir s'exprimer avant qu'il dévoile son point de vue. Elle en a d'ailleurs peut-être moins besoin que de pouvoir faire le tour de la question sans pression. Au lieu de répondre « Je comprends… », l'homme peut montrer qu'il écoute en hochant la tête, et en ponctuant de « Mmm… », de « Oh ! », ou encore d'un « Oui… ».

Un homme qui ne juge pas, mais montre de l'empathie et de l'intérêt pour les pensées exprimées par une femme l'aide à se sentir entendue et comprise. Elle le considérera par la suite comme digne de confiance et reviendra s'épancher auprès de lui à l'occasion.

Comprendre les émotions

Les émotions sont souvent considérées comme inconvenantes dans le monde professionnel, comme si elles étaient déplacées, et que seules la logique et la raison y avaient leur place. Pourtant, les émotions existent dans tous les domaines, y compris dans le travail.

Valoriser les émotions au travail, c'est faire preuve d'intelligence des genres. La plupart des motivations de l'engagement au travail – comme le sens et la finalité de son travail, la fierté des produits ou services de l'entreprise – reposent sur des émotions, et il n'y a pas lieu d'en être gêné. Brider les émotions d'une femme risque aussi de brider sa passion pour son travail et son sens du dépassement.

L'homme qui l'a compris lui parlera plutôt que de réprimer ses sentiments. Si elle se montre trop émotive et en arrive aux larmes, il pourra reconnaître le bien-fondé de ses émotions en disant : « Je vois que cela compte beaucoup pour toi… » ou « Puis-je t'aider de quelque façon ? »

Il n'essaie pas de maîtriser la situation, ni de se précipiter avec une solution du genre : « Ne t'inquiète pas ! » ou « Ce n'est pas si grave ! » Il sait bien qu'elle ne lui demande pas de résoudre son problème – elle dispose très probablement de la compétence suffisante pour le résoudre elle-même –, mais qu'elle souhaite seulement se rapprocher de lui et partager ses émotions.

Il comprend que les femmes ont la capacité de montrer leurs émotions tout en restant rationnelles, ce que les hommes ont bien du mal à réaliser. Il voit dans sa réaction émotionnelle lors d'une réunion le signe qu'elle se passionne pour son travail, plutôt qu'une expression de colère ou d'insécurité. Il ne met pas fin à la réunion, ne l'évite pas non plus, mais continue à penser que ses interventions sont riches en enseignements, qu'elle a un bon jugement et que ses comparaisons avec des situations précédentes méritent d'être entendues.

Quand une femme acquiert la certitude de pouvoir partager ses pensées avec un homme comprenant sa vraie nature, elle lui accorde sa confiance. Elle pensera à lui comme à une personne à qui elle peut se confier, qui l'écoutera avec intérêt et empathie.

Le point de vue scientifique

Au cours des chapitres précédents, nous avons passé en revue les différences physiologiques des cerveaux masculin et féminin ainsi que leurs conséquences sur les comportements des hommes et des femmes. Outre les différences structurelles, on peut aussi noter qu'il existe une différenciation dans la composition chimique du cerveau, par le biais des neurotransmetteurs. Ils transportent les messages, déclenchent les réponses et instaurent un état émotionnel qui élève ou réduit le niveau de stress.

Au fil de notre vie quotidienne, ces neurotransmetteurs varient constamment, se calquant sur l'activité cérébrale. Le cerveau reçoit les informations sensorielles et les répertorie. Il envoie une décharge de molécules, dont certaines sous la forme d'hormones entrant dans le système sanguin, puis demande au corps de réagir. L'ocytocine est l'un de ces neurotransmetteurs qui entrent dans le système sous forme hormonale.

« Depuis des décennies, les scientifiques pensaient que cette hormone n'était liée qu'à l'accouchement et à l'allaitement. Ils ne connaissaient pas ses effets sur les émotions[2]. »

Aujourd'hui, l'ocytocine est souvent décrite comme l'hormone d'attachement. On retrouve cette hormone puissante tant chez l'homme que chez la femme, mais elle joue un rôle plus important chez cette dernière. Non seulement elle stimule le comportement maternel, mais elle a aussi un effet calmant sur les émotions féminines.

La recherche a mis en évidence que les niveaux d'ocytocine augmentent chez la femme quand elle se sent en confiance, dans un lien d'amitié, ou quand elle apporte des soins à autrui[3].

Il existe une corrélation directe entre le soutien ressenti par la femme et un niveau élevé d'ocytocine. La façon dont une femme perçoit les attitudes de son partenaire détermine aussi la fluctuation d'ocytocine.

Tant chez l'homme que chez la femme, l'ocytocine apporte autant de relaxation que de motivation à se rapprocher des autres. Pour garder élevée cette impression de plénitude, le cerveau doit bénéficier d'une action répétée de proximité, de toucher et de dialogue. Les hommes ont besoin d'un contact physique deux ou trois fois plus élevé que les femmes pour maintenir le même niveau d'ocytocine.

> Les couples ne se rendent pas toujours compte à quel point ils dépendent de la présence physique l'un de l'autre avant d'être séparés pour une période assez longue. Pendant une séparation, le manque de toucher pour l'homme et le manque de toucher, de dialogue et de partage pour la femme contribuent à épuiser les niveaux d'ocytocine. Les membres d'un couple doivent compter l'un sur l'autre pour restaurer leur niveau de cette hormone et retrouver le plaisir, le confort et la satisfaction[4].

Améliorer sa crédibilité auprès des hommes

Les femmes accordent leur confiance aux hommes qui leur prêtent attention, apprécient leurs interventions, les intègrent, et les écoutent sincèrement et de façon empathique. Mais si les hommes sont victimes des angles morts dans leur effort pour comprendre à quel point il importe d'instaurer la confiance avec une femme, les femmes sont elles aussi victimes d'angles morts à propos de ce qui encourage un homme à leur accorder sa confiance. Et le fait que l'homme ne communique que rarement ses sentiments, ses attentions ou ses besoins complique la perception d'une femme de ce qui peut lui permettre de gagner sa confiance.

Nous avons appris des ateliers qu'aux yeux d'un homme la confiance est surtout liée à la crédibilité : s'aligner sur ses objectifs, croire en lui et l'aider à réussir. En effet, les hommes citent souvent ces caractéristiques qui les incitent à accorder leur confiance à une collègue :

• quand elle n'essaie pas de me corriger ou de me faire changer ;

• quand elle m'aide à atteindre mes objectifs ;

• quand elle voit que je suis à l'écoute ;

• quand elle ne suppose pas automatiquement que je suis insensible ou indifférent.

Démarrer sa carrière et percer dans un univers masculin constitue un vrai défi pour les femmes, qui risquent d'y perdre leur authenticité. Mais elles devraient se souvenir, à propos des hommes, que les résultats importent plus pour eux que les difficultés rencontrées ou les relations nouées en cours de route.

Les femmes apprécient le chemin parcouru et les amitiés créées, mais il n'y a pas ici de gouffre infranchissable entre les deux fonctionnements. Certaines femmes sont très ambitieuses et aussi attachées aux objectifs à atteindre que les hommes : dans ce cas, elles pourront s'aligner sur le résultat visé d'un collègue masculin.

Un homme accordera sa confiance à une collègue qui le comprend, partage ses objectifs et agit de la façon qui importe pour lui : atteindre les résultats et gagner. Si elle parvient à mettre en avant les objectifs identiques qu'elle vise, son collègue lui accordera sa confiance pour l'avenir. À défaut d'avoir créé ce rapprochement, le penchant naturel des hommes pour le travail en solitaire prendra le dessus.

« Vous n'avez pas le droit de me dire ce que je dois faire ! »

Il existe beaucoup de bons formateurs d'entreprise, mais les meilleurs d'entre eux sont ceux qui conseillent à leur clientèle de faire preuve d'intelligence des genres, tant avec les subordonnés et les collègues qu'à l'égard des supérieurs. Michelle, qui n'a pas bénéficié de ces formations de haut niveau, a néanmoins pu apprendre comment gagner la confiance de ses supérieurs masculins. Son formateur lui a suggéré d'aborder un entretien de demande de promotion de la même façon qu'un homme l'aurait abordé : « Étudie la situation, recueille les données et présente tes solutions avec assurance. »

Michelle a suivi ce conseil. En réalité, elle a fait ce que font beaucoup de femmes : elle s'est sur-préparée. Elle disposait de tous les chiffres sur l'entreprise, connaissait sa position sur le marché, les défis auxquels elle devait faire face et les opportunités accessibles. Pendant plus d'une heure, elle a inondé son patron et son futur patron de problèmes et de solutions. Et tout ce qu'ils ont entendu, c'est : « Voici ce qui ne va pas bien et comment vous devez rétablir la situation. »

Michelle m'a confié par la suite : « J'ai commencé à sentir que ça dérapait au milieu de l'exposé, mais je ne comprenais pas pourquoi. Je pensais être tout à fait compétente dans cette présentation, pourtant je suis passée à côté de l'essentiel. »

Elle a mieux perçu l'étendue du problème quand son patron l'a convoquée le lendemain dans son bureau : « Je vois que vous vous êtes bien documentée, mais je ne peux accepter que vous arriviez dans cette réunion pour me dire ce que je dois faire. »

Michelle s'est sentie mortifiée : « J'ai perdu la confiance du patron de mon patron. J'avais l'intention de leur montrer à tous deux que j'étais prête à assumer les responsabilités de ma nouvelle fonction. »

Il est, bien sûr, tout à fait acceptable de proposer des solutions, mais Michelle aurait dû connaître d'abord les priorités des deux hommes et s'aligner sur leurs objectifs pour montrer, seulement par la suite, qu'elle pouvait les aider à atteindre ces objectifs.

« Je n'ai vraiment pas envie qu'on m'améliore. »

Atteindre des objectifs compte beaucoup aux yeux d'un homme. Cela lui permet d'établir sa compétence, et il en retire une profonde satisfaction, d'autant plus s'il a atteint l'objectif seul. Il aime travailler seul pour affirmer son efficacité, son pouvoir et sa compétence.

En prenant conscience de cette donnée, une femme peut mieux comprendre pourquoi un homme n'aime guère qu'on le corrige ou lui dicte sa conduite. Le conseiller sans qu'il en ait adressé la demande revient à supposer qu'il ne parviendra pas à résoudre le problème seul.

Répétons-le : les hommes n'ont pas l'habitude de partager leurs sentiments... Au cours de nos ateliers, voici comment ils expriment leur besoin d'indépendance et d'être acceptés comme ils sont.

• S'il te plaît, n'essaie pas de me changer ou de me corriger.

• Acceptez-moi comme je suis. Je n'ai pas envie d'être amélioré.

• Je sais ce qu'il faut faire, et je peux le faire !

Les femmes doivent se montrer très prudentes quand elles cherchent à améliorer un homme qui n'en n'a pas exprimé le désir. S'il en exprime la demande, c'est acceptable pour lui. Mais une femme cherchant à instaurer une relation de confiance doit savoir qu'elle marche sur de la glace très fine, car elle risque de paraître rapidement critique ou interventionniste, et ses conseils seront perçus comme un manque de confiance en la compétence des hommes.

C'est une tendance très naturelle pour une femme de vouloir améliorer les choses, même quand tout se passe très bien. Pour les femmes, « on peut toujours faire mieux ». Pour les hommes, il en va tout autrement. Nous l'avons déjà dit, aux yeux d'un homme : « Si ce n'est pas cassé, inutile de le réparer. » Ces deux visions divergentes se retrouvent dans le monde professionnel... Et c'est ainsi que les femmes promues à un poste à responsabilité aiment marquer leur passage en améliorant ce qui peut l'être. Cela passe bien auprès de leurs collègues et subordonnées femmes, mais risque de briser la confiance des collègues et subordonnés hommes.

Une femme peut acquérir de la crédibilité auprès d'un homme en recherchant le positif en lui, en notant ses efforts et en les encourageant plutôt qu'en les corrigeant. Un homme qui n'a pas le sentiment que sa collègue veut l'« améliorer » sera plus enclin à solliciter ses idées et ses conseils.

Mélanger les questions et les plans d'action

Au cours des ateliers, quand nous abordons les défis rencontrés par les hommes et les femmes travaillant côte à côte, certains hommes expriment que, pour eux, la plus grande difficulté réside dans les questions féminines.

Le défi pour les femmes n'est pas de poser moins de questions, mais de trouver comment les formuler pour mieux entrer en relation avec leurs collègues hommes. Dans chacun des exemples suivants, une femme aide un homme en lui adressant un message compréhensible sous la forme d'une demande claire ou d'un commentaire positif avant de poser sa question.

Questions indirectes qui défient les hommes	Se montrer plus directe favorise la crédibilité
Comment peux-tu dire ça ? Tu blagues, là ?	C'est incroyable ! C'est réellement vrai ?
Qu'est-ce qui te fait penser que ça marchera ?	L'idée me semble intéressante, mais j'aimerais avoir plus d'informations sur la façon de la mettre en œuvre.
Oui, mais que pensent tous les autres ?	Nous devons prendre une décision, alors vérifions si tout le monde est bien d'accord.
Est-ce la meilleure direction pour l'entreprise ?	On peut atteindre notre objectif ainsi, mais je pense qu'il y a une autre façon plus efficace.

Les hommes et les femmes apportent chacun un point de vue particulier. Et quand ils travaillent au côté les uns des autres, les décisions qu'ils prennent s'en trouvent enrichies.

L'idée n'est pas de composer les équipes avec un nombre égal d'hommes et de femmes, mais plutôt de composer les équipes d'hommes et de femmes suffisamment experts en intelligence des genres pour comprendre et apprécier les contributions masculines et féminines.

Ne pas conclure à l'insensibilité

Les hommes comprennent aujourd'hui plus que jamais qu'un leadership efficace prête plus d'attention aux besoins, aux motivations et aux intérêts des personnes qui composent l'environnement de travail. Pourtant, cette sensibilité ne vient pas naturellement aux hommes : cela requiert de leur part des efforts.

La nature d'un homme le conduit à réfléchir avant de partager ce qui lui traverse l'esprit. Intérieurement et en silence, il trouvera la réponse à son problème, qu'il soit seul à son bureau, dans un entretien à deux ou assis dans une salle de réunion bruyante pleine de gens. Voilà qui génère souvent de la confusion et de la frustration chez les femmes.

Si un homme ne dispose pas de suffisamment d'informations pour répondre, ou si les questions posées par sa collègue ne lui semblent pas liées au problème, il ne répondra pas ou très brièvement. Cela donne l'impression à sa collègue qu'il n'écoute pas, qu'il n'est pas intéressé par ce qu'elle lui dit ou que cela lui est égal. Une femme douée en intelligence des genres comprendra qu'un homme en apparence indifférent, absorbé dans ses pensées ou pas prêt à collaborer n'est pas un problème en soi. Elle considère que cette attitude n'est pas liée à sa personne : l'homme est simplement préoccupé par ses réflexions.

Voici quelques exemples d'approches qu'une femme ayant bien développé son intelligence des genres peut utiliser pour apporter son soutien à un homme stressé apparemment inattentif et peu présent. Certaines de ces suggestions ne correspondent pas à ce qu'attendent certains hommes, mais la plupart d'entre eux les accepteront bien.

• Si vous formulez une suggestion ou proposez un plan d'action, il vaut mieux en arriver rapidement au fait et éviter d'expliquer auparavant l'étendue des problèmes. Focalisez-vous sur les mesures possibles.

• Adressez les demandes de façon directe. Exprimer un problème et attendre qu'un homme propose de lui-même son aide est illusoire. Cette approche laisse penser aux hommes qu'ils sont manipulés. Un homme se montre d'autant plus enclin à offrir son aide à une femme qu'elle ne l'y aura pas contraint.

• Soulignez vos propres réussites en insistant plus sur le résultat final que sur les difficultés que vous avez dû surmonter.

• Évitez d'évoquer sa fatigue ou son stress. Ne dites pas sur un ton plein de sympathie : « Tu parais fatigué… » ou « Qu'est-ce qui ne va pas ? » S'inquiéter pour un homme l'affaiblit et le met sur la défensive. Optez pour une remarque plus détendue, exprimant un bon niveau de confiance : « Je suis sûre que tu peux gérer ça. »

• Minimisez ses erreurs ou ses oublis. Un homme accorde confiance et respect à une femme qui, voyant qu'il a commis une erreur, n'en fait pas grand cas.

• Dites « non » avec le sourire. Un homme se renferme quand une femme décline une de ses demandes en répondant vertement qu'elle a déjà trop à faire. À ses yeux à lui, un simple « je ne peux pas » suffit. S'il veut savoir pourquoi, il pose la question.

Se montrer directe dans ses interactions et formuler ses phrases de façon à ce que son collègue perçoive bien leur signification est une bonne façon de gagner la confiance des hommes. À leur tour, ils se montreront reconnaissants de l'acceptation dont la femme a fait preuve à leur égard si elle ne s'est pas montrée offusquée de leur manque d'attention ou de collaboration. Cela incite ses collègues hommes à lui accorder leur confiance et à souhaiter collaborer davantage avec elle.

Le point de vue personnel :
un cercle de confiance

Ce que veulent les femmes

Pour Sarah, la preuve d'amour ultime, ce sont les petites attentions que Jim, son mari, lui prodigue. Après vingt-cinq ans de mariage, ces petites attentions montrent à Sarah que son amour n'est pas mort. À entendre Sarah le raconter, on pourrait imaginer qu'ils sont jeunes mariés…

« Tous les matins, pendant que je me prépare pour aller travailler, et avant que Jim parte lui aussi pour son bureau, il va chercher le journal et prépare le café. C'est un lève-tôt, il est toujours debout avant le soleil. En hiver, il prévoit de chauffer l'eau juste avant que je descende, car il sait que j'aime le porridge chaud pour affronter les frimas. Et en été, un jus d'orange pressée m'attend à côté d'un croissant. Ces petits gestes ont commencé il y a des années et n'ont jamais cessé, je trouve cela adorable. Ce n'est pas grand-chose, mais ces petites attentions me disent qu'il continue de penser à moi. S'il rentre le soir avant moi, il commence à préparer le dîner. Je ne me souviens pas d'être rentrée une seule fois à la maison sans trouver un plat dégelant sur le plan de travail, ou mijotant sur le feu, ou dorant au four. Quand nos enfants étaient plus jeunes, il profitait des pauses déjeuner pour les emmener à des consultations médicales. Et s'il y avait des spectacles à l'école, il était toujours présent. Je n'ai jamais eu le sentiment d'être seule à m'en occuper. Bien sûr, nous avons aussi vécu des moments difficiles, mais je n'ai jamais perdu ma confiance en lui et je le lui répète chaque jour. »

Pour les femmes, les mots importent moins que les gestes. Ces petites attentions font toute la différence et leur rappellent à quel point ils pensent à elles. Ce n'est pas grand-chose pour les hommes, ou à tout le moins cela ne devrait pas l'être. L'homme prodigue volontairement ces attentions, et dans le but de faire plaisir à la femme. Un homme doit bien le comprendre : s'il continue à traiter sa femme comme quelqu'un qu'il aime et qui compte pour lui, il sera étonné de voir à quel point la confiance de sa compagne grandira à son égard et comment leur relation évoluera vers le mieux.

Ce que veulent les hommes

Au travail, un homme accorde sa confiance à une femme qu'il pense compétente et capable, qui pourra le soutenir et l'aider à atteindre ses objectifs. Dans la vie privée, un homme a autant besoin de se sentir soutenu. Il s'épanouit s'il sait que sa partenaire lui accorde sa confiance, apprécie ses gestes, admire sa personnalité unique et croit en sa compétence.

Un homme sent que sa partenaire lui fait confiance quand elle a une attitude ouverte vis-à-vis de lui, quand elle se montre sûre qu'il fait de son mieux et lui souhaite le meilleur. Une femme réagissant positivement aux compétences et aux intentions de l'homme lui permet de combler son réservoir d'amour. Cela le rend plus attentionné et attentif aux sentiments et aux besoins de sa compagne. Si elle met ses efforts en valeur et reconnaît expressément à quel point il l'a aidée, il se sentira apprécié et saura que ses efforts portent leurs fruits ; cela l'encouragera à poursuivre sur cette voie.

Le besoin primaire féminin est de se sentir unique aux yeux de son partenaire. Le besoin primaire masculin est de se sentir admiré par sa partenaire chaque fois qu'elle se montre heureusement surprise par une de ses qualités – humour, force, persévérance, intégrité, honnêteté, gentillesse, romantisme ou toute autre vertu parfois considérée à tort comme un peu démodée.

Un homme qui se sent admiré sera suffisamment sûr de lui pour se dévouer à sa partenaire.

Une femme qui exprime sa confiance, son appréciation et son admiration encourage un homme à atteindre son potentiel. Encouragé, l'homme se montre encore plus aimant. C'est un cercle vertueux qui permet à chacun de combler ses besoins primaires.

CHAPITRE 11

ÉTABLIR UN LIEN
ENTRE NOS VALEURS DIFFÉRENTES

Les valeurs qui comptent le plus à nos yeux sont celles qui nous définissent. Ce que nous considérons comme important nous façonne et influence notre perception du monde. Ces valeurs nous guident dans la façon dont nous affrontons les situations et dont nous entrons en contact avec autrui. Vivre en accord avec ses valeurs aide les hommes autant que les femmes à trouver la plénitude et la réussite.

Les hommes et les femmes s'aperçoivent souvent qu'ils croient en des valeurs diamétralement opposées en ce qui concerne le travail, la façon dont ils préfèrent travailler et ce qu'ils attendent des autres et d'eux-mêmes. On peut l'observer dans ces affirmations…

- Que tu croies en moi compte beaucoup pour moi.
- Merci pour ton écoute.
- Chacun mérite d'être entendu.
- Finalement, seul le résultat importe.
- Si nous poursuivons nos efforts, nous obtiendrons un meilleur résultat.
- Je pense qu'un bon dirigeant est fort et déterminé.
- Les meilleurs dirigeants partagent le leadership.

Les femmes accordent plus de valeur à la mise en place d'alliances et au développement de leurs relations, à la collaboration vers un objectif commun tout en améliorant la façon de l'atteindre. Elles préfèrent le leadership et le processus de décision partagés, et s'assurent que chacun est bien impliqué. Les femmes ont à cœur d'améliorer les performances de leur entreprise et de maximiser ses profits.

Les hommes accordent davantage de valeur au résultat obtenu grâce à leurs efforts autant qu'à ceux des autres. Ils préfèrent le travail indépendant, et lorsqu'ils collaborent au sein d'une équipe, ils apprécient que le travail soit clairement réparti et accompli efficacement dans un but commun, en agissant correctement dans le délai le plus court possible. Ils sont à l'aise avec les structures hiérarchiques et affirment souvent leur leadership. Ils aiment les délais respectés et les résultats aboutis.

Données sur les spécificités hommes-femmes[1]

• 74 % des femmes apprécient le voyage autant que la destination.
• 85 % des hommes préfèrent atteindre des objectifs et battre la concurrence que de profiter du voyage.

Pendant des années, les valeurs masculines ont façonné l'organisation du travail. Depuis la fin des années 1940, après la Seconde Guerre mondiale, le modèle militaire du service, du commandement, et d'autres méthodes ayant fait leurs preuves dans le milieu militaire ont été adaptés dans les entreprises privées. On retrouve encore de nos jours ce concept de commande et de contrôle dans de nombreuses pratiques et cultures d'organisation, de corporation, et même au sein de l'institution éducative.

Depuis les années 1980, les femmes constituent la moitié du corps professionnel. Pourtant, les valeurs masculines sont toujours d'actualité dans les règles, pratiques et procédures professionnelles, ce qui entraîne souvent des difficultés entre hommes et femmes en raison de leurs valeurs respectives. Le changement est lent, mais les hommes acceptent graduellement d'adopter de nouvelles pratiques pour répondre à la complexité et à la diversité du marché ; et ils reconnaissent que la moitié de leurs collègues sont aujourd'hui des femmes, avec des valeurs, des besoins et des attentes éloignés des leurs.

Les angles morts empêchent hommes et femmes de voir ce qui importe le plus aux yeux du sexe opposé. Une fois ces angles morts éliminés, ils parviennent de part et d'autre à établir des ponts entre leurs valeurs divergentes et à mieux faire bénéficier leur entreprise de leurs compétences complémentaires.

« Les valeurs ne comptent pas beaucoup si nous n'atteignons pas les chiffres prévus. »

Le directeur général monte sur la scène dès le premier jour du congrès annuel des ventes. Dans les cinq premières minutes de son allocution, il proclame : « Je suis très content de voir nos employés aspirer à des valeurs de collaboration et d'intégration, mais ces valeurs ne comptent pas beaucoup si nous n'atteignons pas les chiffres prévus ! »

Les hommes de l'audience approuvent de la tête et comprennent le message : « Il a raison. Nous devons retrousser nos manches et y arriver. » « Nous avons 90 jours pour faire la différence. Il faut avancer plus vite sur nos décisions si nous voulons atteindre ces chiffres. »

Les femmes présentes prennent l'allocution d'une tout autre manière : « Pardon, ai-je bien entendu ? Ces valeurs, ce ne sont pas juste des paroles en l'air. Ce sont les valeurs féminines, ce pourquoi nous sommes ici ! » « La participation de chacun est ce qui me motive, et cela améliore la productivité. Je ne suis pas d'accord avec la prise de décisions rapide à tout prix. »

Si le directeur général avait mieux développé son intelligence des genres, il aurait plutôt dit : « Il faut que nous veillions davantage à l'intégration et que chacun puisse apporter ses meilleures idées. Nos valeurs permettent d'améliorer la productivité et nos performances, et nous motivent pour atteindre nos objectifs. »

Mesurer la distance

Sur Mars et Vénus, les valeurs respectives divergent souvent complètement. Mieux comprendre les raisonnements qui sous-tendent les décisions et les valeurs de chacun est la première démarche à effectuer pour mieux s'apprécier mutuellement et travailler ensemble.

Les hommes sont attachés au pouvoir, à la compétence, à l'efficacité, à l'action et à l'accomplissement. Un homme agit pour montrer son habileté et sa valeur, pour se sentir compétent et assuré, et pour développer ses connaissances et aptitudes. Il mesure sa propre valeur en fonction de sa capacité à atteindre ses objectifs.

Les femmes, quant à elles, respectent l'accomplissement, mais elles préfèrent les valeurs de soutien, de confiance et de communication. Leur intérêt réside davantage dans la présence et la qualité des relations qu'elles nouent, et dans l'instauration d'une ambiance chaleureuse sur leur lieu de travail. Elles mesurent leur propre valeur à l'aune de leur capacité à partager et à coopérer pour atteindre les objectifs visés.

Voici quatre valeurs comparées qui distinguent le plus les valeurs féminines des valeurs masculines. Bien sûr, il n'existe pas de frontière stricte, et certains pourront se reconnaître dans les valeurs du sexe opposé. Pour autant, il semble qu'elles soient respectivement partagées par une majorité de chacun des sexes.

Valeurs contradictoires	Préférence des femmes	Préférence des hommes
Améliorer ou conserver	On peut tout améliorer et trouver de meilleures façons de le faire marcher.	Si ce n'est pas cassé, inutile de le réparer.
Ensemble ou seul	Je trouve de meilleures idées quand je collabore avec d'autres personnes.	Je trouve de meilleures idées quand je peux travailler seul.
Voyage ou destination	Nos efforts conjoints comptent autant que nos résultats.	Gagner importe plus que tout.
Partager ou affirmer	Chacun devrait contribuer à la prise de décisions.	Un manager gère. Je suis censé prendre les décisions.

On distingue mieux ce qui conduit hommes et femmes à aborder les autres ou à gérer les équipes. Pourtant, il n'y a pas lieu de dire que les valeurs féminines entrent en conflit avec les valeurs masculines. Elles divergent, mais souvent hommes et femmes trouvent un *modus vivendi* qui leur convient. La clé consiste à comprendre le fondement de ces valeurs.

Améliorer ———————— Conserver

Les femmes considèrent souvent que si quelque chose fonctionne bien, il est possible de le faire fonctionner encore mieux. Elles se sentent obligées de rendre leur environnement plus agréable et cherchent à mieux interagir avec les autres.

Le changement est une seconde nature pour elles, parce qu'elles le vivent au quotidien. À leurs yeux, prodiguer des conseils et des suggestions à quelqu'un est un signe d'appréciation. Quand elles se passionnent pour un projet, un produit ou un client, elles trouvent immédiatement des idées pour améliorer leur situation. Les conseils et la critique constructive constituent leurs meilleures contributions au travail.

Pourtant, chercher l'amélioration perpétuelle n'est pas toujours favorable aux femmes. Les hommes montrent de la résistance envers cette habitude féminine, car elle leur donne l'impression que les femmes doutent de leur capacité à y parvenir sans leur aide. Un collègue qu'on essaie de faire évoluer en conclura qu'il a commis une erreur ou s'est montré défaillant d'une manière ou d'une autre. Se sentant peu apprécié tel qu'il est, il se mettra sur la défensive à l'idée qu'on veuille le corriger.

La poursuite sans fin de l'amélioration risque aussi de faire tomber la femme dans le piège du perfectionnisme et élèvera son niveau de stress, sans améliorer pour autant la qualité de son travail.

Lors d'une allocution récente auprès de femmes dirigeantes du secteur des services financiers, j'ai posé cette question : « Combien d'entre vous ont l'impression de trop préparer leurs réunions ? Combien d'entre vous n'acceptent pas que "ce qui est suffisamment bien est suffisant" ? »

Toutes les mains se sont levées.

Les femmes se retrouvent en difficulté en creusant trop un point problématique, en voulant améliorer un rapport, réécrire un article ou apporter la note finale à une allocution. Bien sûr, il est toujours possible d'apporter des améliorations, mais les femmes doivent s'imposer d'aller de l'avant. Dans les ateliers, les femmes expriment souvent qu'elles aimeraient pouvoir prendre du recul comme le font les hommes, se satisfaire d'un « assez bien », pour se libérer l'esprit et avancer vers autre chose.

Les hommes ont quant à eux un fonctionnement assez opposé : si quelque chose fonctionne bien, pourquoi perdre du temps et de l'énergie à l'améliorer ? Alors que les femmes ont surtout envie de perfectionner leur travail, les hommes ont un désir tout aussi puissant d'en accomplir davantage avec ce qui est déjà fait. Ils veulent des résultats et de la croissance, et ils se sentent obligés de changer seulement ce qui ne fonctionne pas bien.

Cela sous-tend le principe d'efficacité. Les hommes souhaitent accomplir les tâches correctement dès le départ, afin de ne pas avoir à les réparer par la suite, et si possible jamais ! Ils veulent retirer le meilleur de quelque chose avant d'avoir à le remplacer ou le réparer. Les hommes s'adaptent au changement, mais seulement s'il est nécessaire et si on leur a prouvé que le changement en question améliorerait l'efficacité par rapport à leurs pratiques précédentes.

L'histoire d'IKEA

La société IKEA a été fondée en 1943 par un adolescent, Ingvar Kamprad. Il a commencé par vendre des petits produits (portefeuilles, porte-clés, stylos) fabriqués pour la plupart en Suède à bas prix. Cinq ans plus tard, il a converti son entreprise en vente à distance et entrepris de commercialiser des meubles à monter vendus par correspondance. Pendant vingt ans, l'essentiel de la mission d'IKEA a consisté à vendre des meubles sur catalogue. Les clients passaient commande et recevaient leur colis plats contenant les meubles à assembler, avec la notice de montage. En 1965, Kamprad a ouvert son premier entrepôt de self-service. À partir de ce concept, IKEA a développé une entreprise plus que florissante, car l'idée de vendre des meubles à monter évitait de « transporter et stocker de l'air ». Pendant plus de vingt ans, Kamprad a élargi sa vision, en établissant des magasins en Europe et au Canada[2].

En 1985, le premier magasin IKEA s'est ouvert aux États-Unis, à Philadelphie, et les femmes qui dirigeaient le siège de l'entreprise à Leiden, aux Pays-Bas, furent chargées de mettre en place le nouveau marché. Selon les statistiques, aux États-Unis, 90 % des achats de meubles relèvent de la décision de femmes, et celles-ci n'apprécient pas autant que les hommes d'acheter sur catalogue.

La direction d'IKEA pensait que les femmes acheteuses auraient besoin de voir le meuble assemblé – qu'il soit destiné au salon, à la cuisine, à la chambre parentale ou à celle des enfants. Ils ont décidé de créer un espace dans leur magasin des États-Unis et des autres pays qui permettrait de se dire : « À quoi cela ressemblerait si j'habitais là ? » IKEA a pris la peine d'ajouter des petites touches de décoration en prévoyant des cadres, des tapis, des cousins... Les hommes ont eux aussi apprécié l'idée du magasin d'exposition. Il est bien plus simple de comprendre les instructions d'assemblage après avoir vu le meuble terminé, et le voir en taille réelle permet aussi de déterminer l'espace qu'il nécessite.

IKEA est un exemple parfait d'une entreprise créée par un homme pour les hommes, qui a pu profiter d'un apport féminin, améliorant ainsi un concept déjà très florissant. Les ventes d'IKEA ont atteint des niveaux inattendus, et cette entreprise est maintenant le leader mondial de ventes de mobilier. Elle offre un exemple parlant d'une intelligence des genres appliquée : des hommes et des femmes qui ensemble créent un meilleur produit.

Ensemble ———————— Chacun dans son coin

Les femmes jouissent d'une aptitude naturelle à reconnaître les points qui relient les personnes, les idées, les processus et les groupes. Elles sont capables de créer des alliances, de repérer les relations entre les personnes et les choses, et de développer ces relations. Cette aptitude naturelle les incite à rechercher la collaboration sur le lieu de leur travail.

Les hommes sont, pour la plupart, moins portés sur le relationnel. La solitude d'un homme ne lui pèse nullement tant qu'il est productif. Il apprécie d'être immergé dans le travail, de n'avoir à dialoguer avec personne tant qu'il n'a pas mené sa tâche à son terme. En cas de difficulté, il se tournera vers les autres pour obtenir de l'aide, mais uniquement en dernier ressort et à certaines conditions.

Pour un homme, le travail d'équipe signifie que celle-ci regroupe une certain nombre d'individus. Il ne voit pas l'équipe comme une entité à part. Il apprécie de conserver son indépendance et sa liberté de décision, et que son rôle soit clairement défini. Un homme valorisé pour son individualité apportera beaucoup à l'équipe. Il cherchera comment œuvrer pour que l'équipe atteigne son but. Il ne s'intéresse que peu aux tâches prises en charge par les autres membres de l'équipe, à moins qu'elles concernent son propre travail. Il tire sa satisfaction de ses résultats personnels.

Une femme se focalise plutôt sur les besoins de l'équipe, ce dont les autres ont besoin pour que l'équipe réussisse. Si l'équipe ne dispose pas de ce dont elle a besoin, la femme se chargera de remédier à ce problème, dût-elle travailler au-delà des heures prévues, car elle a développé un sens des responsabilités accru – voire une tendance au sentiment de culpabilité, qui l'incitera à combler les besoins de chacun avant de se préoccuper des siens. Une femme tire sa satisfaction du succès de l'équipe.

« Si c'est ce qui te rend heureuse… »

Chantal, manager, ancienne trader de Wall Street et mère de deux adolescents, déjeunait avec Maud, une femme célibataire plus jeune, qui débutait sa carrière dans une entreprise d'investissements.

Maud s'épancha avant même de commencer à manger sa salade : « Qui a décidé que les jeunes femmes célibataires ne pouvaient pas avoir de vie privée ? Je t'envie, Chantal. J'aimerais rencontrer quelqu'un et avoir des enfants tôt, pour qu'ils soient autonomes comme les tiens et que je puisse continuer ma carrière encore jeune. Je gagne très bien ma vie, mais je suis au bureau douze heures par jour, et je travaille aussi les week-ends. Aujourd'hui, c'est la première fois que j'ai le temps de vraiment déjeuner depuis je ne sais quand. Je ne sais pas comment tu as réussi et comment tu réussis encore. »

Chantal attendit avant de répondre, ne souhaitant pas stresser Maud davantage, mais elle ressentait le besoin de partager son expérience :

– Cela me peine de te le dire, Maud, mais voici ce que j'en retiens : les femmes célibataires ont une grosse charge de travail, mais les mères qui travaillent ont une grosse charge de culpabilité.

– Je comprends pour la charge de travail, mais de quoi te sens-tu coupable ? demanda alors Maud.

– De la même chose que toi quand tu prends un après-midi de congé pour raisons personnelles. Tu n'es pas là pour partager la charge de travail de l'équipe, surtout les week-ends. Je sais que le reste de l'équipe travaille les week-ends. Mes enfants vont à l'école le matin et font leurs devoirs quand je rentre à la maison, mais ils ont encore besoin de moi, surtout les week-ends… quand toi, tu travailles ! J'apprends à surmonter ce sentiment de culpabilité et à être en paix avec moi-même.

– Mais Paul ne t'aide-t-il pas ? s'enquit Maud.

– Bien sûr qu'il m'aide. Paul est un excellent père et un mari aimant, mais tu verras, les hommes n'ont en général pas la même vision du monde que nous. Ils n'éprouvent ni la même empathie ni le même sens des responsabilités envers les autres. Ce n'est pas leur faute, c'est leur nature. Paul fait des efforts, pourtant. Il prend certaines choses en main et pense à moi, mais je suis la seule à éprouver de la culpabilité quand je suis au bureau, à penser à ma famille. Et je me sens coupable quand je suis à la maison, en pensant au bureau. Paul parvient mieux à compartimenter les deux vies. Il apprend à devenir plus comme moi, et j'apprends à devenir plus comme lui. Pourtant, je ne regrette à aucun moment d'avoir eu mes enfants et d'avoir rencontré mon mari. Tu sais, Maud, l'entreprise ne t'encouragera jamais à prendre du temps pour fonder une famille. Ils t'offriront de la flexibilité, mais c'est à toi de prendre du temps. Tu es douée et ambitieuse, et l'entreprise aura envie de te garder. Si ce n'est pas le cas, ton profil intéressera d'autres entreprises. Bats-toi contre le sentiment de culpabilité. Tu peux tout avoir, pas forcément tout en même temps. Mais si avoir une famille est ce que tu souhaites, lance-toi ! »

Ces valeurs contradictoires, incitant d'un côté à « penser aux autres » et de l'autre à « penser à soi » ont des répercussions sur d'autres aspects de la carrière des hommes et des femmes, et notamment sur la négociation. Les hommes et les femmes abordent la négociation selon des approches divergentes, parce qu'ils en perçoivent les aspects relationnels sous un angle différent. Dans le cadre d'une étude, on a demandé aux hommes et aux femmes si pour eux la négociation s'apparentait à une partie de poker, à une danse, à un combat de taureaux ou un à match de tennis. Les hommes ont plutôt choisi la partie de poker, alors que les femmes voyaient souvent la négociation comme une sorte de danse, ce qui implique davantage de collaboration et un résultat pas uniquement fondé sur le mode gagnant/perdant[3].

La même étude révèle que les femmes ne sont pas avantagées si elles se comportent selon le modèle des hommes au cours de la négociation. Elles peuvent avoir développé de bons talents de joueuses de poker ; mais, lors des négociations, elles ont tendance à personnaliser davantage leurs demandes de compensation ou de ressources, et semblent alors se plaindre ou se fâcher. Une femme peut aussi s'excuser ou exprimer ses sentiments lors des négociations : « Je suis désolée d'avoir à le demander, mais je pense que je mérite une augmentation… » ; ou bien : « Je pense que je le vaux… » ; ou encore : « Regarde tout ce que j'ai accompli ! » Ce genre d'observations diminuera sa crédibilité et ôtera du poids à ses arguments.

Il en va tout autrement quand les femmes s'engagent dans des négociations au profit d'autrui : lorsqu'elles défendent les intérêts de leur département, de leur équipe ou d'une cause, leur assurance et leurs performances dépassent en général celles des hommes[4]. C'est souvent contre-productif pour les femmes, car elles valorisent trop les relations au détriment d'elles-mêmes.

Une femme ayant développé son intelligence des genres pourra toujours se révéler une bonne négociatrice pour le compte des autres, mais elle se sera aussi entraînée à affirmer ses propres intérêts en considérant que l'entreprise bénéficiera aussi des avantages qu'elle aura négociés pour elle. Elle extériorise les raisons qui motivent une augmentation de salaire ou des ressources en prenant en compte non seulement ce qu'elle a accompli mais aussi le bénéfice qu'en retirera l'organisation. Un tel raisonnement est compréhensible par des négociateurs qui peuvent plus facilement l'adopter, notamment grâce aux arguments concernant les futures valeurs et performances.

Le point de vue scientifique

Nous avons déjà décrit (voir chapitre 3) la façon dont le lobe pariétal inférieur (IPL) est la partie du cerveau qui reçoit les *stimuli* sensoriels du toucher, de la perception de soi et de la vue, et qui intègre ces signaux de façon à ce que l'individu puisse percevoir son identité, sa direction et la signification des situations qu'il rencontre. On peut dire qu'en règle générale l'IPL influencera la localisation, le moment et la façon dont hommes et femmes établiront des priorités dans leur vie et exprimeront leurs valeurs.

L'IPL est plus large du côté gauche – le côté logique, analytique et objectif – chez l'homme[5], ce qui l'incite à entrer plus rapidement en action, et à se concentrer sur les tâches à accomplir et sur le sens d'accomplissement. Les hommes évaluent leur capacité et mesurent leur valeur en fonction des résultats qu'ils obtiennent. Ils se sentent très compétents lorsqu'ils parviennent à résoudre leurs problèmes seuls grâce à des conclusions logiques.

Très motivé par l'objectif, un homme étudiera la façon la plus efficace d'aller du point A au point B, quel résultat pourra récompenser ses efforts et si ce résultat en vaut la peine.

Chez la femme, l'IPL est plus large dans le côté droit du cerveau – le côté intuitif, songeur et subjectif ; et, alors que les hommes utilisent plutôt un seul côté du cerveau à la fois, les femmes activent le cerveau dans sa globalité, ce qui leur confère une connexion plus visuelle, verbale et émotionnelle avec autrui. Les femmes, nous l'avons déjà mentionné, ont de meilleures capacités à décoder les messages émotionnels lors des conversations ou dans les gestes et expressions faciales[6].

La priorité pour une femme ne consiste pas à trouver le chemin le plus rapide pour accomplir une tâche, mais plutôt à établir une relation de soutien pour travailler en collaboration. Une femme mesure sa valeur à l'aune de sa réussite à créer des alliances, à développer des relations et à partager ses connaissances[7].

Ces différences entre les sexes ne sont pas à ce point marquées : il existe des exceptions à toute règle. On peut aisément trouver des femmes travaillant mieux et avec plus de plaisir lorsqu'elles sont seules, qui apprécient d'atteindre leurs objectifs et ne s'attardent guère sur les relations. On peut aussi aisément trouver des hommes parvenant à faire émerger les meilleures de leurs idées quand ils travaillent en collaboration : ils aiment pratiquer un leadership d'intégration.

Une meilleure appréhension du fonctionnement naturel du sexe opposé et de ce qui conduit les hommes et les femmes à penser et à agir se révèle très utile, et ajoute profondeur et richesse à la perspective de l'intelligence des genres.

Voyage ——————— Résultats

Les femmes s'épanouissent à travers la collaboration, la communication et le soutien mutuel. Elles aiment atteindre les résultats visés, mais retirent au moins autant, sinon plus, de satisfaction en résolvant les problèmes et en surmontant les difficultés qui jalonnent le chemin vers la réussite.

Pour atteindre leurs objectifs, les femmes commencent par établir leurs relations, puis elles les consolident pour enfin parvenir au but recherché. Les femmes partagent leur plaisir avec autrui, appréciant le chemin parcouru ensemble, avec ce genre de remarques : « Nous avons accompli de grandes choses ensemble… » ; ou bien : « Merci pour avoir pris mes efforts en compte ! » ; ou encore : « J'apprécie vraiment de travailler avec toi… »

Les hommes abordent le travail et les relations avec autrui sur un autre plan. Un homme cherche à aller du point A au point B le plus rapidement possible, en accomplissant la bonne tâche dans le temps le plus court et avec le moins de ressources possible.

Lors d'un récent atelier, un cadre âgé résuma ainsi les choses : « J'éprouve un sentiment d'accomplissement et un soulagement seulement quand les tâches sont terminées. Avant, je développe une sorte de vision en tunnel, et je ne vois que ce qu'on attend de moi et de mon équipe. Je vois et j'entends ce qui m'entoure, mais mon filtre les bloque. Certains jours, je ne pourrais dire avec qui j'ai parlé dans mon bureau, ni même avec qui j'ai déjeuné. »

Le sens d'accomplissement personnel d'un homme ne lui vient que lorsqu'il a achevé le voyage et qu'il peut enfin voir les résultats de ses efforts et qu'on apprécie ses performances. Si une femme a plus tendance à apprécier le processus et aime qu'on reconnaisse ses efforts, l'homme va plutôt endurer le processus et apprécier que soit reconnu seulement le résultat qu'il a pu atteindre. Voici les propos qu'un chef d'équipe est susceptible de tenir vis-à-vis des membres de son équipe : « Peu importe comment vous y arrivez. Je vous fais confiance. Juste, parvenez-y ! » ; ou bien : « Soit nous gagnons, soit nous perdons » ; ou encore : « Nous avons atteint notre objectif ; maintenant, recommençons pour l'année prochaine… » Se montrer attaché au résultat est une tendance naturelle de l'homme, et tout à fait complémentaire avec celle de la femme à créer des alliances, à développer des liens relationnels étroits et à améliorer ce qui peut l'être.

Les femmes aiment à penser que l'attention portée au processus et aux personnes engagées dans l'aventure crée un bon terreau pour la réussite. Voilà pourquoi elles accordent autant d'importance au chemin à parcourir : découvrir, faire émerger et améliorer la voie reliant les moyens aux fins.

Un homme ne développe en général pas le même niveau de conscience ou de préoccupation pour les difficultés à surmonter et les efforts à fournir, à moins que cela n'affecte sa capacité à atteindre le résultat final. Il ne cherche pas à s'investir dans les personnalités et les émotions de ses collègues ni dans ses relations avec eux. Cela ne signifie pas nécessairement qu'il est indifférent ou distant. Mais sa nature le conduit à ne pas se préoccuper de tous les détails qui ne sont pas directement en lien avec le but à atteindre. S'intéresser surtout au résultat ne favorise pas le développement des liens au sein de l'équipe.

« Ce n'était pas seulement une question financière. »

Une représentante des ventes plutôt chevronnée entra dans le bureau de son manager et lui présenta sa démission. Le manager fut choqué, mais trop surpris pour lui demander quelles raisons la poussaient à quitter l'entreprise. Il sentit l'émotion monter en lui alors qu'elle allait quitter son bureau sans explication ; il resta figé sur son siège, muet, car rien ne lui venait à l'esprit. Il demeura sans voix pendant ce qui lui sembla des secondes, alors que cet instant parut durer des heures à la représentante, confirmant sa conviction : « Ça lui est tellement égal qu'il ne me demande même pas la raison de mon départ. »

Au cours de son entrevue de départ, elle expliqua à la personne en charge des Ressources humaines qu'elle quittait l'entreprise parce qu'elle avait trouvé un autre poste mieux rémunéré et lui offrant plus d'avantages. Le service des Ressources humaines transmit l'information à son supérieur, en ajoutant une remarque : « Nous devons envisager d'augmenter les salaires et les avantages de nos meilleurs employés si nous souhaitons les garder. »

Trois mois plus tard, le directeur des Ressources humaines organisa en urgence une réunion avec le directeur des ventes, afin de comprendre la raison du départ de trois de leurs meilleurs représentants, deux femmes et un homme. « Nous avons augmenté les salaires et les commissions, au point que nos rémunérations sont maintenant plus élevées que chez nos concurrents. Pourtant, nous continuons à voir partir notre personnel. Nous ne pouvons nous permettre de perdre nos clients à cause de ces départs. »

Six mois plus tard, la représentante des ventes, qui avait démissionné la première, m'expliqua : « Ce n'était pas une question d'argent, bien que ce soit l'argument que j'ai avancé. Je gagne moins aujourd'hui. Mais j'aime la culture de ma nouvelle entreprise. Je sens que je fais partie de l'équipe. On apprécie mes idées et on me demande souvent mon avis. La quantité de travail est la même, et il y a autant de compétition, mais pas entre les membres de l'équipe. Je sens que nous avançons ensemble. Cela peut sembler idiot, mais j'ai l'impression que tout le monde se préoccupe des autres, ici. Je crois que cette ambiance est perceptible par nos clients. »

Partager ——————— Annoncer

Nous avons déjà évoqué (voir chapitre 1) une large étude conduite par McKinsey et Company qui a permis de dégager les atouts complémentaires des leaderships masculin et féminin. Sur neuf des points pris en compte, les hommes et les femmes utilisaient de la même façon leurs compétences intellectuelles et leurs capacités de communication. Les femmes atteignaient de meilleurs scores pour le développement humain et la prise de décision participative. Les hommes excellaient davantage dans la prise de décision individuelle et dans l'approche « contrôle et correction ». McKinsey définit cette dernière approche comme une forme de management : il s'agit de surveiller les performances des individus, de repérer les erreurs et de les corriger si nécessaire[8]. Pour les hommes, ce type de management est un gage de réussite et garantit d'atteindre des performances sur un mode hiérarchisé, organisé et dirigé.

Le développement humain est une forme de management plutôt opposé sur l'éventail de toutes les formes de leadership. Il caractérise davantage le leadership féminin. McKinsey définit le développement humain selon ces termes : « Instaurer une ambiance d'équipe dans laquelle chacun est encouragé à participer et à prendre part aux décisions. »

Les valeurs masculines et féminines et leur application dans le domaine du leadership se retrouvent dans les termes « partager » et « annoncer ».

« Partager » apparaît dans les exemples suivants : « Je ne prendrai aucune décision cruciale sans avoir recueilli au préalable les avis des hommes et des femmes de mon équipe » ; ou bien : « Je vous fais confiance pour prendre les meilleures décisions pour votre région » ; ou encore : « J'aimerais entendre votre avis avant de poursuivre ».

« Annoncer » apparaît dans les exemples suivants : « Notre lancement général aura lieu le 1er du mois » ; ou bien : « Je convaincrai le conseil d'administration que ces marchés nous reviennent » ; ou encore : « Ma décision est définitive. »

« Le meilleur, c'est un mélange des deux. »

La directrice générale d'une grande entreprise m'a récemment donné sa définition du leadership : « Je partage mon leadership avec autrui, c'est-à-dire que je fais confiance aux autres pour la prise de décisions. Nous sommes une entreprise et, je le reconnais volontiers, je ne peux pas être partout à la fois. Je dispose d'un réseau de dirigeants partout dans le monde, sur lesquels je peux tout à fait compter. Nous discutons toutes les semaines, mais leur autonomie est réelle. Les deux tiers de mes dirigeants régionaux sont des hommes, et cette indépendance leur bénéficie énormément. Mais ça n'a pas toujours fonctionné ainsi. Je me bats depuis plus de vingt ans, grimpant les échelons un à un dans un monde professionnel organisé selon les valeurs masculines. Chacune des formations en leadership que j'ai suivies était destinée aux hommes qui y participaient, et pas à moi. Pendant deux ans, j'ai été la seule femme dans l'équipe dirigeante. Vous pouvez imaginer comment une femme plongée dans cet environnement en arrive, avec le temps, à adopter par mimétisme les habitudes masculines. C'était comme si j'étais entourée de frères ! Je définis mon leadership comme un leadership fondé sur le partage et l'attention portée aux autres. Ce qui compte à mes yeux, c'est le développement humain et l'engagement. J'ai dû faire des compromis par rapport à mes valeurs pour arriver ici, mais je refuse à présent d'y renoncer. Pourtant, j'ai aussi appris à mieux comprendre comment les hommes dirigeaient les autres et pourquoi leurs employés les écoutaient. Je pense que le leadership musclé a sa place pour s'assurer d'atteindre les objectifs visés, mais que l'ambiance la plus saine découle d'un leadership basé sur la collaboration. Comme plus de la moitié de mon équipe est composée d'hommes, je pense que le mieux, c'est un mélange des deux formes de leadership : partager et annoncer. »

En intégrant une petite part du fonctionnement masculin dans leur leadership, les femmes peuvent éviter d'avoir à affronter de gros problèmes − synonymes de perte de temps. La valeur que les femmes accordent aux relations peut les aider à mieux travailler avec leur entourage, à motiver, encourager, développer et inspirer leur équipe. Pourtant, cette approche présente aussi pour elles un grand risque : celui de se perdre dans les relations ou, comme nous l'avons vu plus haut, dans la culpabilité. Les femmes doivent apprendre à fixer quelques limites dans leurs relations professionnelles, comme le font les hommes, afin de se préserver elles-mêmes.

Depuis les années 1980, des changements sont intervenus. À un leadership exclusivement fondé sur le modèle masculin a succédé une forme de leadership plus décentralisé et marqué par la participation. La plupart de ces changements ont pour cause la complexité et la vitesse du monde des affaires, et le besoin des entreprises d'aboutir à des décisions rapides et éclairées, parfois sur plusieurs continents en même temps. Mais le changement se produit lentement, même pour ces entreprises désormais gérées par autant de femmes que d'hommes – et dont les clients sont presque tous des clientes.

Managers femmes	Managers hommes
S'assurent de leur leadership en vérifiant la force et le pouvoir de leur réseau.	S'assurent de leur leadership en vérifiant leurs performances personnelles et les résultats de leurs subordonnés.
Prennent bien la situation spécifique en compte, ainsi que les besoins des individus. Voient en quoi les questions peuvent affecter l'avenir de l'entreprise.	Sont plus concentrés sur le niveau macroéconomique (les besoins financiers et opérationnels de l'organisation) que sur un niveau plus individuel.
Décentralisent les plans d'action et partagent la prise de décisions.	Centralisent les plans d'action en fonction des performances à atteindre et préfèrent une prise de décisions hiérarchique.
Prodiguent empathie, encouragements et félicitations à leur équipe. Cherchent à résoudre les problèmes de conflits émotionnels par la communication : « Parlons-en… »	Valorisent la résolution individuelle de problèmes et le contrôle de la vulnérabilité émotionnelle. « Moins de sentiments, plus d'action ! »

Alors, comment établir le modèle du leadership d'avenir ? De nombreux ouvrages ont été écrits sur l'instauration d'un modèle généralisé de leadership participatif, et de nombreux managers ou politiciens sont déjà convaincus que c'est ce vers quoi nous nous dirigeons – ce vers quoi nous devons nous diriger !

En réalité, les deux formes de leadership présentent des avantages, et l'idéal semble d'instaurer une forme de leadership « centrée » entre les deux pôles, susceptible de permettre tant aux femmes qu'aux hommes de s'épanouir. Les entreprises ayant déjà mis en place un équilibre entre les formes masculine et féminine de leadership permettent que chacun prenne en compte le point de vue de l'autre et puisse fonctionner selon un leadership qui lui convient.

Le point de vue personnel

Maud entre dans la gare Grand Central et prend le dernier train pour sa modeste maison de New Rochelle. Elle est assise seule dans le wagon presque vide et réfléchit à ce que Chantal lui a dit pendant leur déjeuner à propos de son sentiment de culpabilité généré par son impossibilité de venir travailler les week-ends. Et tout à coup, elle se demande : « Est-ce à cause de mon sentiment de culpabilité qu'Alex et moi ne nous voyons plus aussi souvent qu'avant ? »

Maud et Alex sortent ensemble depuis huit mois. Ils se sont rencontrés à l'hôpital où Maud vient travailler bénévolement une ou deux fois par mois. Avec Alex, Maud se sent à l'aise, plus qu'avec les hommes de son bureau.

Depuis qu'ils sortent ensemble, chaque fois que Maud ne doit pas travailler pendant les week-ends, elle appelle Alex ou lui envoie un texto pour lui proposer une activité. Mais ces derniers temps, Alex s'est montré de plus en plus irritable, passif et de mauvaise humeur pendant leurs rendez-vous. Maud comprend enfin : « Je me sens coupable pour les week-ends où il voulait m'emmener à la montagne et où j'ai dû refuser parce que j'avais trop de travail. Et maintenant, je compense quand je suis disponible. Je veux juste passer du temps avec lui pour voir s'il est l'homme de ma vie et lui faire passer le message que je tiens vraiment à lui. »

Le train de Maud approche de sa gare et ses réflexions sur sa vie privée se poursuivent : « Nous ne sommes plus aussi proches que nous l'étions. Il était si charmant et romantique. Je pense que c'est fini. »

Mais il ne faut pas forcément que leur histoire finisse. Maud éprouve de la culpabilité et cherche à s'en absoudre en surcompensant lorsqu'elle se trouve aux côtés d'Alex, et c'est cela qui le fait fuir. Elle l'écarte aussi d'elle en éprouvant du ressentiment du fait de son manque de disponibilité quand ils se voient.

Maud doit cesser de s'inquiéter pour Alex, et se préoccuper davantage de ses propres besoins et intérêts. En faisant davantage de choses qui lui plaisent, elle éprouvera moins de culpabilité et pourra éviter le ressentiment. Son bonheur ne devra plus dépendre de celui d'Alex, car elle pourrait alors lui paraître étouffante.

Les trains, les voitures et les avions sont remplis d'hommes et de femmes, célibataires ou en couple, toujours en mouvement, cherchant à équilibrer leur vie privée et leur vie professionnelle… En fait, ce qu'ils recherchent réellement, c'est une plus grande harmonie dans chacune de ces vies.

CHAPITRE 12

ATTEINDRE L'ÉQUILIBRE ENTRE VIE PRIVÉE ET VIE PROFESSIONNELLE

Au fil de ces pages, nous avons passé en revue les défis et les possibilités qui s'offrent aux hommes et aux femmes commençant à mieux se comprendre mutuellement et atteignant la réussite personnelle dans leur vie privée et leur vie professionnelle. La situation se complique d'autant plus aujourd'hui que la séparation entre les deux n'est plus aussi claire et marquée que pour les générations précédentes.

Le niveau élevé de stress et de fatigue au bureau et à la maison est le signe que nous ne parvenons pas à trouver l'équilibre entre ces deux mondes, du fait de la limitation de notre temps et de la diminution de notre énergie. En raison de la complexité et de la globalité du marché du travail aujourd'hui, il est pratiquement impossible de trouver un emploi de management dont les horaires seraient 9 heures/17 heures et qui permettraient de rentrer tôt chez soi.

Un autre élément entre en ligne de compte : depuis 2000, 80 % des couples bénéficient d'un double revenu ; cela constitue une énorme différence par rapport à 1980, où seulement 25 % des ménages avaient un double revenu, et encore plus par rapport à 1950 où le chiffre était proche de zéro.

Cette tendance ne fléchit pas et elle ne s'observe pas seulement en Europe et aux États-Unis : le ménage à deux revenus est aujourd'hui une norme de société au niveau mondial[1].

Peut-être n'existe-t-il pas un autre phénomène ayant davantage marqué la société, modifiant les interactions des femmes et des hommes avec leur famille, ainsi que l'organisation de leur temps. Aujourd'hui, le plus grand défi auquel doivent faire face tant les unes que les autres est de parvenir à jongler entre les responsabilités familiales et professionnelles, de façon que chacun se sente apprécié et comblé.

Il existe quelques différences dans la façon dont les hommes et les femmes appréhendent l'équilibre entre vie privée et vie professionnelle. Bien sûr, les femmes sont plus à l'aise avec l'idée de combiner plusieurs rôles, mais la pression de la charge de travail et la perte de temps pour soi gênent tant les unes que les autres.

Données sur les spécificités hommes-femmes[2]

• 91 % des femmes et 94 % des hommes reconnaissent qu'ils aimeraient une plus grande flexibilité dans leurs horaires.

• Seulement 15 % des femmes et 20 % des hommes ont l'impression qu'une plus grande flexibilité ne nuirait pas à leur carrière.

Deux vies en compétition

Les termes « équilibre vie professionnelle/vie privée » laissent entendre qu'il existe deux vies séparées : l'une au bureau et l'autre en tous lieux sauf au bureau. Cependant, la séparation entre les deux n'est plus aussi marquée qu'elle l'a été par le passé. Hommes et femmes apportent des problèmes personnels et familiaux non résolus en arrivant au travail – « Je dois appeler l'école pour les prévenir que mon fils est malade » –, et rentrent chez eux avec des responsabilités et des délais à respecter pour leur travail – « Peut-être que je peux y travailler une heure ou deux après le repas. »

Nous avons découvert, pendant nos ateliers, que les hommes et les femmes, quel que soit leur pays d'origine, voient le manque d'équilibre de façon divergente : les femmes pensent qu'elles disposent de trop peu de temps pour leur vie quotidienne, et les hommes disent ressentir une pression terrible à l'idée de se montrer toujours performants.

Paroles de femmes	Paroles d'hommes
Quand je suis au bureau, je pense à la maison, et quand je suis à la maison, je pense au bureau.	J'ai l'impression d'être tout le temps au bureau, même quand je suis à la maison.
Je suis trop fatiguée après le bureau pour m'occuper des tâches ménagères.	Je n'ai pas de temps pour pratiquer mes hobbies, ni pour ce qui m'intéresse ou le reste.
Je me sens coupable de quitter le bureau chaque jour à 17 heures.	Je ne peux pas quitter le bureau pour des raisons familiales.

L'expression « équilibre vie professionnelle/vie privée » suggère qu'il faudrait instaurer une égalité de temps entre deux vies placées en compétition, comme s'il était possible de trouver la juste répartition entre les deux. Mais c'est impossible, notamment pour les femmes, qui ne parviennent pas aussi aisément que leurs collègues hommes à compartimenter leur vie. Jongler entre des idées et des rendez-vous avec l'impression de n'avoir jamais suffisamment de temps pour tout concilier est une grande source de stress pour les femmes, qui génère souvent un sentiment de culpabilité né de l'impossibilité de pouvoir consacrer suffisamment de temps à leur famille ou à leur travail.

Les hommes sont davantage capables de compartimenter leur vie et de se concentrer sur un seul sujet à la fois. Pour eux, le problème réside davantage dans la pression qu'ils subissent du fait de la demande de performance, ce qui crée un déséquilibre dans leur vie : ils se focalisent uniquement sur leur travail. La source du stress masculin réside dans le sacrifice de la vie personnelle, la nécessité de passer de longues heures au travail et d'atteindre des objectifs.

Ni les hommes ni les femmes ne pourront jamais trouver un équilibre parfait entre vie privée et vie professionnelle : tous doivent se préparer à la déception à chaque tentative d'y parvenir. Mener deux vies séparées et aux besoins opposés dans un temps imparti n'est pas la solution.

Des vies compatibles

L'équilibre vie professionnelle/privée devient une préoccupation pour qui cherche à atteindre l'harmonie dans sa vie. Cette quête devient souvent la chasse à l'équilibre lui-même, alors qu'il faudrait chercher ce qu'il faut équilibrer. Seuls le stress et l'angoisse finissent par être équitablement répartis, ainsi que le sentiment constant d'être à court de temps, à la maison comme au bureau.

Pour établir l'harmonie entre les vies privée et professionnelle, il faut au contraire accepter de réunir ces deux mondes en cherchant leur compatibilité plutôt que leur séparation. L'harmonie personnelle et professionnelle repose davantage sur l'énergie que sur le temps : la clé est de vivre pleinement les moments présents plutôt que de mesurer le temps alloué à chaque activité.

Pour nombre d'hommes et de femmes, l'harmonie personnelle et professionnelle repose sur le choix d'une carrière correspondant aux choix de la vie personnelle. Ce n'est pas toujours possible. Nombreuses sont les personnes qui n'ont pas vraiment choisi leur travail et qui se retrouvent coincées dans une activité professionnelle qui ne les satisfait pas ou dont la carrière n'évolue pas comme elles le souhaiteraient.

Ce n'est pas pour autant qu'elles ne devraient pas chercher à faire coexister leurs deux vies – quel que soit leur travail et où il les mène.

Les femmes, en particulier, souffrent du manque de temps, donc doivent apprendre à mieux établir leurs limites en termes de temps alloué à leur travail. Elles cherchent à travailler pour des entreprises qui autorisent la flexibilité du temps de travail. Elles doivent repousser tout sentiment de culpabilité et prendre elles-mêmes en charge leur bien-être. Les entreprises ayant adopté une politique favorable à l'intelligence des genres organiseront cette flexibilité de manière à encourager les femmes et à les soulager du stress des horaires, ce qui les incitera à collaborer avec plus d'enthousiasme.

« Donnez-moi mes vendredis, et je vous donne 200 %. »

Lors d'un atelier, nous discutions de la négociation. Une femme partagea son histoire, vécue au temps où elle travaillait dans le secteur de la vente d'appareils de haute technologie, avant d'être promue manager. Elle était la seule femme dans l'équipe de vente, et à cette époque « elle travaillait dur pour prouver qu'elle pouvait vendre autant que n'importe lequel des mecs du département ! ». Elle atteignait régulièrement 125 à 150 % de ses objectifs de vente, quel qu'en ait été le chiffre fixé.

« Notre vie de famille a dérapé quand ma belle-mère, malade, a emménagé chez nous. Elle ne pouvait plus vivre seule et nous ne voulions pas la placer en maison de retraite, pas après tout ce qu'elle avait fait pour nous. Philippe et moi avons fait nos comptes et nous nous sommes rendu compte que nous n'avions pas suffisamment d'argent pour une aide à domicile cinq jours par semaine. Nous voulions offrir à Christiane une bonne qualité de vie pour les jours qui lui restaient. Philippe espérait qu'il pourrait se charger de sa mère, mais la nature de son travail et ses horaires ne le lui permettaient pas... Je n'avais pas le choix. Je suis allée voir mon patron et lui ai soumis une proposition, en priant pour qu'il ne la refuse pas. Je lui ai expliqué que j'avais besoin de mes vendredis, mais qu'en échange j'atteindrais 200 % de mes quotas de vente plutôt que les 150 % habituels. Je lui ai aussi promis que si jamais je tombais en dessous de la barre des 200 %, je travaillerais à nouveau les vendredis. Il était surpris, mais a fini par accepter. Je pense qu'il a apprécié le fait que j'arrive avec une solution et non avec un problème. Pendant trois ans, j'ai atteint 200 % de mon quota, et j'ai été celle qui vendait le plus dans l'équipe. En quatre jours, j'atteignais de meilleurs chiffres que mes collègues en cinq jours. Au boulot, je travaillais dur, mais quand j'étais à la maison, j'y étais à 100 %. Christiane habite toujours avec nous, et bien que je sois maintenant manager, je travaille toujours à la maison les vendredis. Je ne voudrais pour rien au monde perdre le *modus vivendi* que j'ai instauré entre ma vie professionnelle et ma vie privée. »

Nous avons eu l'occasion de le constater à différentes reprises au fil de cet ouvrage, les femmes jouissent d'une capacité à se montrer multitâches et à penser à plusieurs choses à la fois ; mais ce talent inné peut devenir un vrai frein quand elles recherchent l'harmonie entre leur vie privée et leur vie professionnelle. Elles ont tendance à outrepasser leurs possibilités, à promettre trop, à essayer de tout concilier et à éprouver de la culpabilité quand elles n'y parviennent pas.

Elles ne sont pas aussi à l'aise pour définir leurs limites, refuser une demande ou se concentrer sur un seul problème à la fois. Pour un homme, cela ne présente en revanche aucune difficulté. Il existe une solution, une technique permettant aux femmes de mieux vivre l'instant présent, avec une attention plus concentrée.

Découper le temps

Lors d'un récent congrès sur l'intelligence des genres, j'ai fait la connaissance d'Helen, directrice générale d'une entreprise pétrolière multinationale dont le siège est aux États-Unis. Elle m'a abordé avec un grand sourire et m'a serré dans ses bras comme si elle retrouvait un vieil ami : « J'ai assisté à votre intervention il y a trois ans et je me suis souvenue de votre méthode de la "découpe". Je l'utilise depuis lors. Elle m'a aidée non seulement à améliorer ma productivité au travail, mais aussi à embellir ma vie de famille. »

Généralement, les femmes peinent à établir leurs limites, comme le font les hommes. Ils restreignent poliment le nombre de projets dans lesquels ils s'engagent. Cela ne signifie pas qu'ils limitent leur participation, mais cela leur permet de se concentrer davantage sur un projet digne de leur attention, puis de passer au suivant. Voilà ce qu'est « découper le temps ».

« Je ne parviens pas aussi facilement à compartimenter mon esprit, a poursuivi Helen. Les autres activités viennent s'incruster dans mes pensées, et je dois me rappeler que j'ai prévu de me focaliser sur quelque chose de spécifique à un moment précis. Je note dans mon agenda les activités prévues, mes rendez-vous et mes engagements. En découpant le temps, je peux mieux me concentrer sur une chose sans penser au reste. Je pratique aussi cette "découpe du temps" à la maison. Quand je suis avec mon mari, ma fille ou mon fils, j'ai plus besoin de temps de qualité qu'en quantité, parce que ma famille compte le plus pour moi. Ma fille préfère que je lui consacre cinq minutes de disponibilité totale plutôt qu'une heure interrompue par mes pensées et préoccupations. Je mets tout le reste de côté quand je suis avec elle. J'éteins mon téléphone et nous passons du temps ensemble. »

Le défi pour les femmes

Le cerveau féminin est en activité constante et, sous un stress accru, les émotions et réflexions se multiplient davantage, dans la tentative de trouver des connexions et de résoudre un problème.

Au travail, une femme sera attentive aux besoins de chacun des membres de son équipe, et elle gérera sa vie privée avec la même intensité, la même concentration. Elle se focalisera sur les besoins de ses amis et de sa famille, souvent au détriment de ses propres besoins. Le temps semble toujours insuffisant au bureau ou à la maison, et chacun(e) mérite son attention. Le défi pour les femmes n'est pas seulement de trouver l'harmonie entre la vie privée et la vie professionnelle, mais aussi l'harmonie au sein de chacun de ces mondes : une coexistence passive de leurs pensées et de leurs activités, tant au travail qu'à la maison.

Le défi pour les hommes

Le défi des hommes est assez différent. Sous l'effet du stress, l'homme développe une vision en tunnel et se concentre sur un seul problème à la fois. Encore récemment, l'homme travaillait pendant la journée à son bureau et le quittait le soir, laissant derrière lui ses problèmes. « Demain est un autre jour », se disait-il, déplaçant son attention vers tout autre chose et oubliant ses soucis. Les hommes n'éprouvaient aucune difficulté à séparer leur travail de la vie privée. Ils rentraient à la maison, regardaient la télévision, lisaient leur journal, réparaient quelque chose ou aidaient leur épouse dans les tâches domestiques.

Mais l'avènement d'Internet, des smartphones et autres nouvelles technologies a modifié la définition du bureau. À présent, il s'agit de l'endroit où l'homme peut recevoir les informations de son travail, même si elles lui parviennent en dehors des locaux de l'entreprise. Les hommes rentrent chez eux avec leur bureau dans leur poche ou leur sacoche et s'attellent aux projets en attente d'aboutissement ou aux problèmes irrésolus, ce qui leur laisse moins de temps pour leur vie privée.

Le point de vue scientifique

Une des raisons expliquant pourquoi hommes et femmes réagissent différemment sous l'effet du stress est le rôle joué par les hormones, et plus particulièrement trois d'entre elles : le cortisol, l'ocytocine et la testostérone.

Quand une femme reçoit une décharge de cortisol sous l'effet du stress, l'ocytocine est produite en tant qu'hormone de compensation. Elle est sécrétée par le cerveau, contrecarre les effets de la production de cortisol et d'adrénaline, et entraîne l'apaisement et la relaxation[3].

Les hommes sécrètent aussi de l'ocytocine sous l'effet du stress, mais en quantité plus faible. La réaction classique masculine face au stress est, nous l'avons vu, d'affronter ou d'éviter les situations – se battre ou fuir. Les femmes préfèrent affronter les problèmes, en protégeant ceux dont elles sont proches ; elles créent des réseaux sociaux pour éviter les situations stressantes (rapprochement et amitié). Ce recours instinctif consistant à se rapprocher des autres entraîne une production d'ocytocine chez la femme, alors que l'instinct de combat ou de fuite entraîne une production de testostérone chez l'homme.

Le cortisol constitue un déclencheur important et utile en cas de stress pour le corps, mais ce dernier a besoin de retourner à l'état normal sous l'effet des hormones de relaxation après la fin de l'épisode stressant. Malheureusement, dans notre culture hautement stressante, le corps est constamment soumis au stress et n'a que peu de possibilités de retourner à l'état normal, ce qui engendre un état de stress chronique et génère de l'angoisse[4].

Les femmes cherchent naturellement des activités qui les aident à produire de l'ocytocine, afin de réduire leur cortisol et d'évacuer leur stress : lorsqu'elles ne disposent pas d'occasion de rapprochement sur leur lieu de travail, ou si elles manquent de temps pour entretenir une relation amoureuse à la maison, le stress et l'angoisse peuvent monter à un niveau plus élevé que celui de l'hormone capable de le faire baisser.

Les études montrent que le niveau de cortisol féminin au travail est deux fois plus élevé que celui des hommes, et à la maison quatre fois plus élevé – ce qui démontre l'intérêt de trouver un équilibre entre vie privée et vie professionnelle[5].

Selon le psychologue Carl Pickardt, « le manque de relations personnelles pour les femmes et l'échec pour les hommes sont souvent les grandes causes de stress. Les femmes ont en général établi leur confiance en elles en fonction de leur capacité à nouer des relations épanouissantes, alors que les hommes tirent leur confiance en eux de leur capacité à se montrer performants ; les demandes trop exigeantes et le manque de prise en charge personnelle ont des effets négatifs sur la santé physique et mentale de chacun des sexes, chacun à sa façon[6]. »

Une femme risque de placer les besoins d'autrui avant les siens. Un homme, au contraire, se perd souvent au profit de la compétition et des problèmes, laissant un concurrent ou un agenda trop chargé le consumer à petit feu. Il en oublie de se focaliser sur ses propres besoins et ne pense plus qu'à atteindre ses objectifs, se sentant alors obligé de rapporter ses dossiers à la maison.

L'harmonie commence en soi

Pendant notre atelier sur l'harmonie entre vie privée et vie professionnelle, nous demandons aux hommes et aux femmes y participant d'identifier les rôles de leur vie et de les exposer au groupe. Les femmes n'éprouvent en général aucune difficulté à dégager les différents rôles et à les définir en fonction des responsabilités envers autrui : elles sont des filles, des sœurs, des amies, des épouses, des mères, des employées. Un des rôles qu'elles oublient en général de mentionner, et ce quel que soit le pays où est organisé l'atelier, c'est le « soi-même ». Il est pourtant important de commencer sa liste des rôles par celui qui nous concerne : on est mieux à même de donner aux autres quand on a bien pris soin de soi auparavant.

Il en va de même dans les avions : il est demandé aux adultes voyageant avec des enfants de n'installer le masque à oxygène sur un petit qu'après avoir mis en place son propre masque. On ne peut s'occuper d'autrui que si on s'est déjà occupé de soi, comme on ne peut aimer autrui si on ne s'aime pas soi-même.

Les hommes, eux, semblent rarement avoir de problèmes à identifier leur « soi-même » dans la liste des rôles de leur vie et de leurs responsabilités. Par exemple, un homme dira : « Je suis déjà engagé pour cette date », sans entrer dans les détails de cet engagement. Il s'agira peut-être tout simplement d'emmener son fils à un match de football ! Les hommes n'éprouvent pas le besoin de se justifier quand ils disent : « Je dois partir… » ; ou bien : « Je m'en occuperai dès demain matin… » ; ou encore : « Je ne pourrai m'en occuper que la semaine prochaine. »

Que ce soit au nom du sens des responsabilités, par sentiment de culpabilité, ou parce qu'elle s'inquiète des autres, une femme se sent obligée de s'expliquer et donnera en détail les raisons qui l'incitent à partir ou qui l'empêchent de se charger immédiatement d'une tâche.

Sans s'en rendre compte, une femme perd souvent le respect des hommes en se justifiant constamment. Quand un homme a pris une décision, il l'annonce simplement, sans autre forme d'explication. Il se charge de ses propres intérêts à tout moment.

« Bonjour, je suis facturable à 98,5 %. »

Les cabinets d'avocats ont des habitudes intéressantes à observer. La plupart d'entre eux recourent à la notion d'heure facturable. Les associés pratiquant un taux horaire le plus élevé sont ceux qui se chargent des intérêts des clients les plus prestigieux.

Nous avons travaillé avec l'un de ces gros cabinets, pour lequel nous avons organisé des ateliers et des discussions. Il était frappant de noter que la plupart des avocats facturaient des heures à des taux plus élevés que ceux des avocates. Nous avons interrogé ces dernières sur les raisons de cette pratique : « Nous avons tendance à toujours vérifier les détails de nos factures, en nous demandant si tout ce que nous faisions était effectivement facturable. »

Les hommes avaient un avis différent sur la question. Un des associés m'a expliqué avec fierté : « Bonjour, je facture 98,5 % de mon temps et je m'appelle André. » Un autre a poursuivi : « Si je me contente de penser à mon client, je considère cela comme du temps facturable ! »

Deux des femmes que nous avons rencontrées ont ouvert un cabinet en Europe quelques mois plus tard. Voici l'extrait d'un article sur le modèle professionnel consacré aux différences de facturation entre les cabinets européens et américains, décrivant des femmes fatiguées par des horaires impossibles et par la nécessité constante de justifier leurs honoraires auprès de leurs clients : « Il est désagréable et gênant d'avoir à facturer les heures et les minutes. Nous avons trouvé une autre façon de fixer les honoraires : nous les facturons de façon forfaitaire. Les associés déterminent le temps nécessaire pour une procédure et nous facturons le client sur cette base forfaitaire. Souvent, le client y gagne, mais cette procédure est bénéfique pour le cabinet, car le nombre de nos clients a augmenté. Il est plus rassurant pour les clients de savoir d'entrée de jeu à quoi s'attendre. Les avocates ont aussi cessé de s'inquiéter du temps qu'elles consacraient à leur dossier, sans devoir constamment calculer les heures et s'inquiéter de ce que ça allait coûter à leurs clients. Elles ont cessé de prêter attention au temps passé sur le dossier, pour se consacrer dorénavant à l'aide qu'elles apportaient à leurs clients. »

« Il ne va jamais accepter ! »

Miki, dirigeante asiatique travaillant à Londres, m'a rapporté ceci : « J'ai deux subordonnées qui travaillent pour moi. Elles sont brillantes mais veulent toutes les deux quitter l'entreprise, faute de parvenir à équilibrer leur vie privée et leur vie professionnelle. Leur fonction de directrice les empêche de se consacrer aux besoins de leur famille : l'une d'elles est mère de préadolescents et l'autre doit s'occuper d'un parent âgé. Elles souhaiteraient travailler à mi-temps, mais je ne pense pas que ce sera accepté.

– Avez-vous réfléchi à la façon dont vous alliez exposer cette demande à votre supérieur ? lui ai-je demandé.

– Oui, m'a répondu Miki. Je vais lui demander si ces deux femmes peuvent se partager un des postes de directrice. Cela n'a jamais été fait, mais cette solution nous permettrait de garder ces deux excellents profils.

– Il faudrait formuler votre requête de façon à ce qu'un homme puisse comprendre l'intérêt d'un tel arrangement, lui ai-je alors suggéré. Il sait déjà qu'il profitera à ces deux femmes ; il doit maintenant prendre en compte les résultats et la façon la plus efficace de les atteindre. Mettez en avant l'intérêt pour l'entreprise de conserver ces deux talents, mais aussi pour les clients de pouvoir compter sur davantage de disponibilité, ce qui améliorera les chiffres de l'entreprise. »

Quelques semaines plus tard, Miki m'a appelé pour m'annoncer que l'idée de ce partage de poste avait plu à sa hiérarchie : « Je n'aurais jamais eu l'idée de formuler la demande de cette façon. Je serais entrée dans le bureau de mon patron en lui demandant son aide pour faire plaisir à ces deux femmes, au lieu de lui soumettre une opportunité bénéfique pour l'entreprise. Dorénavant, combiner les forces est une des options envisageables, car cela permet de réaliser des gains en termes de salaires et de garantir un meilleur service au client. Certains hommes de l'entreprise envisagent même de pouvoir eux aussi bénéficier de cette mesure. »

« Comment puis-je tout avoir si elle, elle n'y parvient pas ? »

Avant d'intervenir lors d'une conférence pour une banque d'investissement, j'ai été invité à participer au forum de discussion de l'entreprise, sur lequel postaient des femmes de 25 à 35 ans. Le sujet du post était : « Impossible de combiner carrière et vie privée. Lisez ce que cette dirigeante dit dans son article "Vous ne pouvez pas tout avoir". »

L'auteur de l'article s'adressait aux femmes de tous âges pour conclure à l'impossibilité pour elles de concilier carrière et vie de famille, parce qu'elles en font tellement plus que les hommes et reçoivent moins de leur équilibre vie privée/vie professionnelle. L'auteur en concluait qu'elle donnait sa démission parce qu'elle ne parvenait pas à avoir la carrière qu'elle souhaitait et la vie privée dont elle avait besoin. Une des femmes sur le forum résumait : « Comment puis-je tout avoir si elle, elle n'y parvient pas ? »

Elle peut tout avoir. Elle n'a juste pas besoin de tout faire !

Le travail et la vie privée entreront toujours en conflit pour les femmes qui essaient de trouver l'équilibre plutôt que l'harmonie.

Une femme peut être ambitieuse si elle souhaite gérer une carrière dont elle sera fière et mener une vie privée qui la comble de joie et de satisfaction – qu'elle soit célibataire ou mariée, avec ou sans enfant, ou qu'elle ait d'autres personnes à sa charge.

« Elle peut tout avoir, mais elle n'a pas besoin de tout faire » est un message fort que nous adressons aux femmes dans ce chapitre : une maxime à méditer pour la jeune génération qui prévoit et met sa carrière sur des rails.

Une femme n'aura jamais tout si elle continue à faire passer les besoins des autres avant les siens, si elle ne dit jamais « non » ou « plus tard », et si elle ne soucie jamais d'elle-même – tout cela à cause du sentiment de culpabilité. Ce dernier augmente le stress, et quand le niveau de stress féminin s'élève, la liste interminable de toutes les choses à faire émerge à nouveau. Les femmes auront tendance à placer leurs besoins tout en bas de cette liste.

Pourquoi aller boire un verre avec les collègues après le travail ou accompagner les associés au restaurant, alors que toute l'équipe est en déplacement professionnel ? Les hommes n'auront aucune difficulté à décliner l'offre et n'en éprouveront aucune culpabilité : « Je vais vous laisser, les gars. Amusez-vous bien. » Il n'y a rien de personnel dans cette formulation, et les hommes ne s'attendent pas à ce que leurs collègues réagissent autrement que par un « À plus tard ! ».

Les femmes ont souvent été conditionnées pendant leur enfance à se considérer comme égoïstes si elles faisaient passer leurs besoins avant ceux des autres. Nouer des relations demande de l'empathie, le don de son temps et de son attention, et d'en recevoir autant en retour. Pourtant, s'occuper de soi aide une femme à réduire son stress et à se montrer plus disponible. Cela lui donne le sentiment de ne pas être seule, d'être soutenue et en lien avec les autres, donc d'avoir plus à offrir à son entourage à long terme.

Le point de vue personnel

De nombreux parents pensent que le temps de qualité vient seulement si on dispose d'une quantité suffisante de temps. La réflexion se fonde ainsi : « Plus j'ai de temps, plus j'ai d'occasions d'avoir du temps de qualité. » La plupart d'entre eux ont du temps en quantité, mais ne sont pas suffisamment disponibles pour en faire des moments inoubliables. Être toujours présent ou jouer à tous les jeux ne constitue pas nécessairement du temps de qualité.

Il fut un temps où la plupart des familles vivaient à la ferme : les enfants travaillaient alors avec leurs parents, de qui ils apprenaient des valeurs et des habitudes. Ils regardaient leur père et leur mère gérer les problèmes et la façon dont ils se parlaient : comment maman aidait papa et comment papa montrait son affection à maman. Les enfants grandissaient dans une grande proximité avec les parents depuis leur petite enfance jusqu'à la fin de l'adolescence.

Aujourd'hui, les enfants absorbent les valeurs de leurs professeurs et de leurs amis d'école. Souvent, le tyran de l'école influence le plus notre enfant, qui recherche son approbation. Dans la plupart des familles d'aujourd'hui, les deux parents travaillent : il faut donc s'adapter en communiquant mieux. Les adultes doivent apprendre à écouter les enfants. Leur parler les aide à se sentir en sécurité et les motive pour raconter les événements de leur journée. Les parents d'aujourd'hui peuvent encore transmettre leurs valeurs à leurs enfants en se contentant de les écouter et en s'assurant de mettre en place régulièrement des occasions particulières.

Demandez aux adultes ce dont ils se souviennent le plus de leur enfance, et ils évoqueront les traditions familiales : un repas de famille, des vacances, ou même les berceuses du soir, les livres d'enfant que leurs parents leur lisaient... Voilà ce qui marque un enfant.

Les enfants s'en sortent mieux dans les foyers où il existe des rituels, même dans les cas dramatiques, comme le divorce ou l'alcoolisme. Quand les membres d'une famille sont en conflit, les rituels quotidiens les aident à retrouver des repères et à surmonter les difficultés.

Les rituels familiaux fondent l'identité d'un enfant, lui procurent calme et stabilité pendant les périodes de stress, et créent des liens intergénérationnels. Les habitudes instaurent un mode de vie sain et permettent de repérer les bons comportements : ceux qui donneront à l'enfant une structure qui lui permettra de se construire, de se créer des souvenirs et de développer l'harmonie.

ÉPILOGUE

HOMMES ET FEMMES INTELLIGENTS, TRAVAILLANT ET ATTEIGNANT LA RÉUSSITE ENSEMBLE

Quand nous avons commencé à pratiquer, il y a trente ans, nous étions tous deux animés d'un désir très marqué d'aider les hommes et les femmes à trouver plus de compréhension et de réussite dans leur vie professionnelle, et à les aider, en tant que conjoints et parents, à développer plus de compréhension, de confiance et de sens dans leur vie privée.

Bien que nous soyons partis sur des chemins séparés, nous partagions les mêmes convictions sur l'intelligence des genres : une volonté de mieux décoder, apprécier et valoriser les spécificités de chaque sexe. Nous souhaitions que, partout dans le monde, hommes et femmes puissent trouver plus de bonheur et de satisfaction professionnels.

Nous nous sommes rencontrés en 2009, et nous savions que notre projet d'écrire ensemble serait l'emblème pour les hommes et les femmes à la recherche d'une meilleure ambiance à leur bureau, mais aussi d'une harmonie entre leurs vies privée et professionnelle – afin de voir leurs deux mondes cohabiter plutôt qu'entrer en conflit. Nous savions qu'une meilleure intelligence des genres aiderait grandement tant les hommes que les femmes à atteindre cet objectif.

En imaginant le futur, nous ne pouvons que rêver à quoi ressemblerait un monde où les hommes comme les femmes – à tous les échelons de l'entreprise et à tous les stades de leur vie – auraient mieux développé leur intelligence des genres. Comment vivrait-on si chacun avait compris et apprécié les spécificités de l'autre sexe, à un point tel que les hommes pourraient parler au nom des femmes et les femmes au nom des hommes ?

Imaginons la collaboration, la créativité et la productivité qui en découleraient pour les entreprises partout dans le monde. Il existe tant de femmes avec un niveau d'étude élevé qui restent sous-employées. Il pourrait en aller très différemment, et cela aurait un impact incroyable sur l'économie, notamment pour les pays qui manquent de talents du fait que leur culture sous-évalue les femmes et les confine dans un rôle domestique.

Imaginons les couples : ils vivraient alors des relations plus épanouissantes, échangeraient plus d'amour et d'appréciation. Les mères et les pères doués en intelligence des genres deviendraient de meilleurs parents pour leurs fils et filles : ils éduqueraient des enfants coopératifs, confiants et empathiques, en leur accordant la liberté et la possibilité d'être vraiment eux-mêmes.

Imaginons des gouvernements travaillant ensemble pour trouver des voies menant à la paix et à la prospérité par un dialogue approfondi. Imaginons les dirigeants des pays travaillant à l'éradication des mutilations et des mises à mort de leurs petites filles et de leurs femmes.

Il n'est pas utopique ni irréaliste de penser qu'hommes et femmes, travaillant main dans la main, pourraient faire de ce monde un endroit plus beau. Voilà comment nous concevons l'intelligence des genres : des hommes et des femmes voyant le monde sous l'angle de l'autre sexe et appréciant ce point de vue.

La force dans la différence

Les grands esprits ne se rencontrent pas toujours ; les grands esprits pensent souvent de façon différente. Un mode de fonctionnement distinct fait souvent la différence ! Les cerveaux masculin et féminin apportent des atouts extraordinaires pour l'entreprise, et davantage encore quand ils sont réunis. Le vieil adage « Le tout vaut mieux que la somme de ses parties » ne pourrait être plus vrai que lorsqu'il s'applique aux hommes et aux femmes réunis pour résoudre des problèmes, prendre des décisions et gérer des équipes. La diversité des approches constitue une plus-value pour l'entreprise et les autres formes d'organisation, et cette plus-value va compter davantage encore dans notre avenir toujours marqué par la complexité et la globalité. Nombre des études sur lesquelles nous nous sommes appuyés pour la rédaction de cet ouvrage concluent que les équipes mixtes obtiennent de meilleurs résultats et se montrent plus innovantes. Les chercheurs ayant étudié les comportements ont établi que dans les groupes mixtes où chacun se sentait à l'aise et écouté, il était plus courant d'arriver à des idées défiant l'ordre établi.

Ces équipes fonctionnent bien, non parce que la différence entre les sexes est si importante ou parce que les femmes sont plus brillantes ou empathiques que les hommes. La raison du succès tient plutôt au fait qu'hommes et femmes apportent des points de vue différents : par conséquent, l'image finale est plus riche et plus complète pour aboutir au processus décisionnel. Le management masculin est plus fondé sur la transaction, la prise de risque et la recherche de solutions, alors que le management féminin est davantage caractérisé par les relations, l'encouragement et le recours aux discussions et à la réflexion.

Les valeurs féminines combinées avec les valeurs masculines améliorent la qualité de vie pour tous les employés en favorisant l'épanouissement personnel sur le lieu de travail, en créant une meilleure ambiance et en permettant à chacun de se sentir intégré et pris en compte pour ses contributions. Le modèle « gagnant/perdant » peut laisser la place à une nouvelle forme d'équilibre : « Nous gagnons ensemble. » On peut déjà observer l'avènement de ces changements dans le monde entrepreneurial.

Un autre tournant majeur réside dans la définition et la pratique du leadership d'intégration. De nombreuses entreprises reposent encore sur le concept du leader charismatique, soit : si la bonne personne occupe la bonne place, l'entreprise se portera bien. Avec ces convictions dépassées, et sans prendre en compte l'influence de chacun des intervenants, ces entreprises risquent de se confronter à un échec cuisant dans les années à venir.

Il est difficile pour les entreprises d'abandonner ce concept de leader charismatique issu du XXe siècle. En avançant dans le XXIe siècle, les dirigeants les plus âgés abandonneront l'idée de la gestion par le pouvoir au profit de la gestion par l'encouragement des idées. Ils se détourneront du rôle d'un leader icône, qui se contente surtout de représenter l'entreprise à l'extérieur, au profit du rôle d'un leader qui réunit, encourage les voix et surtout les talents à s'exprimer au sein même de l'entreprise.

Les multinationales doivent aujourd'hui faire face à des opportunités et à des défis devenus complexes et globaux. Elles sont composées de milliers d'employés répartis dans des dizaines de pays, aux cultures et politiques très spécifiques, observant des règles d'éthique professionnelle divergentes et poursuivant des objectifs uniques. Aucun dirigeant ne peut détenir les réponses à toutes ces questions, à tous les défis, et saisir toutes les opportunités pour des organisations à ce point étendues.

L'approche hiérarchisée, personnifiée du leadership des années passées doit céder la place et permettre qu'émerge, dans la décennie à venir, un leadership de type inclusif, et que ce style de leadership devienne le plus courant pour les leaders des entreprises globales. Les responsabilités qui par le passé incombaient à une seule personne seront désormais réparties entre plusieurs responsables dans l'entreprise et selon les régions du monde. Le leader du XXIᵉ siècle ne sera plus la seule source de connaissance, de sagesse et de décision, mais plutôt l'intégrateur de connaissances. Il ou elle sera un joueur de l'équipe, ouvert à la collaboration et convaincu de l'importance de faire émerger les valeurs de ses coéquipiers – des règles de fonctionnement qui s'apparentent beaucoup aux valeurs féminines.

La conjugaison des comportements féminins dynamiques, éclectiques et fondés sur la collaboration avec les traits masculins systémiques, focalisés et orientés vers les résultats permet d'accéder à un niveau qu'aucun des sexes ne pourrait espérer atteindre seul. De cette complémentarité, un grand nombre de choses incroyables peut découler !

Nous attendons l'avènement du jour où les angles morts feront partie du passé et où un tel ouvrage sera devenu inutile. Nous attendons l'avènement du jour où les hommes et les femmes, doués d'intelligence des genres, chercheront l'un chez l'autre l'expression d'un soi authentique et pourront vivre côte à côte de façon naturelle et sur un mode ouvert. C'est un objectif qui mérite d'être atteint, un monde qui mérite de voir les hommes et les femmes partenaires et unifiés.

NOTES ET RÉFÉRENCES

Chapitre 1 – Sommes-nous réellement semblables ?

1. US Equal Employment Opportunity Commission, Sexual Harassment Charges, EEOC & FEPAs Combined : FY 1997-FY 2011.
2. *Gender Surveys*, Barbara Annis & Associates, 2005-2012.
3. « *Grant Thornton International Business Report* », 2010.
4. Nicholas Kristof and Sheryl WuDunn, *Half the Sky : Turning Oppression into Opportunity for Women Worldwide* (New York : Knopf, 2009).
5. « *Female Leadership, A Competitive Edge for the Future* », McKinsey & Company, 2009.
6. « *The Strengths Revolution* », *Gallop Management Journal*, 22 janvier 2001.
7. « *Current Population Reports : Series P-20* », n° 373, table 4.
8. « *Women in Senior Management* », Goldman Sachs, 2010.
9. « *For First Time, More Women than Men Earn PhD* », *USA Today*, 14 septembre 2010.
   http://usatoday30.usatoday.com/news/education/2010-09-15-womenphd14_st_N.htm.
10. « *Collective Intelligence : Number of Women in Group Lead to Effectiveness in Solving Difficult Problems* », *Science Daily*, 2 octobre 2010.
   http://www.sciencedaily.com/releases/2010/09/100930143339.htm.

Chapitre 2 – Les femmes souhaitent-elles voir les hommes changer ?

1. *Gender Surveys*, Barbara Annis & Associates, 2005–2012.
2. Stephan Hamann, « *Sex Differences in the Responses of the Human Amygdala* », *The Neuroscientist* 11 : 4 (2005), 288-293.

3. Louann Brizendine, *The Female Brain* (New York : Three Rivers Press, Crown Publishing 2007).

  http://rnawrocki.com/pdfs/Louann % 20Brizendine % 20-20The % 20Female % 20Brain.pdf.

4. Hamann, « *Sex Differences in the Responses of the Human Amygdala* ».

5. Anne Moir and David Jessel, *Brain Sex : The Real Differences between Men and Women*, (New York : Dell Publishing, 1992), pp. 39-49.

Chapitre 3 – Les hommes apprécient-ils les femmes ?

1. *Gender Surveys*, Barbara Annis & Associates, 2005-2012.

2. Towers Perrin Global Workforce Study, 2007-2008.

3. *Gender Surveys*, Barbara Annis & Associates, 2005-2012.

4. « *Women-Owned Businesses in the 21st Century* », US Department of Commerce, octobre 2010.

5. M.E. Frederikse, A. Lu, E. Aylward, P. Barta, G. Pearlson, « *Sex Differences In the Inferior Parietal Lobule* », 1999. http://cercor.oxfordjournals.org/content/9/8/896.long.

6. « *Male vs. Female, The Brain Differences* », Columbia University.

  http://www.columbia.edu/itc/anthropology/v1007/jakabovics/mf2.html.

Chapitre 4 – Les femmes sont-elles mises à l'écart ?

1. *Gender Surveys*, Barbara Annis & Associates, 2005–2012.

2. « *US Women Lawyers Likely to Leave Employers Three Years Earlier Than Men* », HRM Guide Human Resources, janvier 2001. http://www.hrmguide.net/usa/women_lawyers. htm.

3. Kathleen M. Mahoney, « *He Said/She Said : Jurors' Perceptions of Women Advocates* », *The Woman Advocate*, American Bar Association Section of Litigation, 1999, 4-6.

  http://womenaslawyers.wordpress.com/.

4. *Ibid.*

5. *Women in the World's Legal Professions* éditions Ulrike Schultz and Gisela Shaw (Oxford, UK : Hart Publishing, 2003), 41-42.

6. Shelley E. Taylor, Laura Cousino Klein, Brian P. Lewis, Tara L. Gruenewald, Regan A.R. Gurung, & John A. Updegraff, « *Biobehavioral Responses to Stress in Females : Tend-and-Befriend, not Fight-or-Flight* », *Psychological Review*, juillet 2000, 107 : 3, 411-429.

7. Michael G. Conner, « *Understanding the Difference Between Men and Women* »..

http://www.oregoncounseling.org/ArticlesPapers/Documents/DifferencesMenWomen.htm.

8. Taylor *et al.*, « *Biobehavioral Responses to Stress in Females : Tend-and-Befriend, not Fight-or-Flight* ».

Chapitre 5 – Les hommes doivent-ils marcher sur des œufs avec les femmes ?

1. *Gender Surveys*, Barbara Annis & Associates, 2005–2012.

2. US Equal Employment Opportunity Commission, Sexual Harassment Charges, EEOC & FEPAs Combined : FY1997-FY2011.

3. Jean Hollands, *Same Game, Different Rules : How to Avoid Being a Bully Broad, Ice Queen, or Ms. Understood* (New York : McGraw-Hill, 2002), XXIII.

4. « *The Role of Emotion in Memory* ». http://www.memory-key.com/memory/emotion.

5. « *Neuroscientists Find that Men and Women Respond Differently to Stress* », *Science Daily*, 1ᵉʳ avril 2008. http://www.sciencedaily.com/videos/2008/0403-men_are_from_mars.htm

6. Larry Cahill, « *His Brain, Her Brain* », *Scientific American*, mai 2005, pp. 46-47.

7. Grant Thornton International Business Report, 2012.

http://www.gti.org/files/ibr2012 % 20 % 20women % 20in % 20senior % 20management % 20master.pdf, 3.

Chapitre 6 – Les femmes posent-elles trop de questions ?
1. *Gender Surveys*, Barbara Annis & Associates, 2005–2012.
2. Louann Brizendine, *The Female Brain* (New York : Three Rivers Press, Crown Publishing, 2007).
  http://rnawrocki.com/pdfs/Louann %20Brizendine % 20- % 20The % 20Female % 20Brain.pdf.
3. Michael Gurian and Kathy Stevens, « *With Boys and Girls in Mind* », *Educational Leadership*, novembre 2004. http://www.ascd.org/publications/educational-leadership/nov04/vo162/num03/with-boys-and-girls-in-mind.aspx.
4. Helen Fisher, « *The Natural Leadership Talents of Women* », *in Enlightened Power : How Women Are Transforming the Practice of Leadership*, éditeurs Linda Coughlin, Ellen Wingard, Keith Hollihan (San Francisco, CA : Jossey Bass, 2005), ch. 8. http://www.helenfisher.com/downloads/articles/07leadership.pdf.
5. « *More Female Bankers Could Have Prevented the Financial Crisis* », *The Grindstone*, janvier 2012.
  http://thegrindstone.com/office-politics/analysts-say-having-more-female-bankers-could-have-prevented-the-financial-crisis-181/.

Chapitre 7 – Les hommes écoutent-ils ?
1. *Gender Surveys*, Barbara Annis & Associates, 2005–2012.
2. « *Intelligence in Men and Women Is a Gray and White Matter* », *Science Daily*, 20 janvier 2005. http://www.sciencedaily.com/releases/2005/01/050121100142.htm
  Molly Edmonds, « *Differences in Male and Female Brain Structure* », *Discovery Fitness & Health*.
  http://health.howstuffworks.com/human-body/systems/nervous-system/men-women-different-brains1.htm.

3. « *Intelligence in Men and Women Is a Gray and White Matter* », *Science Daily*, 20 janvier 2005. http://www. sciencedaily.com/releases/2005/01/050121100142.htm.
4. « *The Two Faces of Oxytocin* », Tori DeAngelis, American Psychological Association, février 2008, 39 : 2.
   http://www.apa.org/monitor/feb08/oxytocin.aspx.

Chapitre 8 – Les femmes sont-elles trop émotives ?

1. *Gender Surveys*, Barbara Annis & Associates, 2005–2012.
2. Stephan Hamann, « *Sex Differences in the Responses of the Human Amygdala* », *The Neuroscientist* 11 : 4 (2005), pp. 288-293.

Chapitre 9 – Les hommes sont-ils insensibles ?

1. *Gender Surveys*, Barbara Annis & Associates, 2005–2012.
2. Étude conduite par MIT/Carnegie Mellon University/ Union College, 2010, p. TK.
3. Emily Deans, « *Dopamine, the Left Brain, Women, and Men* », *Psychology Today*, May 17, 2011.
   http://www.psychologytoday.com/blog/evolutionary-psychiatry/201105/dopamine-the-left-brain-women-and-men.
4. Paul Ekman, *Emotions Revealed : Understanding Faces and Feelings* (New York : Henry Holt, 2003), p. TK.
5. Louann Brizendine, *The Female Brain* (New York : Three Rivers Press, Crown Publishing 2007), p. TK. http:// rnawrocki.com/pdfs/Louann %20Bhrizendine %20- % 20The % 20Female % 20Brain.pdf.

Chapitre 10 – Gagner la confiance des femmes, améliorer sa crédibilité auprès des hommes

1. *Gender Surveys*, Barbara Annis & Associates, 2005–2012.
2. Susan Kuchinskas, *The Chemistry of Connection : How the Oxytocin Response Can Help You Find Trust, Intimacy, and Love* (Oakland, CA : New Harbinger Publications, 2009), pp. 6-9.

3. Paul J. Zak, « *The Neurobiology of Trust* », *Scientific American*, juin 2008.

http://www.templeton.org/pdfs/press_releases/Paul %20Zak.Neurobiology %20of %20Trust.pdf.

4. Louann Brizendine, « *The Female Brain* » (New York : Three Rivers Press, 2007) p. 95.

http://www.drlumd.com/wp-content/uploads/2011/12/The-Female-Brain.pdf.

Chapitre 11 – Établir un lien entre nos valeurs différentes

1. *Gender Surveys*, Barbara Annis & Associates, 2005-2012.

2. History from Ike : home page.

http://www.ikea.com/ms/en_US/about_ikea/the_ikea_way/history/index.html.

3. Audrey Nelson, « *Can Men Play the Negotiation Game Better than Women* ? », *Psychology Today*, 19 juin 2011.

http://www.psychologytoday.com/blog/he-speaks-she-speaks/201106/can-men-play-the-negotiation-game-better-women.

4. « *When Does Gender Matter in Negotiation ?* », Hannah Riley and Kathleen L. McGinn, Working paper, 18 septembre 2002. web.hks.harvard.edu/publications/getFile.aspx ? Id=51.

5. M.E. Frederikse, A. Lu, E. Aylward, P. Barta, G. Pearlson « *Sex Differences In the Inferior Parietal Lobule* », 1999. http://cercor.oxfordjournals.org/content/9/8/896.long.

6. « *Male vs. Female, The Brain Differences* », Columbia University.

http://www.columbia.edu/itc/anthropology/v1007/jakabovics/mf2.html.

7. « *Sex Differences In the Inferior Parietal Lobule* », M.E. Frederikse, A. Lu, E. Aylward, P. Barta, G. Pearlson (1999). http://cercor.oxfordjournals.org/content/9/8/896.long.

8. « *Female Leadership, A Competitive Edge for the Future* », McKinsey & Company, 2009.

Chapitre 12 – Équilibrer sa vie privée et sa vie professionnelle
1. « *Employment Characteristics of Families Summary* », avril 2012.
   http://www.bls.gov/news.release/famee.nr0.htm.
2. *Gender Surveys*, Barbara Annis & Associates, 2005–2012.
3. « *Why Men and Women Handle Stress Differently* », reviewed by Brunilda Nazario, MD.
   http://women.webmd.com/features/stress-women-men-cope.
4. *Ibid.*
5. « *The Handbook of Stress Science : Biology, Psychology, and Health* », Richard Contrada, Andrew Baum (New York : Springer Publishing, 2010), pp. 536-539.
6. Carl Pickhardt, *in* WebMD feature, « *Why Men and Women Hundle Stress Differently* »..
   http://women.webmd.com/features/stress-women-men-cope.

REMERCIEMENTS

Un merci particulier à Lee Brower, qui a eu l'idée de réunir deux experts mondiaux pour associer leurs visions tant du monde du travail que de la vie personnelle.

Nous souhaitons remercier notre éditeur, John Fayad, pour son dévouement et son travail acharné. Nous souhaitons aussi remercier les très nombreux hommes et femmes qui ont participé à ces ateliers et se sont assurés que cela apporterait un changement durable dans leurs vies. Merci à Karen Wolny et à toute l'équipe de Palgrave Macmillan, à notre agent littéraire, Carol Mann, pour la diffusion de cet ouvrage dans le monde. Merci aussi à nos amis, collègues et clients, pour leurs formidables contributions.

Barbara Annis

Je remercie Lee Akazaki, Kenchiro Akiyama, Jane Allen, Jennifer Allyn, Shahla Aly, Greg Van Asperen, Beth Axelrod, Robin Baliszewski, Jim Beqaj, Jill Beresford, Gina Bianchini, Lynda Bowles, Stephanie Hanbury Brown, Woody Buckner, James Bush, Susan Cartsonis, Kenneth Chenault, Jennifer Christie, Judy Dahm, Christa Dowling, Nancy Elder, Carol Evans, Dr. Helen Fisher, Nancy Forsyth, Gaby Giglio, Ed Gilligan, Neena Gupta, Dr. Ruben Gur, Bruce Haase, Nadine Hack, Irena Halsey, Jane Hewson, Jan Hill, Arianna Huffington, Swanee Hunt, Dr. Joseph Jaworski, Elisabeth Jensen, Sonya Kunkel, Dr. George Labovitz, Stan Labovitz, Carolyn Lawrence, Bruce Leamon, Chuck Ledsinger, Dr. Marianne Legato, Maria LeRose, Pernille Spiers-Lopez, Renee Lundholm, Anne Madison, Susanna Margolis, Marguerite McLeod, Ramón Martín, Graciela Meibar, Dr.

Keith Merron, Dr. Anne Moir, Betsy Myers, Lisa Olinda, Hubert Saint-Onge, Paola Corna Pellegrini, Kerrie Peraino, Phyllis Stewart Pires, Allison Pogemiller, Alan Richter, Eiko Saito, Nicole Schwab, Maria Shriver, Dr. Janet Smith, Jim Hagerman Snabe, Val Sorbie, Erin Stein, Claudia Studle, Kate Sweetman, Aniela Unguresan, Dr. Karin Verland, Dr. Elena Vigna, Lara Warner, James Ward, Donna Wilson, Marie Wilson, Oprah Winfrey, Dr. Sandra Witelson, Anka Wittenberg, et Janet Wood.

Un merci particulier à : John Hart, P-DG du Gender Intelligence Institute and the Impact Center, dont le dévouement et l'engagement pour promouvoir l'intelligence des genres et le leadership collaboratif ont réussi à atteindre aussi bien la Maison Blanche que de grands leaders émergents.

Merci à toutes les femmes étonnantes et profondément engagées du Women's Leadership Board, Harvard Kennedy School ; au Gender Equality Project de Genève – je suis honorée de créer avec vous un monde où les hommes et les femmes sont estimés et respectés avec égalité en économie, en politique, ou dans la vie sociale. Merci aux remarquables équipes de the Institute for Women's Studies in the Arab World (IWSAW) à l'Université américaine libanaise de Beyrouth, pour leur contribution durable à l'autonomie des femmes dans le monde arabe à travers des activités, des interventions, et l'éducation. Merci à toutes les entreprises et à leurs employés qui ont le désir de travailler et de réussir ensemble, en bonne intelligence des genres, dont American Express, Bentley University, Blake, Cassels & Graydon, BMO Financial Group, la Chambre du Commerce Suédoise, Choice Hotels International, CIBC, Costco, Crayola, Crédit Suisse, Danish CEO Network, Deloitte, le Department of Justice, le Department of National Defense, Deutsche Bank, Disney, Dove – Unilever, eBay, EDS, Electrolux, Federal Business Development Bank, Financial Times, Ford Motor Company, Fordham University, Goldman Sachs, Goodman & Carr, Greenberg Traurig, Harvard University, HSBC Bank, IBM, IKEA, Imperial Oil, Industry Canada, Kellogg's, Kvinfo, Johnson & Johnson, Lever Ponds, Levi Strauss, Mattel, McDonalds, Microsoft, Molson, Motorola, National Defense Canada, Nissan, Novartis, Oliver Wyman, Pax World, Pearson Education, Pfizer, Prentice Hall, PricewaterhouseCoopers, RBC Financial, RBC Investment Group, SAP, Scotia Bank, SMBC, Sunlife Insurance, Symcor, Tambrands, Toshiba, Treasury Board, UBS Investments, Unilever, Wells Fargo Women of Influence, Wood Gundy Securities, Xerox, et Xstrata.

John Gray

Je remercie ma femme, Bonnie Gray, pour son amour et son soutien dans notre relation personnelle comme au travail, où elle continue de me montrer comment encourager les femmes avec lesquelles nous collaborons. J'aimerais aussi remercier mes trois filles et leurs compagnons, Shannon et Jon, Juliet et Dan, Lauren et Glade, et nos adorables petits-enfants, Sophia, Bo, Brady et Makena.

De grands mercis à mon équipe, qui fait que tout ce travail fonctionne. Mon assistante, Hallina Popko, Jon Myers, directeur du marketing de MarsVenus.com, Marcy Wynne, directrice du service client, Glade Truitt, directeur de production des vidéos quotidiennes de mon blog, Jeff Owens, responsable de AskMarsVenus.com, Rich Bernstein, président et directeur de MarsVenusCoaching.com et Mars Venus Coaching Training, Amy Kamstra, administratrice de Mars Venus Coaching Trainings ainsi que tous les coaches de Mars Venus Executive à travers le monde : Karen Leckie, Lesley Edwards, Alan Ogden (Canada), Rosa Botran (Guatemala), Jessy Keller (Mexico), Dalal Al Janaie (Koweït), Kal Sharaf (Jordanie), Michele Festa, Caterina Tornani (Italie), Michael Kubina

(Allemagne), Nesan Naidoo (Australie), Niru Kumar (Inde), Melodie Tucker, Liza Davis, Susan Berke, and Lyndsay Katauskas (États-Unis).

Confronter le message de Mars et Vénus aux spécificités des nombreuses entreprises et des organismes énumérés ci-dessous a été un défi, et nous a permis d'affiner nos positions dans Mars et Vénus réussissent ensemble, pour améliorer la communication entre les hommes et les femmes dans leurs vies professionnelles et personnelles. Je remercie : AIG Financial, Allstate Insurance, American Airlines, American Mothers Convention, America Online (AOL), Anthony Robbins Company, ARCA Enterprises, AT&T, BermanBraun, Better Business Bureau, Book Passage, Borders Bookstores, California's Women Conference, Central Intelligence Agency, Charles Schwab, Chopra Center for Wellbeing, the Coca Cola Company, Commonwealth Bank, Coors Brewing Company, Crucial.com, Daimler-Chrysler, Dr. Oz and ZoCo Productions, Emerson University, eWomen Network, EXL, Ford Australia, Ford Motor Company, Governor of Utah Marriage Day, Harvey Mackay Roundtable, IBM, ICMI Speakers Bureau – Australia, Isagenix, Johnson and Johnson, Kmart, Kuwait Oil Company, Lifestyle Medicine Summit, Lucent Technologies, Luxor, McDonald's, Merck Pharmaceuticals, MGM Resorts International, Microsoft, Mortgage and Finance Association of Australia, National Association for Hospice and Home Care, National Broadcasting Company, National Institute of Standards and Measurements, National Public Radio, National Speakers Association, Natural Factors, Nightingale Conant, Nokia, Oprah Winfrey and Harpo Productions, Oracle, Parker Chiropractic Seminars, Pat Vitucci and Associates, Peak Potentials, Preferred Nutrition, Princess Cruise Lines, Public Broadcasting Service, Rotary Club, Sheraton Towers International, Smart Marriages, Society For Human Resource Management, Sony Pictures, Stanford University, Suisse Vitamins, Summit Entertainment, Suzanne Somers, TED, the American Society of Bariatric Physicians, the Boeing Company, the Commonwealth Club, the Pachamama Alliance, the Pollack PR Marketing Group, Toyota Australia, Toys "R" Us, Transformational Leadership Council, U.S. Army, Wal-Mart, Walt Disney Corporation, WPO/YPO, et YourTango.

Si vous avez aimé ce livre et que vous souhaitez
en savoir plus, découvrez les sites :
http://www.baainc.com
http://www.marsvenus.com
http://www.mars-venus.fr

Composé par Nord Compo Multimédia
7, rue de Fives, 59650 Villeneuve-d'Ascq

Achevé d'imprimer au Canada
sur les presses de Imprimerie Lebonfon Inc.

Imprimé au Canada
Dépôt légal : août 2013
LAF 1689
ISBN : 978-2-7499-2026-9